Mi hijo precioso

El viaje de un padre a través
de las adicciones de su hijo

Mi hijo precioso

El viaje de un padre a través
de las adicciones de su hijo

DAVID SHEFF

Traducción
Martha Baranda

Grijalbo

Mi hijo precioso
El viaje de un padre a través de las adicciones de su hijo

Título original en inglés *Beautiful Boy*
A Fathers's Journey through his son's addiction

Primera edición en México: agosto, 2008

D. R. © 2008, David Sheff

D. R. © 2008, Traducción: Martha Baranda

D. R. © 2008 derechos de edición en lengua castellana para España
y América Latina, excepto Puerto Rico
Random House Mondadori, S. A. de C. V.
Av. Homero No. 544, Col. Chapultepec Morales,
Del. Miguel Hidalgo, C. P. 11570, México, D. F.

www.randomhousemondadori.com.mx

Comentarios sobre la edición y contenido de este libro a:
literaria@randomhousemondadori.com.mx

CRÉDITOS

El autor desea expresar su agradecimiento a los artistas y licenciatarios de las siguientes letras de canciones, guiones de películas, libros y poemas por su autorización para utilizar sus obras registradas en este libro. Todos los derechos están reservados para los propietarios de los derechos de las siguientes obras:

Extractos de "God", "Beautiful Boy (Darling Boy)" y "Nobody Told Me" escritos por John Lennon, derechos reservados © 1970, 1980 y 1980. Lenono Music. Utilizados con autorización. Todos los derechos reservados. Agradecimiento especial a Yoko Ono.

Extractos de *Addict in the Family*, de Beverly Conyers, derechos reservados © 2003 por Hazelden Foundation. Reimpreso con autorización de Hazelden Foundation, Center City, MN.

Extracto del guión de *Do the Right Thing*, de Spike Lee, utilizado con autorización de Spike Lee, Seven Acres y a Mule Productions. Todos los derechos reservados.

ISBN 978-970-810-316-9

Impreso en México / *Printed in Mexico*

Contenido

When you cross the street,
Take my hand.

Cuando cruces la calle,
Toma mi mano.

<small>JOHN LENNON,</small>
"Beautiful boy (Darling boy)"

Introducción

It hurts so bad that I cannot save him, protect him, keep him out of harm's way, shield him from his pain. What good are fathers if not for these things?

Duele tanto no poder salvarlo, protegerlo, mantenerlo alejado del camino del sufrimiento, escudarlo de su dolor. ¿Para qué sirven los padres si no para esas cosas?

THOMAS LYNCH, *THE WAY WE ARE*

Hola, papá; Dios, los extraño mucho. Estoy impaciente por verlos a todos. ¡Sólo un día más! ¡Woo-hoo!

Nic me envía un mensaje por correo electrónico desde la universidad la noche anterior a su llegada a casa para las vacaciones de verano. Jasper y Daisy, nuestros hijos de ocho y cinco años de edad, están sentados en la mesa del comedor y recortan, pegan y colorean notas y carteles de bienvenida para recibirlo. No han visto a su hermano mayor en seis meses.

Por la mañana, cuando llega el momento de partir hacia el aeropuerto, salgo por ellos. Daisy, húmeda y lodosa, está trepada en una rama alta del arce. Jasper se encuentra de pie debajo de ella.

—O me lo das o ya verás —le advierte.

—No —responde ella—. Es *mío*.

Hay un valiente desafío en sus ojos, pero entonces, cuando él comienza a trepar el árbol, ella arroja al suelo el muñeco de Gandalf que él desea.

—Es hora de ir a recoger a Nic —les digo y ellos me rebasan en el camino hacia la casa mientras gritan "Nicky, Nicky, Nicky".

Conduzco el auto con ellos la hora y media de distancia hasta el aeropuerto. Cuando llegamos a la terminal, Jasper grita:

—Ahí está Nic —señala—. ¡*Allí!*

Nic, con una bolsa verde militar colgada del hombro, está recargado contra un señalamiento de "No estacionarse" en la banqueta exterior de la zona de reclamo de equipaje de United. Desaliñado y flaco, con una deslavada camiseta roja y la chamarra de su novia, pantalones de mezclilla desgastados que caen por debajo de los huesos de su cadera y zapatos tenis rojos Converse All-Stars, y cuando nos mira su rostro se ilumina y nos saluda con la mano.

Ambos pequeños desean sentarse a su lado, de manera que, después de arrojar su equipaje a la cajuela, pasa por encima de Jasper y se acomoda entre los dos. Por turno sujeta la cabeza de cada uno de sus hermanos entre las manos y besa sus mejillas.

—Qué gusto verlos —les dice—. Los extrañé como lunático. Como loco.

Después se inclina hacia el frente, hacia nosotros, y agrega:

—A ustedes también, pá y má.

Mientras conduzco para alejarme del aeropuerto, Nic describe su vuelo.

—Fue de lo peor —dice—. Quedé atrapado junto a una señora que no dejaba de hablar. Tenía el cabello platinado con picos como el merengue de un pay de limón. Usaba lentes con esquinas puntiagudas como los de Cruella de Ville, tenía los labios color ciruela y mucho polvo de maquillaje rosado en el rostro.

—¿Cruella de Ville? —pregunta Jasper. Sus ojos están muy abiertos. Nic asiente.

—Justo como ella. Sus pestañas eran largas y falsas, color púrpura, y usaba este perfume, Eau de Hediondo —se aprieta la nariz—. Fuchi.

Los chicos están fascinados.

Pasamos el puente Golden Gate. Un río de espesa neblina fluye debajo de nosotros y envuelve los cabos de Marin. Jasper pregunta:

—Nic, ¿vendrás a nuestra graduación? —se refiere a su futura ceremonia de ascenso y la de Daisy. Los chicos pasan de segundo a tercer grado y de kinder a primer grado, respectivamente.

—No me lo perdería ni por todo el té de China —responde Nic. Daisy pregunta:

—Nic, ¿recuerdas a esa niña, Daniela? Se cayó del pasamanos y se rompió un dedo del pie.

—¡Auch!

—Tiene un yeso —agrega Jasper.

—¿Un yeso en el dedo del pie? —pregunta Nick—. Debe ser muy pequeño.

Con gravedad, Jasper reporta:

—Se lo cortarán con una sierra.

—¿El dedo?

Risas. Después de un rato, Nic les anuncia:

—Tengo algo para ustedes, chicos. En mi maleta.

—¡Regalos!

—Cuando lleguemos a casa —responde.

Ellos le suplican que les diga de qué se trata, pero él sacude la cabeza.

—Nones. Es una sorpresa.

Puedo ver a los tres en el espejo retrovisor. Jasper y Daisy tienen rostros suaves y oliváceos. El rostro de Nic también era así pero ahora es anguloso y pálido como el papel de arroz. Los ojos de los niños son castaños y claros, mientras los de él son dos globos oscuros. El cabello de los niños es marrón oscuro, pero el de Nic, largo y rubio cuando era niño, está deslucido como un campo en verano avanzado, con aplastados parches amarillentos y pegajosos mechones amarillos como resultado de un infortunado intento de blanquearlos con Clorox.

—Nic, ¿nos contarás un cuento de PJ? —suplica Jasper. Durante años, Nic ha divertido a los chicos con las aventuras de PJ Fumblebbumble, un detective británico de su invención.

—Más tarde, señor; lo prometo.

Nos dirigimos hacia el norte por la autopista, salimos de ella y giramos hacia el oeste; luego atravesamos una serie de pueblos pequeños, un parque estatal lleno de árboles y las pasturas de las colinas. En Point Reyes Station nos detenemos a recoger la correspondencia. Es imposible estar en la ciudad sin encontrarnos a docenas de amigos, todos los cuales están felices de ver a Nic y lo bombardean con preguntas acerca de la escuela y sus planes para el verano. Por fin salimos de la ciudad y seguimos el camino a lo largo de Papermill Creek hasta nuestra vuelta a la izquierda, donde ascendemos por la colina hasta estacionar el auto en nuestra entrada.

—Nosotros también tenemos una sorpresa para ti, Nicky —dice Daisy. Jasper le dirige una mirada amenazante.

—¡No le digas!

—Son carteles. Nosotros los hicimos.

—*Dai-sy...*

Después de tomar su equipaje, Nic sigue a los chicos al interior de la casa. Los perros se le arrojan encima entre ladridos y aullidos. En la parte superior de las escaleras, los carteles y dibujos de los chicos dan la bienvenida a Nic, incluso un puercoespín, dibujado por Jasper, con un globo de diálogo que dice: "Extraño a Nic, buaaa". Nic alaba sus talentos artísticos y después se dirige a su habitación para desempacar. Desde que partió a la universidad, su habitación, una cámara rojo pompeyano en el extremo más lejano de la casa, se ha convertido en un salón de juegos adjunto con un despliegue de las creaciones de Jasper con el Lego, que incluyen un castillo de marajá y un R2-D2 motorizado. Como preparación para su regreso, Karen eliminó la numerosa comitiva de animales de peluche de Daisy y tendió la cama con un edredón y almohadas limpias.

Cuando Nic reaparece sus brazos están llenos de regalos. Para Daisy tiene a Josefina y a Kirsten, muñecas estadounidenses confeccionadas a mano por su novia. Están vestidas, respectivamente, con una primorosa blusa campesina bordada y un sarape, y con un overol de terciopelo verde. A Jasper le regala un par de pistolas de agua del tamaño de un cañón.

—Después de la cena —Nic advierte a Jasper— estarás tan mojado que tendrás que nadar de regreso a casa.

—Tú estarás tan mojado que necesitarás una lancha.

—Tú estarás más mojado que un fideo en caldo.

—Tú estarás tan mojado que no necesitarás bañarte durante un año.

Nic ríe.

—Me parece muy bien —responde—. Eso me ahorrará mucho tiempo.

Comemos y después los chicos llenan las pistolas de agua y corren al exterior, a la tarde llena de viento, en direcciones opuestas. Karen y yo los miramos desde la sala. Se acechan entre sí y merodean entre el ciprés italiano y los robles, se arrastran debajo de los muebles de jardín y reptan entre los arbustos. Cuando se tienen en la mira se disparan finos chorros de agua. Oculta detrás de unas macetas de hortensias cercanas a la casa, Daisy los observa. Cuando los chicos corretean cerca de ella, la niña abre el grifo en donde apoya una mano y levanta una manguera que sostiene con la otra. Los empapa. Yo detengo a los chicos antes de que la atrapen.

—No mereces que te rescate —le digo—, pero ya es hora de ir a dormir.

Jasper y Daisy se dan un baño, se ponen sus piyamas y le piden a Nic que lea para ellos.

Él toma asiento en el sofá miniatura que está entre sus camas gemelas, con sus largas piernas extendidas sobre el piso. Lee *Las brujas* de Roald Dahl. Nosotros escuchamos su voz (sus voces) desde el cuarto contiguo: el niño narrador, todo maravilla y gravedad; la irónica y vacilante abuela y la Bruja Mayor, maléfica y chillante.

—¡Los niños son repulsivos y asquerosos!... ¡Los niños son sucios y apestosos!... ¡Los niños son la peste de la caca de los perros!... ¡Son peores que la caca de los perros! ¡La caca de los perros huele a violetas y a gardenias comparada con los niños!

La actuación de Nic es irresistible y los niños, como siempre, están embelesados con él.

A medianoche, la tormenta que ya se formaba por fin se desata. Llueve con fuerza y ráfagas intermitentes de granizo golpean como disparos de armas de fuego en las tejas de cobre del techo. Es raro que tengamos tormentas eléctricas, pero hoy el cielo se enciende como si miles de cámaras fotográficas dispararan sus *flashes* aquí y allá.

Entre los truenos escucho el crujido de las ramas de los árboles. También escucho que Nic camina por el pasillo, se prepara un té en la cocina y toca en su guitarra algunos tonos bajos de Björk, temas musicales de películas y el conmovedor consejo de Tom Waits: "Nunca conduzcas un auto cuando estés muerto". Me preocupa el insomnio de Nic, pero alejo mis sospechas y me recuerdo lo lejos que ha llegado desde el año escolar previo, cuando abandonó Berkeley. Este año, Nic partió hacia el este y terminó su primer año universitario. Dado lo que hemos vivido me parece un milagro. Según mis cuentas, éste es su día número 150 sin metanfetaminas.

Es de mañana; la tormenta ha pasado y el sol se asoma entre las hojas del arce. Me visto y me reúno con Karen y los pequeños en la cocina. Nic, con los pantalones de su piyama de franela, un viejo suéter de lana y anteojos de rayos X, se hace presente. Flota sobre el mostrador de la cocina, toma la cafetera de *espresso*, la llena con agua y café, la coloca sobre la flama y se sienta frente a un plato de cereal con Jasper y Daisy.

—Daisy —le dice—, tu ataque con la manguera fue brillante pero haré que lo pagues. Cuídate las espaldas.

Ella gira el cuello hacia un lado y hacia el otro.

—No puedo verlas.

Nic dice:

—Te quiero, tontita.

Poco después de que Jasper y Daisy se marchan a la escuela, media docena de mujeres llegan a casa para ayudar a Karen a hacer un regalo de despedida para una querida maestra. Juntas adornan una pileta de baño para pájaros con conchas marinas, piedras pulidas y tejas hechas a mano por los alumnos. Mientras trabajan, las mujeres conversan y sorben té.

Yo me escondo en mi oficina.

Las mujeres toman un descanso en la cocina abierta. Una de las madres ha traído ensalada china de pollo. Nic, quien se había ido a dormir de nuevo, emerge de su habitación, se sacude la pereza y saluda a las visitas. Con educación responde a sus preguntas, una vez más, acerca de la escuela y sus planes para el verano, y después se disculpa y dice que debe partir a una entrevista de trabajo.

Después de su partida escucho a las madres hablar sobre él.

—Qué chico tan adorable.

—Es encantador.

Una de ellas comenta sus buenas maneras.

—Eres muy afortunada —le dice a Karen—. Nuestro adolescente siempre gruñe. De no ser así, no nos daría ni la hora.

Después de un par de horas, Nic regresa a una casa tranquila: las madres artesanas se han marchado. Obtiene el empleo. Mañana comienza su entrenamiento como mesero en un restaurante italiano. A pesar de que siente repudio por el uniforme reglamentario, que incluye un par de rígidos zapatos negros y un chaleco color borgoña, le dijeron que ganará montones de dinero en propinas.

La siguiente tarde, después de la sesión de entrenamiento, Nic practica con nosotros y extrae su personaje de mesero de una de las películas que se sabe de memoria, *La dama y el vagabundo*.

Estamos sentados para cenar. Con una mano hacia el frente, en la cual balancea una charola imaginaria, Nic entra cantando con acusado acento italiano.

Después de la cena Nic pregunta si puede tomar prestado el auto para asistir a una reunión de AA. Después de no cumplir con los horarios de llegada a casa y otro tipo de infracciones, como chocar nuestros dos autos (que logró con eficiencia al estrellar uno contra el otro), desde el verano pasado había perdido sus privilegios de conducir, pero esta solicitud parece razonable pues las reuniones de AA son un componente esencial de su recuperación continua. Accedemos y Nic sale en la camioneta, aún abollada por el infortunado incidente previo. Más tarde regresa a casa, después de la reunión, y nos cuenta que le ha pedido a alguien que sea su padrino mientras está en la ciudad.

Al día siguiente pide el auto de nuevo, esta vez para reunirse con su padrino a almorzar. Desde luego que le damos permiso. Me impresiona su asiduidad y su respeto por las reglas que hemos establecido. Nos informa a dónde va y a qué hora regresará a casa. Llega a la hora prometida. Una vez más se marcha durante un par de horas.

La siguiente tarde, el fuego arde en la chimenea de la sala. Sentados en los sofás gemelos, Karen, Nic y yo leemos mientras cerca de nosotros, sobre la vieja alfombra, Jasper y Daisy juegan con las personitas del Lego. Después de levantar la mirada por encima de un gnomo, Daisy le cuenta a Nic acerca de un "chico malo con cabeza de papa" que empujó a su amiga Alana. Nic dice que irá a la escuela y lo convertirá en un "chico malo con cabeza de puré de papa".

Me sorprende escuchar roncar a Nic un rato después pero, al cuarto para las siete, se despierta con un salto.

—Casi me pierdo la reunión —dice y, una vez más, pide prestado el auto.

Me complace el hecho de que, a pesar de que está exhausto y de que le hubiera encantado seguir dormido toda la noche, Nic está comprometido con el trabajo de recuperarse; lo bastante comprometido como para levantarse, lavarse la cara en el lavabo del baño, cepillarse el cabello, ponerse una camiseta limpia y salir de la casa a la carrera para llegar a tiempo.

Han pasado de las once y Nic no está en casa. Me sentía cansado, pero ahora estoy despierto en la cama y me siento cada vez más inquieto. Existen millones de explicaciones inofensivas. Con frecuencia, la gente de las reuniones de AA sale de ellas en grupos a tomar un café. O podría estar conversando con su nuevo padrino. Me debato entre dos monólogos simultáneos y opuestos; uno me asegura que soy tonto y paranoico y el otro declara que algo va mal, muy mal. Ahora sé que la preocupación es inútil, pero me invade y se apodera de mi cuerpo apenas con el toque de un disparador sutil. No quiero asumir lo peor, pero algunas de las veces en que Nic ignoró la hora obligatoria de llegada a casa fueron presagio de desastres.

En la oscuridad contemplo cómo crece mi ansiedad. Es un estado patético y familiar. He esperado a Nic durante años. En la noche, después de la hora de llegada, esperaba escuchar el motor del auto al estacionarse en la entrada para enseguida quedar en silencio. Por fin, Nic. La portezuela del auto al cerrarse, pasos, el sonido de la puerta principal al abrirse. A pesar de los intentos de Nic por evitarlo, Brutus, nuestro labrador color chocolate, por lo regular emite un ladrido desanimado. O esperaba que sonara el teléfono, nunca con la certeza de que se tratara de él ("Hola, pá, ¿cómo estás?") o de la policía ("Señor Sheff, tenemos a su hijo"). Cada vez que llegaba tarde o no llamaba, yo asumía que se avecinaba una catástrofe. Estaba muerto. Siempre estaba muerto.

Pero entonces Nic llegaba a casa y subía las escaleras del vestíbulo deslizando la mano a lo largo de la baranda. O sonaba el teléfono. "Lo siento, pá. Estoy en casa de Richard. Me quedé dormido. Creo que me quedaré aquí en lugar de conducir a esta hora. Te veré en la mañana. Te quiero." Yo me sentía furioso y aliviado al mismo tiempo porque, para entonces, yo ya lo había sepultado.

Más tarde, esa noche, sin señales de él, caigo en un miserable sueño a medias. Después de un rato, Karen me despierta. Escuchó sus sigilosos movimientos al llegar. Una luz de jardín, equipada con detector de movimientos, se enciende e ilumina su blanca silueta a través del patio trasero. Envuelto en mi piyama, deslizo los pies en un par de zapatos y salgo por la puerta trasera para encontrarme con él.

El aire nocturno es helado. Escucho unos crujidos extraños.

Al dar la vuelta a la esquina me encuentro cara a cara con un enorme y sorprendido venado, el cual ejecuta un rápido movimiento para escapar hacia el jardín después de saltar sin esfuerzo la cerca para venados.

De regreso en la cama, Karen y yo yacemos despiertos.

Es la una y media. Ahora son las dos. Reviso de nuevo su habitación.

Ahora son las dos y media.

Por fin, el sonido del auto.

Confronto a Nic en la cocina y él murmura una excusa. Le digo que no utilizará más el auto.

—No importa.

—¿Estás drogado? Contesta.

—*Por Dios, no.*

—Nic, teníamos un acuerdo. ¿Dónde estabas?

—¿Qué diablos? —Nic baja la mirada—. Varias personas de la reunión nos fuimos a casa de una chica para conversar y después vimos una película.

—¿No había teléfono?

—Lo sé —su ira se intensifica—. Ya dije que lo siento.

Yo recupero la calma.

—Hablaremos de esto por la mañana —digo mientras él se escabulle a su habitación, azota la puerta y coloca el seguro.

Durante el desayuno miro con fijeza a Nic y el descuido evidente de su cuerpo, que tiembla como un automóvil descompuesto. Su mandíbula gira y sus ojos son dos ópalos cortantes. Nic hace planes con Jasper y Daisy para cuando regresen de la escuela y los abraza con afecto, pero su voz acusa una evidente irritación.

Cuando Karen y los niños se han marchado, le digo:

—Nic, tenemos que hablar.

Me dirige una mirada beligerante.

—¿De qué?

—Sé que te has drogado de nuevo. Puedo verlo.

Él me mira con enojo.

—¿De qué me hablas? No es así.

Sus ojos quedan fijos en el suelo.

—Entonces no te importará hacerte una prueba.

—Como quieras. Está bien.

—De acuerdo. Quiero que te la hagas ahora mismo.

—¡Muy *bien*!

—Vístete.

—Sé que debí llamarte. *No* estoy drogado —casi lanza un gruñido.

—Vámonos.

Él se apresura a dirigirse a su habitación y cierra la puerta. Sale vestido con una camiseta de Sonic Youth y pantalones negros de mezclilla. Una mano en el bolsillo, la cabeza agachada, su mochila colgada de un hombro. Con la otra mano sostiene su guitarra eléctrica por el mástil.

—Tienes razón —me dice y me avienta mientras pasa—. Me he drogado desde que regresé a casa. Me drogué durante todo el semestre.

Nic sale de la casa y azota la puerta tras de sí.

Corro hacia afuera y lo llamo, pero se ha marchado. Después de unos momentos de desconcierto regreso al interior de la casa, entro a su habitación, me siento en su cama sin tender y recojo un pedazo de papel arrugado debajo del escritorio. Nic escribió:

Soy tan flaco y débil
No importa, quiero un poco más.

Más tarde, Jasper y Daisy irrumpen en la casa y corren de una habitación a otra hasta que por fin se detienen y, con la mirada hacia arriba para verme, preguntan:

—¿Dónde está Nic?

Lo intenté todo para que mi hijo no cayera en la adicción a las metanfetaminas. No hubiera sido más sencillo verlo encadenado a la heroína o a la cocaína pero, como aprende todo padre de un adicto a las metanfetaminas, esta droga tiene una cualidad única y horrenda. En una entrevista, Stephan Jenkins, vocalista de Third Eye Blind, dijo que las metanfetaminas te hacen sentir "brillante y luminoso". También causa paranoia y alucinaciones, además de hacerte destructivo y *autodestructivo*. Después cometerás actos inconscientes con el fin de sentirte brillante y luminoso de nuevo. Nic había sido un chico sensible, sagaz, feliz y con inteligencia excepcional, pero con las metanfetaminas se tornó irreconocible.

Nic siempre estaba a la vanguardia en las tendencias populares; en su tiempo, los Ositos Cariñositos, Mi Pequeño Pony, los Transformers, las Tortugas Ninja, *La Guerra de las Galaxias*, el Nintendo, Guns N'Roses, la moda *grunge*, Beck y muchas otras. También fue pionero con las metanfetaminas pues fue adicto muchos años antes de que los políticos denunciaran dichas drogas como la peor desgracia que estaba a punto de azotar a la nación. En Estados Unidos al menos doce millones de personas han probado las metanfetaminas y se estima que más de un millón y medio son adictas a ellas. Mundialmente existen más de 35 millones de consumidores; es la droga dura más utilizada. Más que la heroína y la cocaína juntas. Nic declaró que había buscado las metanfetaminas a lo largo de toda su vida.

—Cuando las probé por primera vez —dijo—, supe que eso era.

Nuestra historia familiar es única, desde luego, pero también es universal en el sentido de que cada relato sobre adicciones es semejante cualquier otro. Supe cuán similares somos todos la primera vez que asistí a una reunión de Al-Anón. Me resistí a asistir durante mucho tiempo pero esas reuniones, a pesar de que con frecuencia me hacen llorar, me fortalecieron y aliviaron mi sensación de aislamiento. Me sentí un poco menos atormentado. Además, las otras historias me permitieron prepararme para los desafíos que, de otra manera, me hubieran tomado por sorpresa. No son una panacea, pero me sentí agradecido ante los más modestos alivios y orientaciones.

Me obsesioné en mis intentos por ayudar a Nic, para detener su caída, para salvar a mi hijo. Lo anterior, sumado a mi culpa y preocupación, me consumió. Dado que soy escritor, tal vez no sea sorprendente que escribiera para darle algún sentido a lo que nos ocurría a Nic y a mí, y también para encontrar una solución, una cura que se me escapaba. Me invadió la obsesión por investigar acerca de esta droga, la adicción y los tratamientos. No soy el primer escritor para quien esta labor se convirtió en un enorme mazo con el cual combatir a un enemigo terrible así como en una expurgación, una búsqueda de algo (lo que fuera) comprensible en medio de la calamidad y un agonizante proceso en el cual la mente organiza y regula la experiencia y la emoción y las exacerba. Al final, mis esfuerzos no pudieron rescatar a Nic. La escritura tampoco me alivió; sin embargo, sí resultó de ayuda.

También me ayudaron las obras de otros escritores. Cada vez que sacaba del estante el libro de Thomas Lynch, *Bodies in Motion and at Rest: On Metaphor and Mortality (Cuerpos en movimiento y en reposo: Sobre la metáfora y la mortalidad)*, éste se abría en la página 95, en el ensayo "The Way We Are" ("Nuestra manera de ser"). Lo leí docenas de veces, siempre entre lágrimas. Con su hijo muerto en el sofá, después de arrestos, borracheras y hospitalizaciones, Lynch, el empresario, poeta y ensayista, miró a su querido hijo adicto con triste aunque lúcida resignación y escribió: "Quiero recordarlo como era, ese luminoso y radiante niño de ojos azules y pecas de las fotografías que sostiene en alto un pescado en el muelle de su abuelo, o donde viste su primer traje para asistir a la graduación de su hermana de la escuela de graduados, o el que se chupa el dedo mientras dibuja en el mostrador de la cocina, o el que toca su primera guitarra o posa con sus amigos de la cuadra en su primer día de clases".

¿Por qué es útil leer historias de otras personas? No es sólo que a la miseria le guste la compañía, porque (según aprendí) la miseria es tan egocéntrica que desea mucha compañía. Las experiencias de otras personas me ayudaron con mi lucha emocional; al leer me sentía un poco menos trastornado. Y, como las historias que escuchaba en las reuniones de Al-Anón, los textos de otras personas me sirvieron como guía en aguas desconocidas. Thomas Lynch me enseñó que es posible amar a un hijo que está perdido, quizá para siempre.

Mi escritura culminó con un artículo acerca de nuestra experiencia familiar que envié a *The New York Times Magazine*. Me aterrorizaba la idea de invitar a la gente a nuestra pesadilla, pero me sentí obligado a hacerlo. Sentí que valía la pena contar nuestra historia si con ello ayudaba a otras personas de la misma manera que Lynch y otros escritores me habían ayudado a mí. Lo discutí con Nic y con el resto de la familia. A pesar de que ellos me alentaron, me sentía nervioso por exponer a nuestra familia al escrutinio y juicio públicos. Pero la reacción al artículo me dio valor y, de acuerdo con Nic, a él le dio inspiración. Un editor de libros se puso en contacto con él y le preguntó si estaría interesado en escribir una remembranza acerca de su experiencia que inspirara a otros jóvenes en la lucha contra sus adicciones. Nic estaba ansioso por contar su historia. Lo más significativo fue que, al llegar a las reuniones de AA y cuando sus amigos, o incluso desconocidos, descubrían la relación entre él y el chico del artículo, le ofrecían cálidos abrazos y le decían lo orgullosos que estaban de él. Nic dijo que ésta fue una poderosa motivación en su ardua lucha por recuperarse.

También tuve noticias de adictos y de sus familiares, sus hermanos y hermanas, hijos y otros parientes y, más que todo, padres; cientos de ellos. Algunas personas que respondieron a mi artículo eran críticas. Una de ellas me acusaba de explotar a Nic para mi propio beneficio. Otra, ofendida por mi descripción de un periodo durante el cual Nic solía utilizar la ropa al revés, me atacó: "¿Usted le permitía utilizar la ropa al revés? No me extraña que se haya convertido en adicto". Pero la gran mayoría de las cartas rebosaba compasión, consuelo, consejos y pena compartida. Mucha gente parecía sentir que por fin alguien comprendía lo que vivía. Así es como a la miseria le encanta la compañía: la gente se siente aliviada al saber que no está sola en su sufrimiento y que es parte de algo más grande; en este caso, una plaga social, una epidemia en los hijos, una epidemia en las familias. Por la razón que sea, la historia de un extraño parecía darles permiso a estas personas de contar la propia. La gente sentía que yo comprendería, y así fue.

"Estoy sentado aquí; lloro y mis manos tiemblan", escribió un hombre. "Me entregaron su artículo ayer en mi desayuno semanal con padres que han perdido a sus hijos. El hombre que me lo entregó perdió a su hijo de 16 años de edad por las drogas hace tres años."

"Nuestra historia es su historia", escribió otro padre. "Diferentes drogas, diferentes ciudades, diferentes tratamientos de rehabilitación, pero la misma historia."

Otro más: "Al principio me sorprendió que alguien escribiera la historia de mi hijo sin mi permiso. A la mitad del emotivo texto sobre eventos muy familiares y conclusiones manifiestas, me di cuenta de que las fechas de ciertos incidentes significativos eran erróneas y, por tanto, tuve que concluir que otros padres podían experimentar las mismas tragedias y pérdidas inimaginables que yo viví...

"El conocimiento adquirido durante un cuarto de siglo me obliga a reescribir el último párrafo: Después de escapar de su último tratamiento de rehabilitación, mi hijo sufrió una sobredosis y casi muere. Lo enviamos a un programa muy especial en otra ciudad, se mantuvo sobrio durante casi dos años y comenzó a desaparecer de nuevo, a veces por meses, a veces por años.

Después de ser uno de los estudiantes más sobresalientes en los rangos más altos de bachillerato del país, le tomó veinte años graduarse en una universidad mediocre. Y a mí me ha tomado el mismo tiempo deshacerme de mi velo de esperanza imposible y admitir que mi hijo no podrá o no dejará de drogarse. Ahora tiene cuarenta años de edad, vive de la beneficencia pública y reside en un hogar para adultos drogadictos."

Habían incontables más, muchas de ellas con conclusiones incomprensibles y trágicas. "Pero el final de mi historia es distinto. Mi hijo murió el año pasado de una sobredosis. Tenía 17 años de edad." Otra: "Mi preciosa hija está muerta. Tenía quince años de edad cuando sufrió una sobredosis". Otra: "Mi hija murió". Otra: "Mi hijo está muerto". Cartas y mensajes de correo electrónico irrumpían en mis días con amenazadores recordatorios del costo de la adicción. Mi corazón llora de nuevo con cada uno de ellos.

Continué escribiendo y, a través del doloroso proceso, logré cierto éxito al contemplarla desde una perspectiva que me ha permitido darle sentido; al menos, tanto sentido como es posible en lo que a adicciones se refiere. Aquel artículo me condujo a este libro. Cuando transformé mis palabras azarosas y burdas en frases, las frases en párrafos y los párrafos en capítulos, una semblanza de orden y salud apareció donde antes sólo había caos y enfermedad. Tal como con el artículo del *Times*, me atemoriza publicar nuestra historia pero, con la motivación continua de los protagonistas, sigo adelante. No hay escasez de memorias de adictos y las mejores de ellas ofrecen revelaciones para cualquier persona que ame a uno. Espero que el libro de Nic se convierta en una aportación importante. Sin embargo, con raras excepciones, como el ensayo de Lynch, poco hemos sabido acerca de las personas que aman a un adicto. Cualquier persona que lo haya vivido o que ahora mismo lo viva, sabe que querer a un adicto es tan complejo, intenso y debilitante como la adicción misma. En mis peores momentos incluso sentí rencor hacia Nic porque un adicto, al menos cuando está "arriba", tiene un alivio momentáneo de su sufrimiento. No existe alivio semejante para los padres, hijos, esposos, esposas u otras personas que los aman.

Nic consumió drogas de manera intermitente durante más de una década. A lo largo de ese tiempo creo que sentí, pensé e hice casi todo lo que el padre de un adicto siente, piensa y hace. Incluso ahora sé que no existe una sola respuesta correcta, ni siquiera un mapa claro para los familiares de un adicto. Sin embargo, en nuestra historia espero que exista cierto solaz, cierta guía o, si no hay nada más, al menos cierta compañía. También espero que la gente pueda echar un vistazo a algo que parece imposible durante muchas etapas de la adicción de un ser amado. Con frecuencia se cita a Nietzsche por decir: "Lo que no nos mata, nos hace más fuertes". Ésta es una verdad absoluta en lo que se refiere a los familiares de un adicto. No sólo sigo de pie, sino que sé más y siento más de lo que alguna vez pensé que era posible.

Al contar nuestra historia resistí la tentación de adelantarme porque hubiera resultado calculador y no le hubiera servido a nadie que atraviese por esta situación el hecho de anticipar cómo se desarrollarán los acontecimientos. Yo nunca supe lo que sucedería al día siguiente.

Me he esforzado por incluir los sucesos principales que dieron forma a Nic y a nuestra familia, lo bueno y lo devastador. Muchos de ellos me sobrecogen. Repudio muchas de las cosas que hice y, de la misma manera, muchas de las cosas que no hice. A pesar de que todos los expertos repiten con gentileza a los padres de adictos: "Ustedes no lo causaron", yo no me he liberado del anzuelo. Con frecuencia siento que le fallé a mi hijo por completo. Al admitir lo anterior no espero simpatía ni absolución; en cambio, sólo establezco una verdad que será reconocida por la mayoría de los padres que han vivido esta experiencia.

Una persona que escuchó mi historia expresó perplejidad ante el hecho de que Nic se convirtiera en adicto al decir: "Pero tu familia no parece ser disfuncional". *Somos* disfuncionales, tan disfuncionales como cualquier otra familia que conozco. A veces más, a veces menos. No estoy seguro de conocer ninguna familia "funcional", si funcional significa una familia sin periodos difíciles y sin miembros que tengan un rango completo de problemas. Como los mismos adictos, las familias de los adictos son todo lo que cabría esperar y todo lo que no cabría esperar. Los adictos provienen tanto de hogares rotos como de hogares intactos. Son perdedores de carrera larga y grandes éxitos. En las reuniones de Al-Anón y de AA es común escuchar acerca de los inteligentes y encantadores hombres y mujeres que sorprendieron a todos a su alrededor al convertirse en escoria. "Eres demasiado bueno para hacerte esto a ti mismo", le dice un doctor a un alcohólico en una historia de Fitzgerald. Mucha, mucha gente que conoce bien a Nic ha expresado sentimientos similares. Alguien dijo: "Él es la última persona a quien hubiera podido imaginar que le sucedería esto. No a Nic. Él es demasiado sólido e inteligente".

También sé que los padres tenemos una memoria discreta que bloquea cualquier cosa que contradiga nuestros recuerdos editados con tanto cuidado, lo cual es un comprensible intento por escapar a la culpa. Por el contrario, los hijos tienen una fijación indeleble a los recuerdos dolorosos porque han dejado huellas más profundas. Espero no ser indulgente en mi revisión paterna al decir que, a pesar de mi divorcio de la madre de Nic, a pesar de nuestro cruento acuerdo de custodia a larga distancia y a pesar de todas mis carencias y errores, gran parte de los primeros años de Nic fueron encantadores. Nic confirma lo anterior, pero tal vez sólo desea ser amable.

Esta reconstrucción de hechos, cuyo fin es dar sentido a algo que no lo tiene, es común entre los familiares de los adictos, pero eso no es todo lo que hacemos. Negamos la severidad del problema de nuestro ser querido, no porque seamos ingenuos, sino porque no podemos saber. Incluso para las personas que, a diferencia de mí, nunca consumieron drogas, es un hecho innegable que muchos, más de la mitad de los chicos, las probarán. Para muchos de ellos las drogas no tendrán un impacto negativo importante en sus vidas. No obstante, para otros el resultado será catastrófico. Nosotros los padres hacemos todo lo posible y consultamos a todos los expertos, pero a veces no será suficiente. Sólo después del hecho es que sabemos que no hicimos lo suficiente o que lo que sí hicimos estuvo mal. Los adictos se encuentran en estado de negación y sus familiares los acompañan porque con frecuencia la verdad es demasiado inconcebible, dolorosa y aterradora. Pero la negación, a pesar de ser tan común, es peligrosa. Desearía que alguien me hubiera sacudido y me dijera: "Intervén mientras puedas, antes de que sea demasiado tarde". Tal vez no hubiera hecho la diferencia, aunque lo ignoro. Nadie me sacudió ni me dijo eso. Incluso si alguien lo hubiera hecho, es probable que yo no hubiera sido capaz de escucharlo. Quizás es que yo tenía que aprender de la manera dura.

Como muchas personas en mis circunstancias, yo me hice adicto a la adicción de mi hijo. Cuando me preocupaba, incluso a expensas de mis responsabilidades con mi esposa y mis otros hijos, lo justificaba. Pensaba: ¿cómo es que un padre no se consume ante la lucha de vida o muerte de su hijo? Pero aprendí que mi preocupación por Nic no le ayudó y tal vez lo lastimó. O tal vez fue irrelevante para él. No obstante, lo que sí es seguro es que lastimó al resto de mi familia y a mí. Además de ello, aprendí otra lección que hizo estremecer mi alma: nuestros hijos viven o mueren con o sin nosotros. Sin importar lo que hagamos, sin importar nuestra agonía o nuestra obsesión, no podemos elegir si nuestros hijos vivirán o morirán. Es un aprendizaje devastador, pero también liberador. Al final elegí la vida para mí. Elegí el peligroso pero esencial camino que me permite aceptar el hecho de que Nic decidirá por sí mismo cómo vivirá su vida y si vivirá.

Como ya mencioné, no me perdono a mí mismo y, mientras tanto, aún lucho con la medida en que soy capaz de perdonar a Nic. Él es brillante, maravilloso, carismático y amable cuando está sobrio pero, como cualquier adicto sobre el cual haya escuchado, se convierte en un extraño cuando está drogado: distante, absurdo, autodestructivo, quebrantado y peligroso. Me he esforzado por conciliar a estas dos personas. Sin importar la causa (una predisposición genética, el divorcio, mi historia con las drogas, mi sobreprotección, mis intentos fallidos por cuidarlo, mi indulgencia, mi rudeza, mi inmadurez, todas juntas), la adicción de Nic parece tener vida propia. He intentado revelar el insidioso estilo de la adicción para infiltrarse en una familia e invadirla. Muchas veces, durante la década pasada, cometí errores debidos a la ignorancia, la esperanza o el miedo. He intentado relatarlos todos tal como ocurrieron y en el momento en que ocurrieron con la esperanza de que los lectores reconozcan un camino erróneo antes de tomarlo. No obstante, si no lo reconocen, espero que se den cuenta de que no deben culparse por haberlo tomado.

Cuando mi hijo nació resultaba imposible imaginar que sufriría como ha sufrido. Los padres sólo desean cosas buenas para sus hijos. Yo era el típico padre que pensaba que eso no podría ocurrirnos a nosotros, no a mi hijo. Sin embargo, a pesar de que Nic es único, también es como cualquier hijo. Podría ser el tuyo.

El lector debe saber que he cambiado algunos nombres y detalles en el libro para ocultar la identidad de las personas que aquí aparecen. Comenzaré por el nacimiento de Nic. El nacimiento de un hijo es, para muchas familias si no es que para todas, un suceso transformador pleno de dicha y optimismo. Así lo fue para nosotros.

PARTE I

Desvelados

Tengo una hija que me recuerda mucho cómo solía ser yo, llena de amor y gozo; besa a cualquier persona que conoce porque todo el mundo es bueno y no le hará daño. Y eso me aterroriza hasta el punto en que casi no puedo funcionar.

KURT COBAIN, EN SU NOTA SUICIDA

1

Vicki, mi esposa, y yo vivimos en Berkeley, en un *bungalow* blanco desteñido de madera, construido en los años veinte, y oculto a la vista detrás de un muro de bambú negro. Es el año de 1982, un verano de espera. Todo lo demás (el trabajo, los compromisos sociales) está en suspenso. Nuestro bebé nacerá en julio.

Un ultrasonido lo identificó como varón. Nos preparamos para su llegada: pintamos y decoramos su habitación y la amueblamos con una cuna blanca, un armario color azul claro, los estantes llenos de libros de Maurice Sendak y el doctor Seuss y, como centinelas sentados a ambos lados de la puerta, un par de enormes pandas de peluche, prematuros regalos para el bebé de parte de un amigo. Otro amigo nos legó una herencia familiar: una cuna color mantequilla con forma de luna nueva que cuelga de una cadena en la esquina de la sala, parece flotar sobre San Francisco, que resplandece a la distancia.

Las contracciones de Vicki comienzan después de la medianoche, en la madrugada del 20 de julio. Tal como nos instruyeron durante las clases del método Lamaze, medimos los intervalos entre ellas. Ya es momento, así que partimos hacia el hospital.

Nic nace al amanecer. Nuestro hermoso niño.

Estamos cautivados por nuestro hijo. Con gusto renunciamos a dormir, aliviamos su llanto, le cantamos canciones de cuna y caemos en un letárgico estado alterado, un idílico contento que nos hubiera consternado si le hubiera ocurrido a cualquiera de nuestros amigos. (De hecho, muchos de nuestros amigos *están* consternados.) La vida se acompaña de la música de Peter Seeger, los Limelighters y Raffi, cuyas canciones, tocadas una y otra y otra y otra y otra vez, convencerían a cualquier criminal de confesar su culpa después de otras formas de tortura. A veces sólo contemplamos las diminutas manos del bebé, y sus luminosos y exuberantes ojos.

Formamos parte de la primera generación de padres conscientes. Antes de nosotros, la gente tenía hijos. Nosotros somos padres. Nosotros buscamos lo mejor para nuestros hijos: la mejor carriola y el mejor asiento para auto recomendados por las publicaciones de *Consumer Reports* y nos obsesionamos ante cualquier decisión relacionada con sus juguetes, pañales, ropa, alimentos, medicinas, mordederas, vacunas y casi cualquier otra cosa.

Muy pronto la cuna es reemplazada por una cama individual con sábanas con estampado de cebras. Hacemos caminatas con la carriola y con el canguro, jugamos en los parques de Berkeley y en los gimnasios para bebés, y visitamos el zoológico de San Francisco. La biblioteca de Nic está saturada. *Buenas noches, Luna*; *Pat el conejo, Donde viven los monstruos, Un hoyo es cavar*. Los leo con tanta frecuencia que me los he aprendido de memoria.

"Leche, leche, leche para el pastel de la mañana."

"Desde acá hasta allá y desde allá hasta acá, las cosas divertidas están por todas partes."

"Los perros son para besar a la gente. La nieve es para rodarse en ella. Los botones son para mantener caliente a la gente. *Boodly, boodly, boodly*."

A los tres años de edad, Nic pasa algunas mañanas de la semana en una guardería pintada de colores pastel. Su día incluye momentos para hacer círculos, juegos con rondas infantiles, pintura, modelado con arcilla y cantos. "Cortar hierbas y escoger rocas", canta Nic, "estamos hechos de sueños y huesos." Hay un tiempo en el exterior para subir a los pasamanos y a los columpios. Después recibe sus primeras invitaciones a jugar, que antes se conocían como ir a casa de algún amigo. Algunas veces conocemos a otras familias en un parque con una resbaladilla de concreto que sigue a la ladera de una colina con una tirolesa de arce. Nic gira en un alegre carrusel.

Nic es arquitecto y constructor innato, y construye Liliputs con bloques, Duplo y Lego. Adora a Teddy Ruxpin, a los Cachorros y a los pandas gemelos. Recorre toda la casa en un triciclo de grandes ruedas y el patio frontal de ladrillos rojos en un convertible de color azul claro, regalo de mis padres, el cual acelera como si fuera el automóvil de los Picapiedra con sus pies enfundados en zapatos tenis.

Visitamos la Ciudad de los Trenes en la cercana Sonoma, donde Nic conduce una locomotora de vapor a través de granjas y molinos de viento. Viajamos al Parque Nacional Yosemite; en primavera, entre flores silvestres abiertas caminamos hasta las cascadas; en invierno, jugamos en la nieve del valle supervisados por el Medio Domo, y al acuario de la Bahía de Monterey, donde Nic queda hipnotizado con las medusas y los tiburones circulantes.

Hay espectáculos de marionetas, juegos de mesa y cantos a coro al ritmo de un pandero. Vestido con un kimono y pantalones de piyama de franela y con una guitarra de plástico en las manos, Nic canta a todo pulmón:

Tingalayo, corre mi burrito, corre
Tingalayo, corre mi burrito, corre
Yo, burrito, camino; yo, burrito, hablo
Yo, burrito, como con cuchillo y tenedor

Yo, burrito, camino; yo, burrito, hablo
Yo, burrito, como con cuchillo y tenedor

Después se deshace del kimono y se queda con la camisa de su piyama de payaso de puntos verde limón, azul cielo y rojo cereza. Lleva botas de hule fluorescente con espirales azules, verdes y rosas.

Caminamos por la banqueta; él desliza los pies enfundados en las botas demasiado grandes, mi gran mano envuelve su pequeña mano y la guitarra de plástico cuelga de su hombro. Se tropieza en cada saliente del pavimento.

Sus ojos son compasivos y el color bronce a veces tiende al verde; son tan vivos como el mar.

Nic ejecuta un breve y simpático bailecillo al caminar mientras sostiene un paraguas amarillo sobre su cabeza.

"Tut, tut, parece que va a llover."

Este aparente idilio nos distrae de una sombría catástrofe. Vicki y yo hemos pasado los primeros tres años de Nic en la agotadora pero placentera somnolencia de la nueva paternidad y después despertamos a la ofensiva luz y al opresivo frío de un matrimonio tambaleante. Con "madurez", yo enfrenté nuestros desacuerdos al enamorarme de una amiga de la familia. Su hijo y Nic son compañeros de juegos.

Vicki y yo compartimos nuestra devoción hacia Nic, pero yo no cuento con el equipamiento adecuado para lidiar con nuestros problemas en aumento. Cuando visitamos a un terapeuta para parejas, yo anuncio que es demasiado tarde: mi matrimonio ha terminado. Vicki está con la guardia baja. No es la primera relación que saboteo, pero ahora hay un hijo.

Nic.

En casa, cuando su madre y yo discutimos, Nic encuentra refugio en el regazo de los pandas.

Ningún niño se beneficia de la amargura y ferocidad de un divorcio como el nuestro. Como las partículas desprendidas de

una bomba, los daños colaterales se extienden y perduran. Nic
es golpeado con fuerza.

Dividimos la vajilla, los artículos de arte y a nuestro hijo. Nos
parece obvio que la custodia compartida sea la mejor opción;
tanto Vicki como yo lo deseamos con nosotros y no encontramos razón alguna para dudar de la sabiduría ancestral de que
lo mejor para él será continuar su crianza con ambos padres.
Pronto, Nic tendrá dos hogares. Los días que lo dejo en casa
de su madre nos abrazamos y nos decimos adiós en la barda de
picos blancos y después lo miro caminar hacia el interior.

Vicki se muda a Los Ángeles donde se casa de nuevo. Aún
ambos queremos a Nic con nosotros pero, ahora que nos sepa-
ran 800 kilómetros, la informal custodia compartida ya no es
viable. Cada uno de nosotros cree con sinceridad y ánimos de
venganza que es por conveniencia de Nic que esté con nosotros y
no con el otro progenitor, de manera que contratamos abogados
especializados en divorcios.

Algunos abogados pueden mediar con éxito en ciertos desacuerdos, pero muchas batallas de custodia terminan en la corte. Por lo regular es traumático y costoso. Nuestros abogados
cobran más de 200 dólares por hora y solicitan anticipos de
cinco a diez mil dólares. Cuando nos enteramos de que con
frecuencia los jueces cumplen el acuerdo recomendado por un
psicólogo infantil convocado por la corte y después de realizar
una exhaustiva evaluación, nuestra sabiduría innata y nuestras debilitadas cuentas bancarias prevalecen. Nic comenzó a
acudir a terapia poco tiempo después de nuestra separación, de
manera que contratamos a su terapeuta para que realizara una
evaluación. Estamos de acuerdo en aceptar su decisión.

La doctora realiza una investigación de tres meses de duración que parece una inquisición. Nos entrevista a nosotros,
a nuestros amigos y a nuestros familiares, visita nuestros respectivos hogares en Los Ángeles y en San Francisco e invierte
largas sesiones terapéuticas en su consultorio en jugar damas,
cartas y bloques con Nic. Él le dice "doctora de las preocupacio-

nes". Un día, mientras juega con una casita de muñecas en su consultorio, él le muestra la habitación de la madre en una parte de la casita y la del padre en otra. Cuando ella le pregunta sobre la habitación del niño pequeño, él responde: "Él no sabe dónde dormirá".

Nos encontramos en su consultorio, entre los juguetes, el moderno mobiliario y las litografías enmarcadas de Gottlieb y Rothko, y pronuncia su veredicto. Vicki y yo nos sentamos en dos sillones de cuero a juego frente a la doctora, una imponente mujer con vestido floreado, rizos planchados color negro y penetrantes ojos tras sus gafas de fondo de botella. Ella dobla sus manos sobre su regazo y habla:

—Ambos son padres amorosos que desean lo mejor para su hijo. Éstas son algunas de las cosas que he descubierto sobre Nic durante el curso de esta evaluación. No tengo que decirles que es un chico extraordinario. Tiene muchos recursos, es sensible, expresivo y muy inteligente. Creo que también saben que él sufre por el divorcio y por la incertidumbre acerca de su futuro. Para llegar a mi muy difícil decisión, he intentado sopesar cada factor y diseñar un plan que sea el mejor para Nic, el mejor en una situación donde no existe una opción ideal. Lo que deseamos es minimizar el estrés en la vida de Nic y mantener las cosas tan consistentes como sea posible.

La terapeuta nos mira a ambos por turno y después rebusca entre un pila de papeles, exhala con fuerza y dice que Nic pasará el año escolar conmigo en San Francisco y las vacaciones y los veranos con Vicki en el sur de California.

Yo intento comprender lo que ha dicho. Gané. No, perdí. Vicki también. Lo tendré conmigo a diario durante los periodos escolares, pero ¿cómo será la Navidad sin él? ¿El Día de Acción de Gracias? ¿El verano? La doctora nos entrega copias del documento que especifica su decisión. Con su escritorio como apoyo, los firmamos. Resulta inconcebible que en un instante, marcado por el garrapateo de una pluma sobre un papel, renuncio a la mitad de la infancia de mi hijo.

El acuerdo es muy malo para mí y para Vicki, pero es peor para Nic. Como preparación a su entrega, Nic empaca sus juguetes y ropa en una mochila de Hello Kitty con candado y llave falsos. Lo llevo al aeropuerto. Dice que siente un agujero en el estómago, no porque no desee ver a su madre y a su padrastro, que sí desea verlos, sino porque no quiere marcharse.

Al principio uno de nosotros viajaba con él, pero al cumplir cinco años comienza a viajar solo. Se gradúa de la maleta pequeña a la mochila de lona llena de un arsenal de artefactos esenciales varios (libros y revistas, micromáquinas de *Star Trek*, colmillos de vampiro de plástico, un reproductor portátil y discos compactos, un cangrejo de peluche). Una aeromoza lo conduce al interior del avión. Nos decimos "todo" uno al otro. Es nuestra manera de decir te quiero, te extrañaré mucho, lo siento; es decir, el cúmulo de sentimientos que afloran cuando él viene y se va.

Los vuelos entre San Francisco y Los Ángeles son los únicos momentos durante los cuales no tiene a alguno de sus padres sobre él, así que pide Coca-Cola, prohibida en casa; a los sobrecargos no les importan las caries. Pero tales beneficios resultan insignificantes en comparación con su temor a que se estrelle el avión.

A los cinco años de edad, Nic ingresa a preescolar en un colegio progresivo de San Francisco, en un edificio de cien años de antigüedad de tablas de madera de ciprés rojo donde puedes entrar a la hora del almuerzo y los padres preparan, por ejemplo, quesadillas en los asadores con sus hijos. La escuela tiene escalones de piedra y viejas puertas al estilo de las granjas que se abren a un patio de juegos, cuyo piso está recubierto de trozos de llantas recicladas, por lo cual es suave y acolchonado. Hay un espiro, un pasamanos de ciprés rojo y una cancha de basquetbol. El personal de la escuela está conformado por maestros dedicados al "niño integral", de manera que las asignaturas incluyen un impresionante programa musical; obras teatrales escritas por los mismos niños (durante la primera de sus muchas presentaciones anuales, Nic, en su papel de mosquito, se durmió en el escenario); arte, deportes no competitivos como "las traes" o hockey con escobas; ortografía creativa y la celebración de fiestas religiosas y laicas entre las que se incluyen Navidad, Hannukah, el Año Nuevo chino y *Kwanza*. La escuela parece ideal para Nic quien, en preescolar, despliega su creatividad en arcilla, pintura con los dedos y un guardarropa inimitable. Su atuendo típico es un enorme y deforme sombrero de vaquero, colocado tan bajo que sus ojos de búho sólo pueden verse si uno se asoma desde abajo, una camiseta de Keith Haring debajo de un chaleco de cuero con tiras, mallas azules debajo de los calzones y zapatos tenis con cintas de *velcro* con forma de orejas de elefante. Cuando los demás niños se burlan de él ("sólo las niñas usan mallas"), Nic responde: "U-hú. Supermán usa mallas".

Estoy orgulloso de su confianza y su individualidad.

Nic cuenta con un grupo ecléctico de amigos. Con regularidad juega en el parque del puente Golden Gate con un niño que aspira a convertirse en agente secreto. Él y Nic se arrastran en silencio sobre sus barrigas para espiar a los incautos padres que murmuran sentados en las bancas de los parques. También juegan a "las traes" en la laberíntica estructura de juegos, una serie de pasadizos interconectados dentro de domos geodésicos. Con otro amigo cercano, un niño con una cresta de cabellos negros similar a la de un gallo y agudos ojos color esmeralda, Nic construye ciudades de Lego y pistas con bloques de madera para jugar a las carreras de Hot Wheels.

A Nic le encantan las películas. Impresionado y fascinado por su gusto por ellas, un amigo que edita una revista regional le pide a Nic que escriba un artículo titulado "La selección de películas de Nic". Nic dicta sus comentarios. "A veces los niños tienen que elegir una película, ¿saben?, y no pueden decidir cuál de ellas llevarse, pero deben hacerlo pronto porque los grandes

tienen que ir a la peluquería en diez minutos", comienza. Hace
una reseña de *La dama y el vagabundo* y *Winnie Pooh*. "*Dumbo*
es grandiosa", escribe. "Canciones geniales y cuervos geniales".
Acerca de *La historia sin fin*, dice: "La historia sí tiene un fin".

Cuando cumplí seis años de edad, mi madre horneó un pastel de coco con forma de jirafa que sirvió congelado, y mis amigos
y yo jugamos a ponerle la cola al burro. Nic asiste a fiestas de
cumpleaños en establos, en Great America, Raging Waters y el
Exploratorium, un museo de ciencia donde todo se puede tocar.
En ellas se sirven sándwiches, té, jugo de manzana sin colar y
panecillos de trigo.

Una tarde, Nic anuncia que quiere hacer un donativo al programa navideño de repartición juguetes a los niños de escasos
recursos, así que va a su habitación y saca la mayoría de sus
muñecos de peluche, juegos como Candyland, y Serpientes y
Escaleras, sus *trolls* y sus muñecos de acción de las colinas.
Los estantes pierden muchos de sus libros ilustrados para dar
paso a *Narnia*, las series *Redwall* y E.B. White. Nic se esfuerza
por crecer, pero lo hace de manera selectiva. Aún conserva a sus
pandas y a Sebastián, el cangrejo de peluche de *La sirenita*.

Nic cuenta con una antena que detecta, antes que otros
niños, las futuras corrientes de la cultura popular, desde Mi
Pequeño Pony hasta los Amos del Universo. Disney —*Los 101
dálmatas* y *Mary Poppins*— da paso a *La Guerra de las Galaxias*. Nic y sus amigos descubren el Nintendo y comienzan a
hablar en su lenguaje impenetrable (para los adultos) acerca
de enemigos, zonas de transición, niveles secretos y figuras
que proporcionan vidas adicionales. Un Halloween, Nic es una
Tortuga Ninja (Miguel Ángel con su amigo Donatello). En otra
ocasión es Indiana Jones.

Nic se mete en problemas leves de manera ocasional. Cuando
pasa la noche en casa de algún amigo, ambos son sorprendi-
dos al hacer llamadas telefónicas de broma que aprendieron del
programa *Los Simpsons*. Llaman a los bares que aparecen en la
Sección Amarilla.

—Hola, ¿puedo hablar con el señor Cohólico, de nombre Al?

—Seguro, niño —a la muchedumbre—: ¿Hay algún Al Cohólico aquí?

Los niños se carcajean y cuelgan el teléfono.

Después marcan números al azar del directorio telefónico.

—Disculpe, ¿tienen tazas allí?

Después de un instante:

—¿No? Entonces, ¿dónde hacen del baño?

Sin embargo, por lo general Nic se comporta bien. Cierto día, en la sección de comentarios de sus calificaciones, una maestra escribe que a veces Nic parece un tanto deprimido, lo cual comparto con su nueva terapeuta. Se reúne con ella una tarde por semana. "Pero", continúa la maestra, "él se obliga a salir de su depresión y está lleno de energía, es comprometido, divertido, un líder de su clase." Otros comentarios de sus maestros son efusivas alabanzas a su creatividad, sentido del humor, compasión, participación y trabajo estelar.

Aún conservo una caja con sus labores manuales y escritos, como su respuesta a una tarea en la cual debía responder qué sucedería si siempre haces tu mejor esfuerzo. "No creo que siempre debas hacer tu mejor esfuerzo", escribe, "porque digamos que un drogadicto te pide drogas y no debes hacer tu mejor esfuerzo por conseguirle drogas."

Otra tarea que está en esa caja es una carta persuasiva que me escribe cuando se les pide a los alumnos alegar a favor o en contra de cualquier tema. La nota finaliza: "De manera que, en conclusión, creo que debes permitirme comer más botanas".

De vez en cuando, Nic tiene pesadillas. En una de ellas llega a la escuela y él y sus compañeros deben someterse a una revisión de vampiros. Son similares a las revisiones de piojos que la escuela realiza durante una infestación. Para la revisión de piojos, los maestros, con las manos protegidas por guantes quirúrgicos, mueven los dedos entre los cabellos de cada alumno, como una madre simio, e inspeccionan cada folículo. Con el descubrimiento de un solo huevecillo, el niño infectado es enviado a casa para que lo bañen con champú Kwell y lo cepillen de manera meticulosa con un peine de dientes finos. Duele, según se deduce por el tipo de gritos que pueden ocasionar que los vecinos bienintencionados llamen a los Servicios de Protección a Menores.

En el sueño de Nic, él y sus amigos forman una fila para la revisión matutina de vampiros. Los maestros enguantados levantan las comisuras de sus labios para ver si hay colmillos que remplacen sus caninos. Los niños que son vampiros son de inmediato atravesados con una estaca en el corazón. Nic, al recordar el sueño en el auto por la mañana, dice que es injusto para los vampiros porque no pueden evitar serlo.

No sé si es por nuestra supervisión constante, las imágenes de los rostros de niños desaparecidos en los botes de leche o las terroríficas historias que han escuchado al pasar, pero Nic y sus amigos están muy asustados. Hay un pequeño patio detrás de nuestro departamento, pero ellos no salen a jugar a menos que yo los acompañe. Escucho que a otros padres les preocupa el hecho de que sus hijos le tienen miedo a la oscuridad, lloran en la noche, no duermen solos o temen quedarse a dormir en casa de sus amigos. Después de contarle un cuento, y antes de dormir, Nic me pide que vaya a verlo cada quince minutos.

Yo le canto.

Cierra los ojos
No sientas miedo
El monstruo se ha marchado
Huye y papá ya está aquí.

2

Waaake up!
Wake up! Wake up! Wake up!
Up ya wake! Up ya wake! Up ya wake!

This is Mister Señor Love Daddy
Your voice of Choice. The world's
Only twelve-hour strongman, here on
WE LOVE radio, 108 FM. The last on
Your dial, but the first in ya
Hearts, And that's the truth, Ruth.

¡Despieeerta!
¡Tú, despierta! ¡Despierta! ¡Despierta!
¡Arriba! ¡Arriba! ¡Arriba!
Éste es el Míster Señor Amor Papá
Tu voz preferida. El hombre fuerte del mundo
Sólo durante 12 horas, aquí en Radio
AMAMOS, 108 FM. La última de
sus cuadrantes pero la primera en sus
Corazones. Y ésa es la verdad, Ruth.

La fría mañana de otoño comienza con la recitación de Nic del soliloquio de inicio de *Haz lo correcto*, una de sus películas favoritas. Nos vestimos y vamos a caminar al parque Golden Gate.

—¡Mira esos anaranjados! —dice Nic mientras caminamos por el invernadero de flores—. Y, ¡oh, los verdes, los rojos y los dorados! Es como si anoche unos gigantes hubieran pintado al mundo con los dedos.

De regreso en casa, Nic me ayuda a preparar masa para *hot cakes*. Está dispuesto a hacer todo menos a romper los huevos porque no quiere embarrarse las manos con sustancia "pegajosa". Dice que los hot cakes deberían ser del tamaño de los del tío Buck. En la película del mismo nombre son tan grandes que el tío Buck utiliza una pala para nieve en lugar de una espátula.

Nuestro departamento es dominio de niños, sin importar cuánto me esfuerce por limitar la influencia de Nic a su habitación. Tal vez el lugar haya sido limpiado el día anterior, pero hay prendas de ropa tamaño infantil por todas partes. Hay juegos de mesa (anoche me derrotó en Stratego), juegos de video (ya llegamos al penúltimo nivel de la Leyenda de Zelda) y un mar multicolor de piezas de Lego en el centro de la sala. De hecho, las piezas de Lego están por doquier, incluso escondidas entre las raíces de las plantas sembradas en macetas. En cierta ocasión, cuando mi impresora no funcionó, el técnico determinó que el problema era una pieza de Lego atorada detrás de la pieza giratoria.

A la espera de los hot cakes y debajo de una galería de sus dibujos pegados en la pared, Nic está sentado en la mesa del desayunador donde escribe en una hoja de papel rayado con un grueso lápiz rojo.

—Preparamos una pizza ayer en la escuela —me dice—. Podíamos elegir entre queso *cheddar* o manchego. Oye, ¿sabes cómo escribir la palabra *ooooo*? Dicen que Jack besó a Elena y todos los niños dijeron "*Ooooo*". ¿Sabías que los búhos pueden girar la cabeza por completo?

Coloco un hot cake de tamaño normal, para su decepción, frente a él. Nic lo baña con jarabe de maple y hace efectos de sonido ("¡Eeeyaaa! ¡Lava ardiente!") mientras le preparo el almuerzo, que será un sándwich de mantequilla de cacahuate y jalea, palitos de zanahoria, una manzana, una galleta y un jugo.

Se viste para ir a la escuela. Al anudarse las agujetas, Nic murmura "Wizzy, wizzy araña". Se nos ha hecho tarde así que lo apresuro y pronto ya está en el asiento trasero del auto. Nic le escupe a su muñeco Papá Oso.

—¿Qué haces?

—Pertenece a la Horda Maligna de los Amos del Universo. ¿Me haces cosquillas en la rodilla?

Yo extiendo el brazo hacia atrás y meto los dedos en los costados de su rodilla, lo cual le causa risa histérica.

—Muy bien, muy bien, detente. Sólo quería recordar qué se siente que te hagan cosquillas.

Para cambiar de tema, Nic pregunta si puede tomar clases de *klingon* en lugar de español en la escuela.

—¿Por qué de *klingon*?

—Porque así no tendré que leer los subtítulos en las películas de *Star Trek*.

Cuando me estaciono frente a la escuela aún nos quedan algunos minutos antes de que suene el cencerro. Mi mayor logro de todos los días es llevarlo a la escuela a tiempo, pero hoy algo está mal. ¿Dónde están los demás autos, la multitud de niños que llegan y los maestros que les dan la bienvenida? Por fin me doy cuenta. Hoy es sábado.

❧❦

Yo no creo en el concepto del karma, pero he llegado a creer en el karma instantáneo, según fue definido por John Lennon en su canción del mismo nombre. Significa, en esencia, que cosechamos lo que sembramos en *esta* vida y explica mi penitencia cuando mi novia me hace lo mismo que yo le hice a mi esposa. (En realidad no es tan reprobable; cuando ella huye a Sudamérica lo hace con un tipo que casi es un extraño.) Desde luego, yo estoy distraído y Nic tiene que enfrentarse no sólo con mi separación sino, después de varios meses patéticos, con mis novias subsecuentes, las cuales tienen varios talentos, pero ninguno de ellos es la habilidad para convertirse en madres sustitutas. Es como *El cortejo del padre de Eddie*, pero Eddie nunca llegó a desayunar para encontrarse a una señorita en kimono que se comía sus Lucky Charms.

—¿Quién eres? —pregunta Nic al entrar en la cocina, una habitación ruidosa con piso de cuadros de linóleo blancos y negros. Viste su piyama y sus pantuflas de Óscar Gruñón de Plaza Sésamo. El objeto de la pregunta es una mujer con un volcán de trenzas en la cabeza. Artista; su última exhibición incluye fotocopias de partes íntimas de su cuerpo entintadas a mano.

La mujer se presenta y dice:

—Sé quién eres. Eres Nic. He escuchado mucho acerca de ti.

—Yo no he escuchado nada acerca de ti.

Una tarde, Nic y yo comemos en un restaurante italiano de la calle Chestnut con otra mujer; ésta tiene rizos rubios y ojos color verde botella. Hasta el momento, nuestras citas han incluido juegos de *frisbee* con Nic en los parques de Marina y, un domingo, un juego de los Gigantes de San Francisco donde Nic atrapó una bola de *foul*. De regreso en el departamento, los tres vemos *Los 5,000 dedos del doctor T.* Ella hojea revistas en la sala mientras yo leo para Nic hasta que se queda dormido.

Por lo regular tomo la precaución de cerrar con seguro la puerta de mi habitación, pero esta vez lo olvido. Por la mañana, Nic se mete a mi cama. Cuando se da cuenta de la presencia de la mujer, quien despierta y se encuentra con sus ojos, él pregunta:

—¿Qué haces aquí?

Ella ofrece una brillante respuesta:

—Me quedé a dormir.

—Oh —dice Nic.

—Como en una piyamada.

—Oh —repite Nic.

Envío a Nic a su habitación a vestirse.

Más tarde intento explicarle, pero sé que he cometido un craso error.

No me toma mucho tiempo darme cuenta de que mi estilo de vida de padre soltero no es lo mejor para Nic, así que dejo de tener citas. Decidido a dejar de repetir los embarazosos y tan dolorosos errores que condujeron a mi divorcio y a otras relaciones fallidas, entro en un periodo de soltería, autorreflexión y terapia.

Nuestras vidas son más tranquilas.

Durante los fines de semana caminamos alrededor del embarcadero y escalamos la colina Telegraph hasta la torre Coit, tomamos el tranvía hasta Chinatown para comer *dim sum* y ver los fuegos artificiales; con nuestros vecinos, los padrinos no oficiales de Nic, vamos al cine en el Teatro Castro, donde un organista toca "Silba mientras trabajas" y "San Francisco" en un órgano Wurlitzer enchapado en oro antes de que comience la función. Llevamos a Bart a Berkeley y caminamos por la avenida Telegraph mientras buscamos a los personajes regulares, como la mujer con docenas de rebanadas de pan tostado prendidas a la ropa y el Sensible Hombre Desnudo que camina por allí, despreocupado.

Por las tardes de los días de escuela, después de que Nic termina su tarea, jugamos, con frecuencia cocinamos juntos y leemos. Nic ama los libros: *Una arruga en el tiempo*, de Roald Dahl, *Los forasteros*, *El hobbit*. Una noche, en ocasión de las numerosas fiestas de no cumpleaños de Nic, las cuales son populares después de que leemos *Alicia en el País de las Maravillas* y *A través del espejo*, arreglamos la mesa con servicio formal y colocamos animales de peluche en cada sitio. Cenamos con los animales de peluche, sentados como sultanes sobre almohadones.

Una noche de verano de 1989 me encuentro en una cena en casa de un amigo y estoy sentado frente a una mujer de Manhattan quien visita a sus padres en el condado Marin. Karen, de cabello color marrón oscuro y con un sencillo vestido negro, es pintora. También escribe e ilustra libros infantiles. Karen dice que regresará mañana a Nueva York y yo menciono que viajaré a esa ciudad la siguiente semana para realizar una entrevista. Hay un silencio incómodo. Mi amigo, sentado junto a mí, me pasa una hoja de papel y una pluma y me susurra: "Pídele su teléfono".

Yo obedezco.

Al día siguiente le llamo a casa de sus padres. Le escucho decirle a su madre que diga que no está en casa, pero su madre la ignora y le pasa el auricular.

Sí, dice ella, se reunirá conmigo cuando vaya a Nueva York.

Nuestra primera cita cauta es en la fiesta de un amigo en Upper East Side. Los Fine Young Cannibals cantan en el sistema de sonido, meseros circulan con charolas de champaña y canapés; y después, a pesar de ser una noche calurosa y húmeda, la acompaño a pie a través de todo Manhattan hasta su *loft* en el centro de la ciudad. El trayecto nos toma un par de horas durante las cuales no dejamos de hablar. Cada vez que nos topamos con una tienda de comestibles con servicio nocturno compramos paletas. Amanece cuando nos damos las buenas noches ante la puerta frontal de su edificio.

Karen y yo nos mantenemos en contacto a través del teléfono y de cartas. Nos vemos cuando ella viene a visitar a sus padres y cuando yo viajo a Nueva York para atender asuntos de negocios. Después de seis meses, más o menos, durante uno de sus viajes a San Francisco, presento a Karen con Nic. Ella le muestra sus libros de arte y dibujan caricaturas durante varias horas. Trabajan por varios días en largas tiras de papel de estraza y crean una elaborada y decorada escena de un parque poblado por el señor Gruñón, un rotundo hombre sentado en una banca que come sándwiches de atún; el flaco señor Fideo y su bebé fideo, el señor Peluca y el señor y la señora Sin Cuerpo (no tienen cuerpos).

Después de vivir en el quinto piso de un edificio sin elevador a la sombra del World Trade Center durante seis años, Karen se muda con nosotros a San Francisco. Tal vez Nic intenta integrarse a esta nueva fuerza en su vida ahora que está claro que ella estará aquí y escribe un reporte acerca de ella para la escuela en el cual explica: "Ella vivía en un gran *loft* sobre un restaurante llamado Ham Heaven. Su *loft* era un lugar genial y podías encender fuegos artificiales en el techo... Ella decidió venir a San Francisco para estar con su nueva familia, que somos mi papá, yo y ella".

Poco después rentamos una casa al otro lado del puente, en Sausalito, para tener un patio trasero. Nuestra casa tiene la fama de ser una de las más antiguas de la ciudad. Es una casa victoriana frágil y con goteras, un poco más cálida que el exterior pero no mucho. Para compensar, el fuego arde en la chimenea y por las noches apilamos grandes leños en ella. Envueltos en gruesas chamarras, los tres vamos a contemplar las pozas que deja la marea baja a lo largo de la orilla del mar y tomamos el *ferry* que atraviesa la bahía, pasamos la isla Alcatraz y llegamos a San Francisco. Nos turnamos con otra familia para llevar a los chicos a la escuela. Nic, quien ahora cursa el cuarto año, juega en la liga local de beisbol. Karen y yo le echamos porras. Con su uniforme verde de los Bravos y su gorra, Nic es un hábil y concienzudo segunda base. Los demás chicos bromean pero Nic es solemne. Su entrenador nos dice que Nic es un líder; sus compañeros acuden a él en busca de consejo.

Con frecuencia los padres se ufanan de sus hijos, pero pregúntale a cualquier persona que conozca a Nic y describirá su humor, su creatividad y su contagiosa alegría de vivir. Es común que Nic sea el involuntario centro de atención, tanto en las obras escolares como en las fiestas. Cierto día, una directora artística llega a su escuela y observa a los niños jugar en el patio; después entrevista a algunos de ellos. Por la tarde me llama a casa para preguntarme si consideraría permitirle a Nic participar en un comercial para la televisión. Lo discuto con él y Nic dice que suena divertido, de manera que acepto. Puede gastar diez dólares, pero con el resto de sus honorarios de cien dólares abrimos a su nombre una cuenta de ahorros para sus estudios universitarios.

El comercial, para una compañía de autos, abre con un grupo de niños sentados en semicírculo en el suelo de un salón de clases de preescolar. La maestra, sentada en una silla infantil, lee para ellos, cierra el libro y lo coloca en su regazo.

—Niños —dice ella—, ¿qué significa la historia de *Dick y Jane* para ustedes?

Una pequeña de cabello trenzado y grandes ojos azules dice:

—La casa es la madre.

Después de una serie de comentarios similares, un chico serio de cabello oscuro pregunta:

—Pero, ¿qué hay de Spot?

Nic levanta la mano y la maestra se dirige a él.

—¿Nicholas?

—Spot es el ello, la fuerza animal que desea liberarse.

Una niña con grandes ojos castaños y el cabello recogido en una cola de caballo dirige la mirada hacia el techo y encoge los hombros.

—Dejemos que Nicholas invoque a Freud —dice y, enfurruñada, apoya la barbilla en el puño.

La última escena muestra a los niños al final de su día escolar. Salen a la carrera del edificio hasta los autos de sus padres, alineados en fila en el exterior. Nic se sube al asiento trasero de un Honda y su madre le pregunta:

—¿Qué hiciste hoy en la escuela, Nicholas?

Él responde:

—Oh, lo mismo de siempre.

Un mes o dos después de que el comercial comienza a salir al aire, estamos en el cine. Un hombre vestido con chamarra, pantalones de cuero y un par de botas de motociclista reconoce a Nic.

—¡Oh, por Dios! —exclama al señalarlo—. ¡Es Nicholas!

En mayo, Karen y yo nos casamos bajo las rosas y las bugambilias de la terraza en la casa de sus padres. Con sus flacuchos brazos y cuello salientes de una camisa estilo Oxford de manga corta, Nic, ahora de nueve años, está nervioso a pesar de que intentamos tranquilizarlo. No obstante, a la mañana siguiente parece sentirse muy aliviado.

—Todo es igual —dice y lleva su mirada desde mí hasta Karen, alrededor de la casa y de regreso a mí—. Es muy raro.

"La señorita Amy era una vieja perra malvada. Las madrastras siempre lo son." Truman Capote resumió el concepto general de una madrastra. No es un sentimiento nuevo. Eurípides escribió: "Mejor un sirviente que una madrastra". Sin embargo, Nic y Karen han estrechado sus lazos. ¿Es que sólo veo lo que quiero ver? Espero que no; no lo creo. Aún pintan y dibujan juntos. Siempre hacen dibujos "a la par" en los cuales uno agrega un detalle y después el otro, y así, por turnos. Juntos miran libros de arte y discuten acerca de los artistas. Karen lleva a Nic a museos, donde él se sienta en el piso de las galerías con su cuaderno en el regazo. Nic toma notas febriles y elabora bocetos inspirados por Picasso, Elmer Bischoff y Sigmar Polke.

Karen le enseña francés y, mientras van en el auto, ella revisa su vocabulario. Son muy divertidos cuando se enfrascan en conversaciones acerca de sus libros favoritos, los niños de la clase y las películas, en especial las protagonizadas por Peter Sellers y Leslie Nielsen, películas del inspector Clouseau, *Avión*, *La pistola desnuda* y sus secuelas. Por alguna razón, durante cuatro noches consecutivas ven *Pollyanna* e intentan llegar al final, pero cada vez los invade la somnolencia y apagan el televisor. Sin embargo, en la quinta noche logran terminar de verla. Después de eso, la película se convierte en un lenguaje compartido que hablan entre sí.

—Karen, tienes la naricita tapada —dice Nic en un tono que imita a Agnes Moorehead.

Nic intenta que yo juegue un juego de video llamado Streetfighter 2 pero pronto me canso de los ataques, los cabezazos y las mordidas. No obstante, Karen no sólo lo disfruta sino que es muy buena para jugar y vence a Nic. También disfruta la música de mi hijo y, a diferencia de mí, nunca le ordena que le baje al volumen.

Karen y Nic bromean entre sí. Sin descanso. A veces ella bromea demasiado y él se enoja. Cuando salimos a comer, ellos siempre piden malteadas. Él saborea la suya despacio, pero Karen toma su malteada rápido e intenta robarse la de Nic.

Ambos practican un juego de palabras y estallan en carcajadas.

Karen dice: —Dave,
Nic dice: —tiene
Karen: —trasero
Nic: —de
Karen: —Mono.
Yo levanto la mirada de mi revista.
—Muy chistoso —digo.

Nic responde: —Lo siento. Había

Karen: —un

Nic: —hombre

Karen: —que

Nic: —decía

Karen: —que,

Nic: —Dave

Karen: —tiene

Nic: —trasero

Karen: —de

Nic: —mono.

Lo juegan, con sus variaciones, una y otra vez. Yo giro los ojos hacia el techo.

Karen trabaja mucho y se resiste a realizar labores maternales, pero a veces acepta el turno de llevar a los chicos a la escuela y, una tarde, prepara pastel de carne para la cena. Sabe horrible y Nic se niega a comerlo. Karen intenta urbanizar a Nic y comienza por decirle que se coloque la servilleta sobre las piernas antes de comer, lo cual lo hace enfurecer. Ella le pide que le ayude con los quehaceres domésticos y lo contrata para que atrape a los azotadores del jardín. Le paga diez centavos por azotador. Nic los coloca en una pala y los arroja al bosque sobre la cerca.

Karen, a quien Nic llama Mamá, Mamacita o KB (ella le dice Sputnik), admite que ésta no es una relación natural para ella. Una vez, mientras iba en el auto con Nic y Nancy, su madre, Nic, cansado y frustrado sin ninguna causa en particular, comenzó a llorar. Karen se sorprendió y le preguntó a Nancy:

—¿Qué le ocurre?

—Es un niño pequeño —respondió Nancy—. Los niños pequeños lloran.

Otra tarde están juntos en la casa de sus padres y Karen se da cuenta de que, al sentarse todos alrededor del televisor, Nancy jala a Nic, lo acomoda cerca de ella y le acaricia la espalda. Él parece sentirse muy complacido. Karen me lo cuenta como si se tratara de una revelación. Dice que al principio Nic le parecía un extraño, pues no había estado rodeada de niños desde que ella era una.

—Nunca me esperé esto —dice—. No tenía idea. No sabía de lo que me perdía.

No siempre se siente así. En ocasiones Nic es grosero; conmigo también, por cierto, pero el mayor problema se refiere a su posición de madrastra. A veces Karen dice que le gustaría ser la verdadera madre de Nic, pero es realista al respecto de que no lo es. Él tiene una madre a quien adora y a quien es fiel. Con frecuencia, Karen debe recordar que una madrastra no es una madre. Tiene muchas de las responsabilidades pero no la autoridad de una madre. A veces guardo silencio cuando ella se queja de que Nic apoya los codos sobre la mesa al comer pero, a pesar de que siempre la motivo a decir lo que tiene en mente, con frecuencia defiendo a Nic.

—Sus modales son correctos —insisto, antes de darme cuenta de que la he desvalorizado otra vez.

Tal vez lo peor para Nic sea que se siente culpable de tener una relación cercana con una mujer que no es su madre, lo cual es normal de acuerdo con uno de los muchos libros que Karen conserva en su mesita de noche acerca de cómo ser una buena madrastra.

A veces todos lamentamos la ausencia de Vicki. Cuando Nic la extraña, el teléfono ayuda aunque puede sentirse más triste después de escuchar su voz. Lo animamos a visitarla cada vez que es posible y a llamarla con tanta frecuencia como desea. Intentamos que hable al respecto. Es todo lo que sabemos hacer.

Siento que Nic está a punto de vivir una transformación, como si una amenaza de guerra comenzara a circular por su interior. Aún conserva su cangrejo de peluche y sus pandas, pero ya pegó un cartel de Nirvana en la pared de su habitación. A pesar de que todavía se resiste a los hábitos y gustos convencionales, cada vez cede más a la presión de sus compañeros. Se convierte en un extraño preadolescente huesudo, con frecuencia usa ropa desaliñada de franela y arrastra los pies en un par de botas *punk* marca Doc Marten. Su fleco cuelga sobre sus ojos, al estilo de Cobain, y se pinta el cabello con *henna*. Yo lo permito, no sin considerar si debiera hacerlo, y mientras tanto lo obligo a cortarse el cabello a pesar de que él se enfurece conmigo. Al elegir mis batallas suelo sopesar los factores relevantes. En ocasiones Nic tiene altibajos en su estado de ánimo, pero no más que cualquier chico que conozcamos. Hay reprimendas menores, por escribir "Sofía apesta" en un cuaderno, por ejemplo. (Sofía es una obstinada chica de su clase.) Cierta vez tiene que escribir una nota de disculpa por interrumpir la clase de español. Sin embargo, en su mayor parte, Nic obtiene buenas calificaciones en la escuela. En una tarjeta de reportes, una maestra escribe acerca de "su naciente sentido de gentileza y generosidad" y concluye: "Tengo esperanza en los dones que, sin duda alguna, Nic ofrecerá al mundo".

3

Lo que ahora es la ciudad de Inverness en la península de Point Reyes, una hora al norte del puente Golden Gate, hace millones de años estaba en el sur de California. La masa terrestre con forma de flecha aún repta hacia el norte al lento paso de más o menos tres centímetros por año. Inverness y las sucesiones de colinas, laderas y valles, así como varios kilómetros de rancherías y playas serán, dentro de otro millón de años, una isla flotante cercana a la costa de Washington.

Inverness está separada del resto del continente por la bahía Tomales, la cual mide 19 kilómetros de largo y hace un corte irregular en el océano directo sobre la Falla de San Andrés. El borde sumergido podría representar la lóbrega sensación de temporalidad y fragilidad, así como la gracia eterna.

La ciudad de Point Reyes Station está del lado de tierra firme. Cuenta con una tienda de víveres, un taller de reparación
de automóviles, dos librerías y restaurantes que se especializan
en comida local (orgánica, animales de alimentación libre y con
pasturas). En la cremería Cowgirl se venden quesos elaborados
con leche de la lechería cercana de la familia Straus. La granja de Toby ofrece un amplio rango de productos útiles para la
comunidad local: forraje de alfalfa, sales de baño de lavanda,
aceite fresco de oliva, orejas deshidratadas de cerdo, la *crème
franche* de los Straus y medicamentos desparasitadores para
cachorros. Calle abajo hay una peluquería, una ferretería y una
oficina de correos.

El área tiene una población heterogénea. Hay varias familias
inmigrantes de primera y segunda generación que han llegado
de México y de Latinoamérica; refugiados de Hollywood; hábiles
artesanos, constructores, armadores de cabañas y albañiles;
pescadores de peces y ostras; y *hippies* añejos (la ciudad finan-
cia una tienda de artículos de tela pintada). Hay ejecutivos de
alta tecnología retirados, maestros, artistas, rancheros y cam-
pesinos, veraneantes, paseantes de fin de semana, vaqueros,
masajistas, terapeutas de todas las corrientes, ambientalistas
y una clínica médica que no rechaza a nadie. Hay unas pocas
personas viejas, amargadas y tercas, y una nueva generación
de ellas. De hecho, algunos de los locales guardan diferencias
entre sí y te evitarán después de presentarte en una barbacoa
de la comunidad, donde todos llevan platillos para compartir,
con hot dogs de salchicha de marca y no de tofu. Por una parte
existe una ardiente conciencia social, como las mujeres que se
desnudan en nombre de la paz. Por otra, algunos vecinos te
insultarán si cortas zarzamoras de un arbusto que ellos han
reclamado como propio. No obstante, Point Reyes es un lugar
rebosante de generosidad y magnanimidad.

Karen tiene una pequeña cabaña en un jardín de Inverness,
no muy lejos de la ciudad. Hemos pasado allí tanto tiempo como
nos es posible estos días y, mientras más estamos allí, más apre-

ciamos el anacrónico sentido de comunidad y la espectacular belleza natural. Con regularidad remamos en nuestra vieja canoa hacia Papermill Creek, que emerge entre tierras de pastura como un listón de plata. Remamos entre nutrias de río y, cuando la marea está alta, nos dirigimos hacia una entrada recluida de la bahía donde almorzamos y desenterramos cabezas de flechas miwok en la playa rocosa. Caminamos entre las veredas que atraviesan la playa nacional y los parques estatales, donde un millón de flores se abren en primavera. Los campos se salpican de oro a mediados del verano, que es cuando maduran las zarzamoras y los írises azules florecen de manera sobrecogedora. En invierno, ateridos de frío, nos envolvemos en nuestros abrigos y caminamos a través del parque estatal o a lo largo de North y South Beach, donde las olas del Océano Pacífico alcanzan más de seis metros de altura, y contemplamos la migración de las ballenas grises.

De hecho, tres lados de la península están rodeados por las líneas costeras más salvajes y magníficas del mundo. Hasta ahora era raro que Nic eligiera ir a la playa (no le gustaba que se le pegara la arena), pero pronto pasa cualquier momento cerca y dentro del agua. Conducimos hasta McClure Beach y pasamos los impecables arcos de flores color amarillo mostaza para llegar a donde haya corriente baja. Caminamos a lo largo de la playa, libramos grandes rocas y nos balanceamos en las piedras resbalosas para observar cómo se estrellan las olas; también buscamos pozas en donde podamos ver mejillones, estrellas de mar, anémonas y pulpos. Nic observa a Karen lanzarse al océano helado a mediados de diciembre en Limantour Beach. Él también salta al agua y se golpean uno al otro con largas algas marinas. Cuando sale del agua, Nic no puede dejar de estremecerse. Tomales Bay es más tibio. Cuando nadan allí, Karen y Nic juegan a que ella tiene que liberarse de él, sujeto a su espalda. En las playas arenosas de Drakes, Stinson y Bolinas, Nic juega con un *skimboard*. Intenta con una tabla *boogie* y después surfea. Luce natural y elegante sobre una tabla. Mientras más mejora

en el surfeo, más desea practicarlo. Pasamos horas sublimes en
el océano. Estudiamos las boyas y los reportes climáticos y nos
dirigimos a la playa cuando las olas están altas y el viento se dirige mar adentro. Al encerar su tabla en la playa, Nic luce esbelto,
fuerte y bronceado por el sol. Lleva collares anaranjados alrededor del cuello. Sus miembros son largos y flexibles, sus manos son morenas, con las uñas sucias, y sus pies son delgados
y también morenos. Sus ojos claros están rodeados por largas
pestañas oscuras y descendentes. Cuando se pone su traje negro
de neopreno, Nic tiene la piel de una foca.

Encantados con West Marin, construimos una casa y un estudio
de pintura en el jardín de las laderas de Inverness y nos muda-
mos antes del otoño, cuando Nic comienza el sexto grado en una
nueva escuela (con cierta inquietud).

Después de su primer día nos sentamos en las sillas de respal-
do alto alrededor de una mesa redonda y morada. Nic nos cuenta que, después de todo, cree que le gustará su nueva escuela.

—Mi maestra preguntó: "¿Cuántos de ustedes odian las matemáticas?" —dice Nic—. Casi todos levantaron la mano. Yo también la levanté. Ella dijo: "Yo también las odiaba". Entonces nos
sonrió y agregó: "No las odiarán más cuando yo haya terminado
con ustedes".

Enseguida, Nic nos dijo que muchos de los chicos parecen
agradables y nos reporta que, después de que lo dejamos en la
escuela, caminaba por el pasillo cuando escuchó que un chico
gritaba "¡Nic!".

Mi hijo levanta la vista.

—Me sentí muy emocionado, pero después pensé que tal vez
él le llamaba a alguien más y que yo actuaba como un completo
idiota al saludarlo con la mano. Pero no: me llamaba a mí. Me
recordaba de cuando visité la escuela.

Después del segundo día, Nic nos reporta que otro chico lo
llamó su amigo.

—Ese chico pelirrojo me dio un palo de hockey en la clase de educación física y, cuando otro niño dijo: "No, ése es mi palo, yo lo tomé primero", el pelirrojo dijo: "Es para mi amigo Nic".

Nic luce genial estos días con pantalones que descienden desde sus caderas, una camiseta de Primus o Nirvana, su desaliñada postura de adolescente y su cabello con mechones teñidos de rojo y anaranjado. Sin embargo, en esencia sólo tiene una ambición: llegar a casa y poder decir: "Papá, hoy hice dos nuevos amigos".

Cierto viernes vienen los niños a una fiesta. Los llevo a Stinson Beach, donde hacen persecuciones en la arena, juegan *kickball* y Nic les enseña a usar el *skimboard*. Su rareza de preadolescentes se disuelve mientras juegan como niños mucho más pequeños, ríen sin vergüenza, caen y luchan en la arena. Antes de que oscurezca regresamos a casa, donde juegan *Twister* y Verdad o Castigo con preguntas riesgosas como: "¿Crees que Skye es bonita?" (Nic cree que sí lo es: Ella es la chica de grandes ojos y cabello castaño cuyo nombre, al ser mencionado, hace ruborizar a Nic. Él conversa con ella por teléfono en las noches, a veces durante una hora o más.) Y como: "En una batalla a muerte entre Batman y Hulk, ¿quién ganaría?" Entre los castigos se encuentran morder un chile jalapeño y besar una muñeca Barbie. Comen pizzas y palomitas de maíz y sus padres los recogen a las diez.

Karen y yo asistimos a las exposiciones de arte y a las obras teatrales de la escuela. Nic es Viola en una producción de *Noche de reyes* y George Gibbs en *Nuestra ciudad*. Los padres son invitados a escuchar sus reportes orales sobre diferentes países. Nic, con la asignación de hablar acerca de Bolivia, después de mostrar el país en un mapa tamaño cartel hecho en casa y de describir su historia, topografía, agricultura y producto interno bruto, canta una canción que él escribió: "Olivia, oh, Olivia", canta, "en La Paz, Bolivia. Mi Olivia" y se acompaña con su guitarra.

Nic dibuja una serie de caricaturas en carteles con un personaje llamado Super Vaca Vengadora, la cual imparte lecciones

de nutrición. Para una tarea de ciencias, Nic equipa nuestra
bañera y regadera con cubetas y cintas métricas para medir
la cantidad de agua utilizada en cada una de ellas (las rega-
deras son más ecológicas). Para otro proyecto de ciencias, Nic
prueba los limpiadores y los solventes domésticos con plumas
empapadas en aceite para averiguar qué producto funcionaría
mejor para limpiar a los pájaros después de un derrame de
aceite. Dove, el detergente para trastes, es el ganador. Nic cuece
una manzana en el horno y, a través de la ventanilla, lleva un
registro de su desintegración. Después reporta el resultado en
un texto escrito desde la perspectiva de la manzana. "Me des-
hidrato y suspiro: ¿Hola? ¿Allá afuera? ¿Alguien me escucha?
Hace calor aquí..."

Cada mañana y tarde hay turnos para llevar y traer a los chicos de la escuela a Point Reyes Station. Cuando me toca conducir, a veces educo a Nic y a sus amigos acerca de la obra de Van
Morrison, los Kinks y los solos de guitarra de Jorma Kaukonen,
Jimmy Page, Jeff Beck, Robin Trower, Duane Allman y Ronnie
Van Zant (motivo el baile en donde el ejecutante finge tocar una
guitarra de aire). Con frecuencia, Nic y sus amigos juegan al
juego de las quejas, inventado por Karen. Nic, quien imita a
Bob Eubanks de *Newlywed Game*, es el conductor y explica las
reglas. Los concursantes reciben puntos en una escala del uno
al diez por dar voz a sus problemas. Por lo general los chicos se
quejan de sus molestos hermanos, los tontos de la escuela, los
maestros antipáticos y los padres ogros. Las quejas prosaicas
reciben calificaciones mediocres. El parámetro es que, admitir
que sufres pesadillas desde que viste una película de terror en
la cual una adolescente es apuñalada y un hombre es sepultado
vivo, equivale a ocho puntos. Cuando una niña cuenta que fue
secuestrada por su propio padre, recibe aplausos y diez puntos.
Un chico también recibe diez puntos por la amarga denuncia a
su madre, quien, según dice, lo ha arrastrado a ocho ciudades
distintas con cuatro maridos sucesivos. Después de meses de
escuchar historias como éstas, una jovencita usa su turno para

quejarse: "Soy demasiado normal. Mis padres nunca se han divorciado y siempre he vivido en la misma casa". Empáticos, los demás chicos la premian con diez puntos.

En busca de un cachorro en la Sociedad Humanitaria, Karen se enamora de un sabueso apestoso de ojos tristes y casi famélico que está echado con las patas cruzadas en el suelo de su jaula. Se trae a Moondog a casa y también a una bola de pelos, un cachorro de labrador color chocolate a quien llamamos Brutus. Moondog, quien nunca había estado en el interior de una casa, levanta la pata del suelo y orina sobre los muebles de madera, corre por toda la casa, aúlla y ladra cada vez que escucha pasar un auto o cuando alguien llega hasta la puerta frontal. También le aúlla a la aspiradora. Brutus salta entre la hierba como un conejo.

Cada miércoles vamos, con todo y los perros, a cenar a casa de los padres de Karen. Nancy y Don viven en una casa estilo granja de tablas de madera incrustada al lado de un cañón arbolado, a media hora de distancia de Inverness. La habitación principal es cavernosa y con muchas corrientes de aire, y tiene un ventanal de siete metros de altura que se abre al exterior. Los estantes de piso a techo, que ocupan dos paredes, están llenos de libros de conchas, rocas, árboles y pájaros. También hay retratos de sus tres hijos (Karen, de más o menos cinco años de edad, tiene grandes ojos castaños y el cabello oscuro recogido hacia atrás), dólares de arena, platos de *pewter* y la pintura de una marmota.

Don es médico retirado. Karen creció esperándolo en el auto mientras hacía visitas a domicilio a sus pacientes. Don cultiva tomates y calabazas en su jardín, pero invierte la mayor parte de su tiempo en su oficina del segundo piso, ocupado en su empleo actual que es evaluar estudios diseñados para determinar la efectividad de los nuevos medicamentos.

Nancy, su esposa por más de cincuenta años, trabaja todos los días en el jardín. Tiene ojos grises y el cabello plateado cortado al estilo paje. Es vivaz, guapa, gentil e impositiva.

Ninguno de los hijos de Don y Nancy vive a mayor distancia que San Francisco y no es raro encontrar a uno o a varios de ellos sentados a la mesa de la cocina, frente a una taza de café recalentado y un plato de galletas, conversando con su madre cualquier tarde.

Las cenas semanales de los miércoles son noches ruidosas y memorables con Nancy, Don y sus tres hijos con sus familias, además de algunos invitados ocasionales y una revoltosa manada de nuestros maleducados perros, que se adueñan de los mejores sillones y se roban los alimentos no custodiados de la mesa del comedor.

En esas cenas, Nancy nos relata cada noticia del periódico o de la televisión acerca de las colchas tóxicas, los niños víctimas de abuso, suicidios de adolescentes, envenenamientos, carritos de compras infestados de bacterias, ataques de tiburones, accidentes automovilísticos y electrocuciones, la mayoría de las cuales se refiere a desafortunadas muertes de infantes. Nos cuenta sobre una nadadora que se ahogó por aguantar la respiración demasiado tiempo. Dice que alguien murió en Mill Valley cuando un árbol cayó sobre su auto y lo aplastó por completo. Relata noticias que hablan de las alarmantes tasas de depresión infantil, desórdenes alimenticios y abusos de drogas.

—Una niña se ahogó después de que su cabello se atoró en la coladera de la bañera —dice un día—. Sólo quería que lo supieran para que tengan cuidado.

Estas advertencias tienen la intención de incrementar nuestra vigilancia pero es imposible prepararse para cada posible calamidad. Una cosa es estar a salvo, pero el pánico es inútil y la precaución exagerada puede resultar enfermiza. No importa. Las malas noticias fluyen como la salsa de la carne.

Durante la cena de un miércoles de octubre de 1993, Karen, con siete meses de embarazo, y yo estamos sentados alrededor de la mesa de la cocina con sus padres, su hermano y su hermana. Nic juega afuera con Brutus mientras Nancy comparte las últimas noticias terribles. El lugar de los hechos es Pentaluma, a media hora en auto hacia el este de Inverness. Una niña de doce años de edad es secuestrada de su habitación. En ese momento tenía varias invitadas a dormir y su madre se encontraba en casa.

En el plazo de un día, fotografías de Polly Klaas con su largo cabello castaño y sus ojos dulces son colocadas en cada escaparate de las tiendas y en cada cabina telefónica de la ciudad. Pronto, un sicópata es arrestado y es quien guía a la policía hasta el cadáver de Polly. Cada padre que conozco lamenta la muerte de Polly y todos cuidamos más a nuestros hijos.

Los niños que llevamos y recogemos por turnos de la escuela están obsesionados con el asesinato. Una niña dice que hubiera gritado y corrido. Otra dice que ella no hubiera podido escapar.

—El tipo era un gigante como de dos metros.

Nic guarda silencio durante un rato y luego dice:

—Tienen que gritar y correr de todas formas. Tienen que intentar escapar.

Un chico dice que el criminal tenía un cómplice.

—El tipo la secuestró para prostituirla.

Después nadie habla hasta que Nic pregunta si es verdad que el asesino medía dos metros de estatura. La niña responde:

—Dos metros y veinte centímetros.

Los padres comentamos acerca del sueño inquieto y las pesadillas de nuestros hijos, y los chicos responden con bromas que escuchan en la escuela. Las que repiten durante los trayectos no siempre son sobre Polly Klaas.

—La madre de Jeffrey Dahmer dice: "Jeffrey, no me gustan tus amigos". Él responde: "No importa. Cómete sólo los vegetales".

Nic nunca lee el periódico ni ve las noticias, pero no hay manera de filtrar estos preocupantes sucesos porque los demás chicos —en el auto, en el parque— se preocupan por ellos.

Jasper nace a principios de diciembre.

Nancy y Don traen a Nic al hospital para ver al bebé cuando tiene pocas horas de nacido. Jasper tiene los ojos hinchados a causa de unas gotas que le aplicaron. Nic, sentado en un sillón junto a la cama de hospital de Karen, sostiene al bebé, quien está envuelto en una cobija como si fuera un taco, y lo contempla durante un rato.

Es fácil olvidar lo pequeños y delicados que son los recién nacidos. En nuestra casa de Inverness, cuando Jasper duerme, lo revisamos para asegurarnos de que respira. Su presencia entre nosotros parece tentativa y nos preocupa que se escabulla.

Hacemos nuestro mejor esfuerzo para que la transición sea fácil para Nic, a quien parece gustarle jugar con Jasper; parece estar encantado con él. ¿Estoy endulzando las cosas? Tal vez. Sé que es complicado para él. Incluso en las mejores circunstancias, las segundas familias siempre son al menos un poco atemorizantes para los hijos de un matrimonio previo. Tratamos de brindarle seguridad a Nic, pero él debe preguntarse cómo encaja este nuevo bebé en su vida.

Karen y yo estamos más cansados. Jasper tiene problemas para dormir, pero cae fulminado en cuanto lo subimos al auto, así que lo llevamos a dar largos paseos en auto para inducirle sueño. En otros aspectos las cosas han cambiado poco. Nic y yo, casi siempre con sus amigos, surfeamos cada vez que tenemos oportunidad, tocamos juntos la guitarra y escuchamos música. Para el Año Nuevo de 1993, cuando consigo boletos para el concierto de Nirvana en el Coliseo de Oakland, dispongo que Nic viaje directo allá desde Los Ángeles. Es una noche inolvidable. La actuación de Kurt Cobain es fascinante, brillante y hechicera.

Tres meses después, Nic, Karen y yo estamos sentados en la sala con sus cerúleos páneles enmarcados de madera aceitada. La habitación está amueblada con sofás gemelos cubiertos con tiras de seda roja de China que Karen compró en una tienda de artículos usados, y cojines de diferentes colores. Miramos a Jasper, quien está sobre una cobija para bebé. Comienza a rodarse sobre su espalda e intenta gatear, pero no llega a ninguna parte. En un momento dado, Jas adopta la postura correcta, apoyado en cuatro puntos, y empuja y jala, se balancea hacia el frente y comienza a llorar. Cuando por fin logra gatear, avanza hacia los lados como un cangrejo.

Una mañana, Nic parte hacia la escuela, como siempre. Pero después cuando regresa a casa, por su gesto puedo darme cuenta de que está perturbado. Mi hijo arroja su mochila en el suelo, levanta la mirada y me dice que Kurt Cobain se disparó en la cabeza. Desde su habitación escucho la voz de Cobain.

Después del verano, Nic comienza el séptimo grado. En su libro *Instrucciones de operación*, Anne Lammott escribió: "El séptimo y el octavo grado fueron para mí, y para toda persona buena e interesante que he conocido, lo que los escritores de la Biblia quisieron decir cuando utilizaron las palabras infierno y averno... dominaban sobre cualquier pequeño sentimiento de que, en esencia, uno estaba bien. No era así. De pronto, uno se convertía en un personaje de Diane Arbus. Era primavera, para Hitler, en Alemania".

Esos días hay razones más perturbadoras que la rareza y la crueldad propia de los preadolescentes para que los padres nos preocupemos. La directora de un bachillerato que conozco me dice que no comprende qué sucede, pero que las cosas son peores para sus estudiantes que nunca antes.

—No puedo creer las cosas que se hacen a sí mismos y a los demás —me dice.

En una encuesta entre maestros de escuelas públicas en 1940, los problemas disciplinarios más importantes eran hablar cuando no estaba permitido, masticar chicle, correr en los pasillos, violaciones a los códigos de vestimenta y desorden. Más de cincuenta años después son abuso de drogas y alcohol, embarazos, suicidios, violaciones, robos y asaltos.

Cuando Nic ingresa a séptimo grado aún parece disfrutar de los juegos con Jasper, cuya primera palabra es *pato*, seguida por *upa, plátano, perrito* y *Nicky*. Mientras tanto, Nic ha descubierto un inesperado beneficio en el hecho de que haya un bebé en la familia: a las niñas de su grado les encanta Jasper. Vienen a jugar con él, cargarlo y vestirlo. Nic está fascinado con su creciente harem.

No obstante, cada vez siente menos interés por los chicos de los turnos del auto y, en cambio, pasa la mayor parte de su tiempo libre con un grupo de chicos de cabellos alocados que andan en patineta, hablan de chicas pero no hacen nada por acercarse a ellas y escuchan música: Guns N' Roses, Metallica, Primus y Jimi Hendrix. Como siempre, Nic tiene un gusto ecléctico, raro y con frecuencia inconstante. No parece interesarse por los nuevos descubrimientos —Björk, Tom Waits, Bowie— pero le fascina la música más vanguardista y después se aburre de ella. Para cuando una banda, desde Weezer hasta Blind Melon y de Offspring hasta Green Day, tiene un disco exitoso, él ya lo ha descartado a favor de lo oscuro, lo retro, lo ultracontemporáneo o lo bizarro, una lista que incluye Coltrane, colecciones de polka, los temas musicales de *Los paraguas de Cherbourg,* John Zorn, M.C. Solar, Jacques Brel o, en esas fechas, samba, cuyos ritmos baila a través de la sala. Descubre Pearl Jam, una canción titulada "Jeremy" acerca de un adolescente en Texas que se dispara frente a su clase de inglés. La maestra de Jeremy le pide que vaya a la dirección por un reporte de retardo. Él regresa y le dice: "Maestra, esto es lo que en realidad fui a buscar" antes de apuntar la pistola hacia sí mismo. Pero, más que todo, Nic escucha a Nirvana. La música retumba como disparos de mortero desde su habitación.

Cierto día, a principios de mayo, recojo a Nic en la escuela para llevarlo a una cena en casa de Nancy y Don. Cuando se sube al auto huelo humo de cigarrillo. Al principio niega haber fumado.

Dice que estuvo con unos chicos que fumaban. Sin embargo, cuando lo presiono, admite que dio algunas fumadas con un grupo de chicos que lo hacían detrás del gimnasio. Lo reprendo y él promete no volver a hacerlo.

El viernes siguiente, después de la escuela, él y un amigo, con quien Nic pasará la noche, se arrojan un balón de futbol en el jardín de Inverness. Empaco un cambio de ropa para él y busco un suéter en su mochila. No encuentro el suéter pero, en cambio, descubro una pequeña bolsa de mariguana.

4

Cuando era niño vivía con mi familia cerca de Walden Pond, en Lexington, Massachusetts. Nuestra casa estaba cerca de una granja con manzanos, maizales, plantaciones de tomate y largas filas de panales. Mi padre era ingeniero químico. Cierto día vio un comercial de televisión que decía que llevaras tu sinusitis a Arizona. Él padecía fiebre del heno, así que nos fuimos. Consiguió trabajo en una planta de semiconductores en Phoenix. Condujimos hacia el este en nuestra Studebaker color verde chícharo, nos hospedamos en varios moteles del camino y comimos en Denny's y Sambo's.

Nos establecimos en Scottsdale y vivimos en un motel hasta que nuestra casa en condominio estuvo construida. El nuevo empleo de mi padre en Motorola era fabricar, rebanar y cortar círculos de silicón para transistores y microprocesadores. Mi madre escribía una columna acerca de nuestra escuela y vecindario; es decir, sobre los ganadores de los concursos de ciencias y los resultados de la liga infantil, para el *Scottsdale Daily Progress*.

Con frecuencia mis amigos y yo recordamos nuestra infancia cuando las cosas eran distintas. El mundo era mucho más inocente y también mucho más seguro. Mi hermana, mi hermano y yo, junto con los demás niños de la cuadra, jugábamos en la calle hasta el anochecer, que era cuando nuestras madres nos llamaban para cenar. Jugábamos carreras, "las traes" y los niños perseguíamos a las niñas. Cenábamos frente al televisor —pollo frito, puré de papas con mantequilla, pay de manzana, cada ración aislada en su propio compartimiento y sobre una charola plegable— y veíamos *Bonanza, El maravilloso mundo de Disney* y *The Man from U.N.C.L.E.*. Éramos niños y niñas exploradores. Organizábamos carnes asadas, construíamos *go-karts*, horneábamos pasteles en el horno mágico de mi hermana y rodábamos cámaras de llantas a lo largo de los ríos Salt y Verde.

Pero no estoy seguro de que esos melancólicos recuerdos de aquellos tiempos estén justificados. Las noticias de nuestro vecindario viajaban a través de los murmullos de nuestras madres. Charles Manson y las ofertas a 50 por ciento de descuento eran los temas favoritos en las aceras, en las reuniones de Tupper-Ware, en los juegos de *mahjong* y en el salón de belleza, a donde mi madre iba a arreglarse el cabello. Murmuraron cuando se colgó un chico de diez años de edad que vivía en nuestra cuadra. Después, una niña que vivía a dos casas de la nuestra murió en un accidente automovilístico. El conductor, un muchacho mayor, estaba drogado.

La proximidad con México significaba que las drogas eran abundantes y baratas. Sin embargo, es probable que la geografía no implicara diferencia alguna. Un buffet de drogas, antes desconocidas o inaccesibles, invadió nuestra escuela y vecindario así como inundó Estados Unidos desde mediados de los años sesenta.

La mariguana era la droga más común. Después de la escuela, los chicos se juntaban cerca del estacionamiento de bicicletas para vender churros individuales por cincuenta centavos y bolsas de treinta gramos por diez dólares. Ofrecían fumadas de sus cigarrillos en el baño y de camino de ida o vuelta a la escuela. Uno de mis amigos la probó y nos platicó al respecto. Dijo que le pidió un poco a otro chico, de quien todos sabíamos que vendía mariguana, y se fumó el carrujo en el patio trasero de la casa de sus padres, tosió mucho, no sintió nada y después se metió a su casa a comerse una caja entera de galletas. Comenzó a fumar casi a diario.

Más o menos un año después, un chico de mi cuadra me preguntó si quería fumar un churro de mariguana. Era 1968 y yo cursaba el primer año de bachillerato. No me costó trabajo aceptar, pero tampoco me causó alucinaciones ni el deseo de volar desde el tejado de nuestra casa, como se supone que hizo la hija de Art Linkletter cuando probó el LSD. Es decir, parecía inofensiva, de manera que no lo pensé dos veces cuando llegué a casa de otro amigo y su hermano mayor me pasó una brillante colilla sujeta con un broche en forma de cocodrilo.

Desde luego que no era apropiado, pero la mota, con su sello distintivo criminal, era una llave de acceso a un círculo social más o menos definido. Estar dentro fue un alivio después de mi solitaria singularidad en los años previos. Podía reírme con más facilidad y sentirme más simpático con una audiencia drogada; es decir, con menos discernimiento. He aquí un paliativo para la rabiosa inseguridad. Yo lo experimentaba todo —la música, la naturaleza— de manera exacerbada y más intensa, y era mucho menos tímido con las chicas, beneficio que no puede ser menospreciado por un muchacho de catorce o quince años. El mundo parecía más oscuro y vívido a la vez. Pero tal vez ni siquiera sean éstas las razones por las cuales seguí fumando. Además de la continua presión de los compañeros y la excitación, sumados a la sensación de rebelión al encender un churro, la camaradería y las maneras en que la mota me ayudaba a aliviar un poco mi rareza y mi inseguridad... además de todo eso, la mariguana me ayudó a sentir algo cuando casi no sentía nada y también me ayudó a bloquear sentimientos cuando sentía demasiado. Justo del mismo modo en que la mariguana hacía que las cosas fueran más borrosas y vibrantes, me permitía sentir más y sentir menos.

En la actualidad la gente me dice que las drogas eran distintas entonces, que la mariguana era menos potente y que los psicodélicos eran más puros. Eso es verdad. Los análisis de la mariguana han demostrado que contiene el doble de THC, el ingrediente activo, en el churro o la pipa actual que en la hierba de hace una década, la cual también era más potente que en los años sesenta y setenta. Existen reportes frecuentes de que los psicodélicos y el éxtasis se preparan o incluso se sustituyen por metanfetaminas y otras drogas o impurezas, a pesar de que en el pasado escuchábamos casos de chicos que aspiraban Drano en lugar de cocaína. Es innegable que las cosas son distintas. Las investigaciones han demostrado un amplio rango de peligrosos efectos físicos y psicológicos de las drogas, incluso la mariguana. Pensábamos que era inofensiva. No lo era. Sé que algunas personas recuerdan lo que consideran los viejos buenos tiempos del uso de drogas "inofensivas". Sobrevivieron intactas, pero mucha gente no corrió con la misma suerte. Hubieron accidentes, suicidios y sobredosis. Aún me encuentro con un impresionante número de consecuencias de las drogas de los años sesenta y setenta que vagan por las calles y no tienen casa. Algunos hablan de conspiraciones. Tal parece que es un concepto común entre drogadictos y alcohólicos. "Siempre que este licor comienza a tener efecto, él siempre culpa al gobierno", dijo Huck Finn acerca de su padre borracho.

Así fue que, a lo largo de la infancia de Nic, incluso desde que tenía siete u ocho años de edad, le hablé acerca de las drogas. Hablamos al respecto "a temprana edad y con frecuencia", según las indicaciones de la Paternidad para un País Libre de Drogas. Le hablé sobre la gente que se ha lastimado o que ha muerto. Le conté sobre mis errores. Tuve cuidado con los primeros signos de advertencia de alcoholismo y abuso de drogas en la adolescencia. (El punto número quince en la lista de una organización: "¿Tu hijo se ofrece de pronto a limpiar después de una fiesta, pero olvida sus demás deberes?")

Cuando yo era niño, mis padres me imploraban que me mantuviera alejado de las drogas. Yo no les hice caso porque ellos no sabían de lo que hablaban. Ellos eran abstemios y aún lo son. Sin embargo, yo conocía las drogas por experiencia directa, de manera que, cuando advertí a Nic al respecto, pensé que tendría cierta credibilidad.

Muchos asesores sobre drogas aconsejan a los padres de mi generación que mintamos a nuestros hijos acerca de nuestro pasado consumo de drogas. Es la misma razón por la cual puede resultar contraproducente cuando atletas famosos se presentan en las asambleas de las escuelas o en televisión y les dicen a los chicos: "Hombre, no hagas esa estupidez, yo casi muero" y allí están rodeados de diamantes y oro, con salarios multimillonarios y fama de caja de cereal. Las palabras: Yo sobreviví. El mensaje: Yo sobreviví, luché, y tú también puedes hacerlo. Los niños ven que sus padres están muy bien a pesar de las drogas, así que tal vez yo debí mentirle a Nic y mantener oculto mi consumo de drogas, pero no lo hice. Él sabía la verdad. Mientras tanto, nuestra cercana relación me hacía sentir seguro de que sabría si él estaba expuesto a ellas. Ingenuo, creí que Nic me lo diría si sentía la tentación de probarlas. Me equivoqué.

Aún estamos a finales del invierno en esta fría y neblinosa tarde de mayo con el aroma a madera quemada en el aire, recuerdo del fuego vespertino en la chimenea. En esta época del año el sol se esconde detrás de las colinas y los árboles; es por eso que, a pesar de que apenas son las cuatro, el jardín se cubre de sombras. La niebla rodea los pies de los muchachos mientras se arrojan la pelota entre sí. Es un juego automático pues ellos parecen más interesados en su conversación, tal vez acerca de chicas, de bandas musicales o del ranchero que le disparó ayer a un perro rabioso en Point Reyes Station.

El amigo de Nic es musculoso, un levantador de pesas que luce sus abultados pectorales y bíceps con una camiseta ajustada. Nic viste una chamarra demasiado grande color gris, mía. Con su cabello desaliñado y su aspecto depresivo y lánguido, cualquiera podría pensar que, al menos, fuma mariguana. No obstante, a pesar de su vestimenta, su carácter voluble, su creciente desinterés y sus brotes de arrogancia, y a pesar de su nueva pandilla que incluye a los chicos rudos y flemáticos de la escuela, cuando veo a Nic, veo juventud y vitalidad, diversión e inocencia. Un niño. Es por eso que me encuentro perplejo ante los apretados y verdes churros de mariguana que sostengo en mi mano.

Karen se sienta en el sofá de la sala, inclinada sobre su diario, y dibuja con tinta india. Jasper está dormido junto a ella en el sillón, de espaldas y con las manos cerradas en diminutos puños.

Cuando me aproximo a ella, Karen levanta la mirada.

Le muestro la mariguana.

—¿Qué es eso? ¿De dónde...?

Y después:

—¿Qué? ¿Es de Nic?

Es una pregunta a medias. Ella sabe.

Como siempre, yo enfrento mi pánico al intentar calmar el suyo.

—Todo estará bien. Tenía que suceder en algún momento. Nos enfrentaremos a ello.

De pie en la terraza llamo a los chicos. Ellos se acercan. Nic palmea la pelota y respira con fuerza.

—Debo hablar con ustedes.

Ambos miran mi mano abierta con los churros de mariguana.

—Oh —dice Nic, se tensa un poco y espera, dócil. Moondog se aproxima a Nic y frota la nariz en su pierna. Nic no es de los que intenta defenderse frente a la evidencia dura. De manera tentativa me mira con ojos temerosos en un intento por evaluar que tan complicada es la situación para él.

—Vamos adentro.

Karen y yo estamos de pie frente a los chicos. Yo la miro en busca de orientación, pero ella parece tan insegura como yo.

Me siento perturbado no sólo por el descubrimiento de que Nic fuma mota, sino por el hecho aún más sorprendente de que yo no tenía idea.

—¿Desde cuándo han fumado esto?

Los acorralados chicos se miran entre sí.

—Es la primera vez que la compramos —responde Nic—. La probamos sólo una vez antes.

Yo pienso: ¿Confío en él? Esta proposición es también muy confusa y nunca antes me había pasado por la mente. Claro que confío en él. Nic no me mentiría. ¿Mentiría? Conozco padres cuyos hijos siempre se meten en problemas tanto en casa como en la escuela y lo más desconcertante para ellos es la deshonestidad.

—Díganme qué sucedió con exactitud.

Miro a su amigo, quien no ha dicho nada y mantiene los ojos fijos en el suelo. Nic responde por ambos.

—Todo el mundo lo hace.

—¿Todo el mundo?

—Casi todo el mundo.

Nic mira los largos dedos de sus manos de niño, que están abiertas sobre la mesa. Después las cierra y guarda los puños en los bolsillos.

—¿Dónde la consiguieron?

—Con alguien. Con un chico.

—¿Quién?

—No es importante.

—Sí lo es.

Ellos nos dicen el nombre.

—Sólo queríamos saber qué se siente —dice Nic.

—¿Y?

—No es gran cosa.

El amigo de Nic pregunta si llamaremos a sus padres. Cuando respondo que sí, él me ruega que no lo haga.

—Lo lamento, pero ellos necesitan saberlo. Les llamaré y después te llevaré a casa.

Nic pregunta:

—¿No me quedaré a dormir con él?

Yo sostengo mi mirada fija en él.

—Lo llevaremos a casa y después tú y yo hablaremos.

Su amigo aún mira hacia abajo.

El padre del chico, cuando le llamo, me agradece por informarle. Me dice que está preocupado pero no tan sorprendido.

—Ya hemos vivido esto con nuestros hijos mayores —me dice—. Supongo que todos tienen que pasar por ello. Hablaremos con él. —Resignado, agrega—: Estamos demasiado ocupados. No podemos supervisarlo todo el tiempo.

Cuando llamo a la madre del chico que les vendió la mota, ésta se pone lívida y alega que su hijo no estuvo involucrado en el asunto. Ella acusa a Nic y a su amigo de querer meter a su hijo en problemas.

Cuando Nic y yo quedamos a solas, él está contrito y asiente cuando le informo que Karen y yo hemos decidido castigarlo.

—Sí, lo comprendo.

Nuestra idea es la siguiente: no queremos exagerar, pero tampoco queremos restarle importancia. Establecemos un castigo para demostrar con cuánta seriedad tomamos la ruptura de reglas en nuestro hogar así como nuestra relación. Existen consecuencias por nuestras acciones y esperamos que éstas sean lo bastante onerosas. Además, no me gusta mucho esta nueva ola de amigos. Comprendo que no puedo elegir sus amistades por él y el hecho de prohibirle relacionarse con ellos sólo los haría más atractivos, pero al menos puedo minimizar el tiempo que Nic convive con ellos. La otra parte sólo es que quiero observarlo. Cuidarlo. Intentar comprender lo que le sucede.

—¿Cuánto tiempo estaré castigado?

—Veremos cómo van las cosas durante las próximas dos semanas.

Nos sentamos en sillones dispuestos frente a frente. Parece que el arrepentimiento de Nic es genuino. Le pregunto:

—¿Qué te hizo desear probar la mota? Hasta no hace mucho tiempo, la simple idea de fumar cualquier cosa, un cigarro y ni hablar de la mariguana, te resultaba repulsiva. Thomas y tú —mencioné a uno de sus amigos de la ciudad— solían meterse en problemas por tirar a la basura los cigarros de su madre.

—No lo sé.

Con la pluma roja que está sobre la mesa de centro, Nic comienza a trazar líneas cruzadas sobre el periódico del día.

—Supongo que sentí curiosidad. —Después de un minuto, continúa—: De todas formas no me gustó. Me hizo sentir, no sé, raro. —Enseguida agrega—: No tienes que preocuparte. No la probaré más.

—¿Y qué hay de las demás drogas? ¿Has probado alguna otra?

Su mirada incrédula me informa que Nic dice la verdad.

—Sé que fui estúpido, pero no soy tan estúpido.

—¿Y el alcohol? ¿Has bebido?

Él aguarda un poco antes de responder.

—Nos emborrachamos. Una vez. Phillip y yo. Cuando fuimos a esquiar.

—¿En el viaje a esquiar? ¿A Lake Tahoe?

Él asiente.

Recuerdo el fin de semana invernal largo antes de que Jasper naciera, cuando rentamos una cabaña en Alpine Meadows. Permitimos que Nic invitara a Phillip, un amigo suyo que nos agrada; es un chico de palabras suaves y trato amable, de talla pequeña y con el fleco largo sobre la frente. Somos amigos de sus padres.

Llegamos a las montañas de noche, justo antes de que la ventisca obligara a que los caminos fueran cerrados. Por la mañana, los pinos estaban cubiertos de blanco. Nic ya había esquiado antes, pero esta vez él y Phillip decidieron esquiar en tabla. Como buen surfista, Nic pensó que el cambio sería fácil.

—Te deslizarás en nieve en lugar de agua —había dicho—. En ambas la clave está en el equilibrio y la gravedad.

Tal vez, pero la mayor parte del tiempo rebotó en las laderas antes de dominarlo. Ahora le pregunto:

—¿Cuándo tuvieron oportunidad de beber? ¿Dónde consiguieron licor?

Su cuerpo se balancea hacia adelante y hacia atrás en el sillón.

—Una noche, Karen y tú fueron a dormir temprano —explica—. Nosotros estábamos platicando, junto a la chimenea, y veíamos la televisión. Nos aburrimos y quisimos jugar a las cartas, pero no pude encontrarlas. Las buscamos por allí y encontramos el gabinete de licores. Conseguimos vasos y nos servimos un poco de todo, sólo un poco para que nadie se diera cuenta. Ron, brandy, ginebra, sake, tequila, vermouth, whisky, una cosa verde rarísima, *crème* de algo. —Hace una pausa y continúa—: Bebimos. Sabía horrible, pero queríamos ver qué se sentía estar borrachos.

Recuerdo esa noche. A Karen y a mí nos despertó el ruido de ellos dos al vomitar al mismo tiempo en los dos baños de abajo. Fuimos a verlos. Se sintieron mal toda la noche, pero nosotros pensamos que tenían gripe.

Por la mañana llamamos a la madre de Phillip. "Sí, la gripe está por todas partes", aceptó. Los chicos estuvieron enfermos durante el largo y ventoso día siguiente cuando regresamos a casa desde la sierra. En una ocasión en que no pudimos orillarnos con suficiente rapidez en el acotamiento de la carretera, Phillip vomitó a través de la ventanilla del auto.

—Ésa fue la única vez. No he vuelto a tocar nada desde entonces. Me siento enfermo con sólo pensarlo.

Al ser tan razonable, me desarma. No obstante, tomo esa información como un golpe en el estómago y me siento aturdido tanto por la decepción como por la borrachera. Al mismo tiempo aprecio la honestidad de Nic. Pienso que al menos lo ha confesado. Después dice:

—Si te sirve de consuelo, odio todo esto. Sé que no es excusa, pero —después de una pausa— es difícil.

—¿Qué es lo difícil?

—Es difícil. No lo sé. Todo el mundo bebe. Todo el mundo fuma.

Pienso en su amado Salinger, en boca de Frannie: "Me fastidia no tener el valor de ser nadie en absoluto".

El lunes llamo a su maestro y le explico lo que ha sucedido. Él organiza una junta con Karen y conmigo después del horario escolar. Nos reunimos con él en su salón de clases vacío y los tres nos sentamos en los escritorios de los alumnos.

El maestro me ha dado una de las carpetas de trabajo de Nic —matemáticas, geografía, literatura—. Nic cubrió una página con graffiti de puntos, una chica de cuerpo voluptuoso y grandes ojos, hombres con agujeros en lugar de ojos e iniciales en tercera dimensión. En estilo y contenido, esos dibujos contrastan mucho con el mural en gis de una escena medieval con meticulosas sombras que ocupa todo el pizarrón verde al frente del salón. Los expresivos autorretratos de los alumnos están pegados a lo largo de otro de los muros. Con facilidad localizo el de Nic: es un burdo dibujo, casi una caricatura, de un chico con sonrisa salvaje y grandes ojos abiertos.

El maestro es corpulento como Ichabod Crane, con cabello escaso, castaño rojizo, y nariz angulosa. Inclinado hacia el frente en la pequeña silla, el profesor hojea la carpeta de Nic frente a él.

—Está haciendo bien su trabajo en clase. Es buen estudiante. Muy buen estudiante. Estoy seguro de que lo saben. Es un líder de la clase. A pesar de que algunos de sus compañeros no necesariamente se comprometerían, él los anima a participar en las discusiones.

—Pero, ¿qué hay de la mariguana?

El maestro, demasiado grande para ocupar la silla de un alumno en la cual está casi doblado, se apoya incómodo sobre sus codos.

—He notado que a Nic lo han jalado los chicos a quienes los demás consideran geniales —dice—. Ellos son los que fuman cigarros y, sólo lo supongo, es probable que fumen mota. Tal vez lo hagan. Pero no creo que deban preocuparse demasiado. Es normal. La mayoría de los chicos la prueba.

—Pero —agrego yo— sólo tiene doce años de edad.

—Sí —suspira el maestro—. Es cuando la prueban. No es mucho lo que podemos hacer. Es una fuerza allá afuera. Los niños deben descubrirla tarde o temprano. Con frecuencia sucede temprano.

Cuando le pedimos su consejo, nos dice:

—Hablen con él al respecto. Yo también lo haré. Si están de acuerdo, hablaremos sobre el tema durante la clase. No mencionaré nombres.

Tanto con culpa como con resignación, el maestro repite:

—No podemos hacer gran cosa. Si trabajamos juntos la escuela y las familias, entonces tal vez logremos algo.

—¿Puede prohibirle jugar con ...? —menciono los nombres—. No me parece que sean buena influencia.

Las hojas de un árbol en la ventana se agitan en el sol de la tarde mientras el maestro reflexiona sobre la pregunta.

—Lo motivaré a tener amistades más saludables —responde—, pero no sé cuán lejos puedan llegar con las prohibiciones. Por lo que he visto en el pasado, cuando uno prohíbe cosas a los chicos por lo regular ellos logran lo que desean. Dirigirlos es mejor que obligarlos. Inténtenlo.

Nos recomienda algunos libros sobre adolescentes y promete mantenerse en contacto frecuente con nosotros.

Hay brisa en el exterior. El patio escolar está vacío a excepción de Nic, quien nos aguarda sentado en un pequeño columpio de la sección de preescolar con sus largas piernas dobladas debajo de él.

A solas en nuestra habitación, Karen y yo hablamos al respecto y ventilamos nuestra confusión y preocupación. ¿Qué es lo que me preocupa? Sé que la mariguana puede convertirse en un hábito y que Nic puede desviarse de sus responsabilidades escolares. Me preocupa que pueda sentir tentación de probar otras drogas. He advertido a Nic sobre la mota.

—En verdad puede conducir a otras drogas, y con frecuencia así sucede —le digo. Es probable que él no me crea, tal como yo no creí a los adultos que me dijeron lo mismo cuando yo era joven. Pero, a pesar del mito perpetrado por mi generación, la mariguana es la primera droga masiva que se utiliza y es la puerta de entrada a las demás. Casi todas las personas que conozco que fumaron mota durante el bachillerato probaron otras drogas. Por otra parte, nunca he conocido a nadie que consuma drogas duras que no haya comenzado por la mota.

Comencé a cuestionar cada una de mis decisiones anteriores, incluso la de mudarnos al campo. Nunca he fantaseado con la idea de que cualquier suburbio, pueblo o población campestre de Estados Unidos, sin importar la distancia, es lo bastante remoto como para ser inalcanzable para los conflictos con frecuencia asociados a las grandes ciudades, pero pensaba que las ciudades como Inverness serían más seguras que la carne de ternera. Ahora no estoy tan seguro. Me pregunto qué hubiera sucedido si no nos hubiéramos mudado de San Francisco. Es probable que la mudanza sea irrelevante y que esto hubiera sucedido sin importar dónde viviéramos.

Me culpo de ser hipócrita. Me irrita. ¿Cómo puedo decirle que no consuma drogas cuando sabe que yo lo hice? "Haz lo que digo, no lo que hice." Le digo que desearía no haberlas consumido. Le hablo de amigos cuyas vidas resultaron arruinadas a causa de las drogas. Mientas tanto, en mi mente culpo al divorcio, como siempre. Me digo que muchos hijos de divorciadas viven bien y que muchos hijos de familias integradas no viven bien. Sin importar lo anterior, no hay manera de deshacer lo que sé que ha sido el suceso más traumático en la vida de Nic.

Durante los siguientes días continúo mis charlas con Nic acerca de las drogas, de la presión de los compañeros y de lo que en verdad significa ser genial.

—Tal vez no te lo parezca así, pero es más genial ser comprometido, estudiar y aprender —le digo—. En retrospectiva, creo que los chicos más geniales eran aquéllos que se mantuvieron alejados de las drogas.

Sé que sueno aburrido y también sé cómo hubiera respondido yo a la edad de Nic: "Sí, claro". Sin embargo, yo intento convencerlo de que sé de lo que hablo, de que comprendo la ubicuidad y la persistente presión para consumir drogas y de que entiendo lo seductoras que son.

Nic parece escucharme con intensidad, pero no estoy seguro de cómo toma lo que le digo. De hecho, siento que mi cercana relación con Nic ha cambiado. Ahora soy el blanco ocasional de su exasperación. A veces discutimos por sus tareas desaseadas o por los quehaceres domésticos inconclusos. Pero es confuso porque todo parece ser parte del reino de la aceptable y previsible rebelión de los adolescentes.

Tres semanas más tarde llevo a Nic con el médico a una revisión general. Le bajo el volumen al reproductor de cintas de audio y comienzo de nuevo. Sé que no tiene caso zamparle un largo sermón porque él sólo guardará silencio, pero quiero cubrir cualquier posible ángulo. En la conversación continua que hemos sostenido a lo largo de varias semanas, mi tono ha variado desde la advertencia hasta la súplica. Hoy es menos intenso. Le informo que Karen y yo hemos decidido suspender el castigo. Él asiente y dice: "Gracias".

Continúo observándolo durante las siguientes semanas. La seriedad de Nic parece haber disminuido. Yo archivo el capítulo de la mariguana como si fuera una aberración, aunque tal vez se trate de una aberración útil porque le ha enseñado a Nic una notable lección.

Creo que así fue. Nic está en octavo grado y las cosas parece marchar mucho mejor.

Es raro que conviva con el chico que (estoy convencido) ha tenido la peor influencia sobre él, el mismo que, según Nic, le vendió la mota. (Al respecto, yo le creo a Nic y no a la madre del chico.) En cambio, Nic invierte mucho de su tiempo libre en surfear con sus amigos de West Marin. También surfeamos juntos y conducimos el auto de ida y vuelta por la costa para perseguir olas desde Santa Cruz hasta Point Arena. En esas salidas disponemos de tiempo para conversar y Nic parece abierto y optimista. También está motivado en la escuela. Quiere hacer bien las cosas, en parte porque quiere incrementar las probabilidades de ser admitido en uno de los bachilleratos privados de la localidad.

Nic aún devora libros. Lee y relee *Franny y Zooey* y *El guardián entre el centeno*. Después de leer *Matar a un ruiseñor*, Nic entrega un reporte de lectura en forma de una cinta de audio de la contestadora automática de Atticus Finch con mensajes para Scout y Jem de Dill, y llamadas anónimas y amenazantes para Atticus por defender a Tom Robinson. Nic lee *Un tranvía llamado Deseo* y después graba una entrevista de radio con Blanche DuBois. Para una tarea sobre *La muerte de un viajante*, Nic dibuja una caricatura que representa los valores de la familia Lomans. Enseguida viene un proyecto biográfico para el cual Nic, disfrazado con peluca, bigotes y traje blancos, camina por el escenario y recita, con el acento cantado del sur, la historia de la vida de Samuel Clemens.

—Mi pseudónimo es Mark Twain. Reclínense en su asiento y permítanme contarles mi historia.

Ya no ha habido más indicios de que fume nada, ni mariguana ni cigarros. De hecho, me parece que está más contento y emocionado con su próxima graduación de octavo grado.

Es un fin de semana cálido y sin viento. Nic tiene trece años. Después de un día tranquilo en casa y con la promesa de corrientes marinas crecientes desde el sur, Nic y yo atamos nuestras tablas de surf al techo de la camioneta y partimos por el sinuoso camino que conduce a la playa, al sur de Point Reyes. Encontramos el sitio ideal para surfear después de una caminata de una hora a través de un sendero de pasto hasta las dunas de arena.

Con nuestras tablas bajo el brazo, Nic y yo avanzamos hasta la boca de un estuario que tiene la fama de ser cuna de grandes tiburones blancos. A brincos nos rebasan unos conejos y una formación en V de pelícanos vuela sobre nuestras cabezas. El sol está bajo; sus rayos parecen pintados con destellos color durazno. Mientras la oscuridad cubre el panorama, la niebla se esponja como masa de *hot cakes* sobre la tierra campesina y, desde allá, se derrama sobre la bahía. Nunca habíamos visto mejores olas en este lugar. Olas de entre dos y dos metros y medio de altura se enrollan sobre sí mismas y rompen en largas líneas sedosas. Pronto nos ponemos nuestros trajes de neopreno y galopamos hacia el agua con nuestras tablas sobre la cabeza. El sol menguante proyecta un fascinante tejido de rayos color rojo rubí a lo largo del horizonte occidental. En el lado opuesto, la luna, gorda y amarilla, cuelga bajo. Dos surfistas más están en el agua pero se marchan pronto, así que Nic y yo tenemos el sitio para nosotros solos. Es emocionante surfear; es maravilloso.

Al emerger del agua, no hay otro sonido que el suave roce de la tabla sobre el agua y después, a intervalos regulares, el estallido de las olas al romper. Montamos sobre una ola, nadamos y tomamos otra. En un momento en que levanto la mirada, veo a Nic agachado en su tabla dentro de un túnel. La caída del agua lo rodea por completo.

Oscurece aún más. La niebla cubre a la luna y nos envuelve. Entonces me doy cuenta de que Nic y yo estamos en dos diferentes corrientes que nos empujan hacia lados opuestos del canal. Comienzo a sentir pánico porque la niebla, cada vez más espesa, y la escasa luz nos impiden vernos bien uno al otro.

Nado a ciegas hacia Nic y lo busco con frenesí hasta que mis brazos están exhaustos de luchar contra la corriente. Por fin, después de lo que me parece media hora de nadar sin parar, una ráfaga de viento dispersa una sección de niebla y lo veo. Alto y magnífico, Nic está de pie sobre una rebanada delgada de marfil, y sube y baja sobre un muro reluciente y cristalino de agua. Un rocío blanco brota de los bordes de su tabla. Una radiante sonrisa ilumina su rostro. Al verme, Nic me saluda con la mano en el aire.

Agotados, hambrientos, con la piel irritada por el viento y empapados después de una larga sesión, nos quitamos los trajes de neopreno, empacamos nuestras maletas y caminamos de regreso al auto.

De camino a casa nos detenemos en una taquería a comer burritos del tamaño de un puerco vietnamita y tomamos refrescos de limón. Nic está reflexivo y habla acerca del futuro, del bachillerato.

—Aún no puedo creer que haya logrado entrar —me dice.

No creo haberlo visto más emocionado que como estaba después de haber pasado un día en la escuela de visita. Entonces me dijo:

—Todo el mundo parece tan... —hizo una pausa para encontrar la palabra precisa—. Apasionado. Acerca de todo. Arte, música, historia, literatura, periodismo, política. Y los profesores... —se detuvo de nuevo para recuperar el aliento—. Los profesores son *increíbles*. Entré a una clase de poesía. No quería marcharme. —Después, con más calma, me dijo—: Nunca podré ingresar a esa escuela.

La competencia para entrar a esa escuela es muy intensa.

Nic logró ser aceptado y ahora, en un momento de euforia, concluye:

—Todo parece sensacional.

☙ ❧

La ceremonia de graduación está planeada para una tarde de principios de junio. Se ha reservado el auditorio de una iglesia y a los padres se les ha pedido acomodar las sillas, el podio, la decoración y las mesas para los bocadillos y bebidas. El día del evento me presento temprano en el sitio para prestar mi ayuda.

Un par de horas más tarde, los maestros y familiares llegan y toman asiento en las filas de sillas plegables. Enseguida llegan los graduados. Lucen extraños en sus vestimentas elegantes. Muchas de las chicas portan vestidos nuevos o prestados. La mayoría de ellas apenas puede caminar con tacones altos y dan pasos vacilantes como si estuvieran borrachas. Los chicos lucen severos con los cuellos rígidos de sus camisas, juguetean con las corbatas e intentan fajarse los faldones de las camisas, los cuales se las arreglan para salirse de su sitio unos centímetros cada vez hasta que casi todos ellos cuelgan por encima de los pantalones de vestir.

Tal vez la vestimenta de los chicos sea miserable, pero su estado de ánimo se eleva de acuerdo con la ocasión. De alguna manera, su decencia también se eleva. Uno tras otro, los nombres de los graduados son pronunciados por el director de la escuela. Unos con más aplomo que otros, todos suben por una pequeña escalera y caminan a lo largo del escenario para aceptar su diploma. Sus compañeros los vitorean y aplauden. Durante ese día y sólo durante ese día, todos se apoyan entre sí con generoso y desinteresado entusiasmo. A cada chica y a cada chico. Con igual vigor, todos gritan y lanzan vivas. Aplauden a los *nerds*, las zorras, los inadaptados, las abejas reinas, los agresivos, los tímidos, los atletas, los geniales, los proscritos.

Nunca esperé que una graduación de octavo grado me conmoviera, pero así es. Hemos llegado a conocer bien a estos chicos después de tres años de llevarlos y traerlos por turno de la escuela y en excursiones, después de recibirlos en casa para las fiestas, después de escuchar sus discursos y asistir a sus obras teatrales, recitales y eventos deportivos, de condolernos con sus padres y de escuchar de cada uno de ellos, en especial por parte de Nic, sus éxitos, crisis, enamoramientos y sentimientos heridos. Los chicos y chicas, aún niños pero probando las aguas de la edad adulta, marchan hacia el frente. El chico cuya madre negó que su hijo le vendiera mariguanaa Nic. El chico con quien Nic se emborrachó. Un amigo del surf. Los chicos de las patinetas. La chica con quien Nic hablaba durante horas por teléfono en las noches hasta que yo le pedía que colgara. Los chicos del transporte escolar por turnos. Todos los niños, raros, inseguros y con diplomas en sus manos, bajan vacilantes del estrado, ahora graduados de la enseñanza media, y se dirigen a la pista tortuosa del bachillerato.

ॐ ॐ

Es el fin de semana posterior a la graduación y algunas familias están reunidas en Heart's Desire Beach en una húmeda y cálida tarde de junio. La bahía está en calma. Comemos tostadas con salsa, un salmón rostizado, hamburguesas a la parrilla y refrescos aportados por todos los presentes. La reluciente bahía es cálida y los chicos nadan, pasean en kayak y en canoas, con las inevitables volcaduras. En la playa, con sudaderas y los cabellos aún húmedos, los amigos de Nic conversan excitados acerca de sus planes conjuntos para el verano —la playa, campamentos— pero Nic no. Nunca es fácil para él prepararse para marcharse.

La niebla hace su aparición y la fiesta termina. De regreso en casa, nos sentamos junto a la chimenea y Nic nos lee las notas de sus amigos en su anuario. "Tendrás un millón de novias en el bachillerato." "Diviértete en el surf." "No viviré aquí el año próximo, así que es probable que te vea hasta dentro de unos diez años. Mantente en contacto." "Te amo, pequeño conejito travieso. Te he amado desde que te conozco." "Me muero por ver al nuevo bebé, como sea que se llame. Espero que a Jasper le agrade." "Buena suerte en bachillerato y con el nuevo chamaco." "No te conocí muy bien, pero que tengas un verano divertido." "Diviértete este verano, estúpido cabeza de chorlito. Es broma." "Dedícame un libro alguna vez. Te lo agradeceré cuando me gane un Oscar. Hasta la vista..." Su maestro escribió: "Donde quiera

que estés, donde quiera que vayas, busca siempre la verdad,
lucha por la belleza y alcanza la bondad."

Comenzamos un verano con la sensación amarga y dulce
fruto del hecho de saber que Nic partirá a Los Ángeles, a pesar
de que Nic ha acordado con su madre esperar hasta que nazca
el bebé.

La mañana del 7 de junio, Karen, Nic, Jasper y yo abordamos el
auto. El bebé está por nacer y Karen se someterá a una cesárea.
Para ello, Karen eligió el cumpleaños de su madre. La cita es a
las seis de la mañana. La hermana de Karen nos ha regalado
la música suave de Enya, pero Karen pide Nirvana y le sube el
volumen a "Nevermind".

Conduzco a través del bosque y me detengo en casa de Nancy y
Don; allí dejo a Nic y a Jasper, quienes esperarán la llamada del
hospital con sus abuelos.

Nuestra hija nace a las siete de la mañana. Su cabello es rizado y negro. Sus ojos son luminosos. Le llamamos Marguerite,
pero le decimos Daisy.

Nancy llega al hospital con Nic y Jasper, quienes son escol-
tados hasta la habitación de tenue iluminación donde Karen
abraza a Daisy. Una enfermera pregunta a Nancy y a Nic si les
gustaría bañar a la bebita por primera vez. Jasper se sienta
junto a Karen mientras Nancy y Nic, guiados por la enfermera,
conducen a Daisy en su cuna rodante hasta el cunero. Allí ayudan a pesarla, bañarla y vestirla con una piyama suave y blanca
con pequeños elefantes rosados y diminutas figuras. Daisy pesa
tres kilos y medio y mide 52.5 centímetros. Al mirar a la bebita,
Nic le dice a Nancy:

—Nunca pensé que tendría una familia como ésta.

Al día siguiente nos vamos a casa. Junto a Nic, en el asiento
trasero del auto, ahora hay dos asientos para bebé.

Despierto temprano la siguiente mañana y encuentro a los dos varones, ambos con piyamas de franela, sentados en el sillón con sendas tazas de chocolate. Nic lee *Sapo y Rana son amigos*. Jasper se acurruca junto a él. Un pequeño fuego arde en la chimenea. Nic cierra el libro y se levanta para preparar el desayuno para todos. Mientras está de pie junto a la estufa, canta con su mejor gruñido a la Tom Waits.

Comemos y después los chicos y yo vamos a caminar a una playa cercana. También nos detenemos a recolectar zarzamoras para hornear un pay. La tarea nos toma más tiempo del que habíamos planeado porque Nic y Jasper, con los dedos y los labios azules, colocan una zarzamora en la canasta por cada docena que se llevan a la boca.

De regreso en casa, y después de una merienda y el pay, Nic y Jasper juegan en el pasto. Como un cachorro de león, Jasper trepa hasta la cabeza de Nic y ambos ruedan sobre una enorme pelota roja. Karen carga a Daisy, quien lo observa todo con los ojos muy abiertos. Brutus, perezoso como un somnoliento oso color marrón, se estira sobre el pasto cerca de los chicos. Con Jasper colgado del cuello, Nic se revuelca por el pasto y, con el perro sujeto por los carrillos, canta: "Dame un beso para construir un sueño". Mi hijo mayor planta un gran beso en la nariz de Brutus y éste bosteza. Juguetón, Nic arroja a Jasper al aire y Daisy se abandona a un suave sueño.

Yo los miro a los tres y recuerdo la confusa emoción que conocí por primera vez cuando nació Nic. Junto con el placer de la paternidad, con cada niño llega una penetrante vulnerabilidad. Es, al mismo tiempo, una experiencia sublime y aterradora.

En el periódico de unos días atrás leí acerca de un autobús escolar que explotó en Israel y una actualización sobre algunas de las familias de los niños muertos un año antes a causa de una bomba en Oklahoma; balas perdidas cayeron sobre los niños en un campo de refugiados en Bosnia y una historia de China, en donde un ladrón a mano armada, convicto y de camino a la horca, le grito a su hermano: "Cuida a mi hijo". Siento una nueva clase de angustia. Tal vez los padres la sienten por cada uno de sus hijos. Quizá sentimos más de lo que nunca creímos posible. Mientras contemplo a mis tres hijos en la difusa luz dorada que brilla intermitente entre las hojas de los árboles, me siento saturado de la certeza de que, en este momento, ellos son felices y están a salvo, lo cual, a fin de cuentas, es lo que todo padre desea. Si sólo pudiera ser así por siempre; es decir, los niños cerca de mí, unidos, felices y seguros.

5

—Tú loco marido tortura a mi hermanito.

Nic, parado junto a mí y con las manos en las caderas, se dirige a Karen, quien acaba de entrar a la habitación. Es la mañana lluviosa del día en que Nic viajará a Los Ángeles. Yo intento cepillar una bola de nudos en la cabeza de Jas y éste aúlla como si le arrancara las uñas con unas pinzas. Nic, quien después de una ducha está envuelto en una toalla azul, se pone una chamarra anaranjada, se coloca un par de largas botas verdes de jardín en la puerta frontal y un par de anteojos de conductor de un disfraz infantil. Ondea en el aire una cuchara de madera.

—Soltad a ese lacayo —me dice. Después se dirige a Jasper—: Oh, la miseria, el miserable dolor de tu súplica, mi amante hermano. Oh, la injusticia. La crueldad.

A continuación canta con la cuchara: "Mi galante tripulación, buenos días" de HMS Pinafore, lo cual distrae a Jasper y eso me permite cepillarle el cabello.

Nic, quien ya ha empacado, se despide. Jasper y Nic hacen su saludo secreto, un complicado ritual: un apretón de manos normal, sus manos se apartan mientras se rozan y después se enganchan entre sí; Nic primero palmea la mano de Jasper y luego a la inversa, otro enganche del cual ambas manos se deslizan una contra la otra y terminan apuntándose con los índices y exclamando al unísono: "¡Tú!".

Jasper llora.

—¡No, Nicky, no quiero que te vayas!

Ambos se abrazan y después Nic besa a la pequeña Daisy en la frente. Él y Karen se abrazan de nuevo.

—Sputnik, viejo amigo, que tengas un grandioso verano —dice ella.

—Te extrañaré, KB.

—Escríbeme.

—Tú también.

De camino al aeropuerto tomo la ruta escénica a lo largo de Ocean Beach en lugar de atravesar la ciudad. Nic contempla el mar embravecido. En la terminal de United estaciono el auto en el estacionamiento y acompaño a Nic hasta el mostrador, donde él registra su equipaje. Nos despedimos en la sala de abordaje.

Nic dice: —Todo.

Yo respondo: —Todo.

Despedirlo en el aeropuerto corta una nueva rebanada de mi corazón cada vez, pero hago una buena actuación porque no quiero que se sienta peor de como ya se siente.

Después de verlo abordar, observo a través del ventanal mientras el gigantesco aparato metálico que contiene a mi hijo se aleja de la puerta y despega.

A pesar de ser lo mejor que podemos hacer, aborrezco la custodia compartida pues presupone que los niños pueden vivir bien cuando están divididos entre dos hogares, cada uno de ellos definido por un padre diferente y padrastros distintos y, a veces, con hermanastros y una gran cantidad de expectativas, disciplina y valores que con frecuencia se contradicen entre sí. "El hogar es una cosa sagrada", escribió Emily Dickinson. Pero *hogares* es una contradicción. ¿Cuántos adultos pueden imaginar que tienen dos hogares primarios? Para los niños, el hogar es aún más importante; es la cuna psicológica y física del desarrollo, la encarnación de los cimientos de todo lo que sus padres representan: estabilidad, seguridad y las normas de la vida.

Una semana después de la partida de Nic entrevisté a una renombrada psicóloga infantil llamada Judith Wallerstein, quien fundó el Centro Judith Wallerstein para las familias en transición en el condado Marin, no lejos de Inverness, para un artículo de una revista. Ella obtuvo atención internacional cuando aportó serias noticias acerca de los divorcios felices a Estados Unidos posterior a los años sesenta. Antes de esa época, el divorcio era complicado, estigmatizado y raro, pero el cambio en la moralidad y las separaciones sin culpas lo facilitaron y lo hicieron más común. Éste fue un cambio liberador para muchos adultos, pues las convenciones sociales ya no confinaban a la gente a sus malos matrimonios. La concepción general, basada en la ilusión en su mayor parte, era que los hijos serían más felices si sus padres eran más felices. Pero la doctora Wallerstein descubrió que, en muchos casos, los hijos estaban traumatizados.

Ella comenzó sus entrevistas con chicos de dos a 17 años de edad, cuyos padres se habían divorciado a principios de los años setenta, y descubrió que a los chicos les resultaba difícil enfrentarse a las separaciones; no obstante, asumió que las tensiones no durarían mucho. Después se reunió con los mismos chicos para una segunda entrevista un año después. No sólo no se habían recuperado, sino que se sentían peor.

Wallerstein siguió de cerca a estos chicos y continuó su investigación a lo largo de 25 años. En su serie de libros, ella reporta sus descubrimientos: que más de una tercera parte de estos chicos experimenta una depresión de moderada a severa, y una cantidad significativa de ellos era conflictiva y de bajo rendimiento. Muchos luchaban para establecer y mantener relaciones interpersonales.

Nadie quiso escuchar el mensaje y la mensajera fue atacada. Las feministas dijeron que Wallerstein formaba parte de una reacción antagónica contra las mujeres que les ordenaba regresar a sus casas, permanecer casadas y cuidar a sus hijos. La obra de Wallerstein fue aprobada por varios grupos con intereses especiales, entre los cuales se incluyó la nueva derecha conservadora. Ésta la utilizó para "probar" sus argumentos acerca de los valores familiares tradicionales y para atacar a los padres solteros y a las familias no tradicionales. Grupos de derechos humanos la alabaron por enfatizar la importancia de los padres en la vida de los hijos y la atacaron cuando dijo que algunas formas de custodia compartida pueden ser dañinas para los niños. Pero su trabajo reverberó a lo largo y ancho del país e influyó en cortes, legislaturas, terapeutas y padres. Sus libros se convirtieron en *best sellers* y aún son utilizados por jueces y terapeutas como si fueran biblias. Algunos jueces ordenan a los padres en proceso de divorcio que lean los libros de Wallerstein.

Me reuní con la doctora Wallerstein en su casa de madera en Belvedere, sobre la bahía y Sam's Grill en el puerto de Tiburón. Es de muy corta estatura, tiene el cabello plateado y gentiles y cristalinos ojos azules. Su vestimenta es impecable. Cuando le pregunto acerca de la custodia compartida, en particular la custodia compartida a larga distancia, como la de Nic, ella me comenta que ha observado a niños y niñas que, después de regresar de un hogar a otro, vagan entre objetos —de la mesa a la cama y al sofá— y los tocan para afirmarse a sí mismos que aún están allí. El padre ausente puede parecerles incluso más evasivo que los muebles. A medida que los niños crecen, a pesar de que no necesitan pruebas táctiles, pueden incorporar una sensación de que sus dos hogares son ilusorios y no permanentes. También, mientras los niños pequeños pueden sufrir cuando la custodia compartida los mantiene separados de uno de sus padres durante mucho tiempo, las transiciones frecuentes, en especial cuando los padres viven lejos, pueden afectar a los niños mayores. La doctora Wallerstein explica: "Ir y volver hace imposible que los niños disfruten actividades con otros niños... Los adolescentes se quejan de tener que pasar los veranos con sus padres en lugar de estar con sus amigos". Y concluye: "A ustedes les gusta pensar que esos niños pueden integrar sus vidas entre sus dos hogares, tener dos grupos de amigos y ajustarse con facilidad a estar con cada uno de sus padres, pero la mayoría de los niños carece de esa flexibilidad. Comienzan a sentir que es un defecto de su carácter cuando simplemente es imposible para muchas personas mantener vidas paralelas".

Para muchas familias, las vacaciones de verano son un respiro de las tensiones del año escolar y están dedicadas a pasar tiempo reunidas. Yo sólo deseo que terminen pronto. Nic y yo hablamos por teléfono con regularidad. Él me cuenta sobre las películas que ve, los juegos de pelota en los cuales participa, un pleito en un parque, un nuevo amigo, los libros que lee. Hay mucha más tranquilidad cuando él está en Los Ángeles, pero incluso la diversión de un nuevo bebé se ve menguada por una melancolía de tono bajo. Nunca nos acostumbramos a que Nic no esté en casa.

Disfrutamos hasta el extremo los momentos que tenemos con él. Nic regresa a casa durante dos semanas y practicamos tanto surfeo, natación, kayak y otras diversiones como nos es posible. Vamos a San Francisco a reunirnos con los amigos. Por las tardes, Nic juega con sus hermanos pequeños o conversamos. Sus actuaciones de películas se han convertido en el entretenimiento vespertino desde hace algún tiempo. Las imitaciones de Nic son precisas. De Niro: "¿Me hablas a mí?". No sólo la frase sino la escena completa de *Taxi Driver*. Y Tom Cruise: "Muéstrame el dinero". Y Mr. T.: "Me da lástima el tipo...". Nic imita a Jack Nicholson en *El Resplandor*: "A-a-aquí está Johnny" y un impecable Dustin Hoffman en *Cuando los hermanos se encuentran*. Y Schwarzenegger: "Hasta la vista, *baby*", "Relájate, tonto", "Regresaré" y "Ven conmigo si quieres vivir". Es probable que su mejor imitación sea la de Clint Eastwood: "Sólo tienes que hacerte una pregunta: '¿Me siento afortunado?'. Bueno, ¿es así, muchacho?".

También visitamos a Nic en Los Ángeles en nuestros fines de semana predeterminados, lo recogemos y vamos hacia el norte hasta Santa Bárbara o al sur hasta San Diego. Cierta vez rentamos bicicletas en Coronado Island y, en una noche de luna anaranjada, caminamos por la amplia playa donde quedamos fascinados ante miles de brillantes sardinas, encalladas en la arena por una ola y dejadas allí para efectuar sus rituales de apareamiento. El pez hembra se agita en la arena y deposita allí sus huevos. Los machos enrollan sus flexibles cuerpos alrededor de ellos y los fertilizan. En el transcurso de media hora, las crecientes olas se los llevan de regreso al mar. Parece como si nunca hubieran estado allí, como si los hubiéramos imaginado.

Después de esos fines de semana volvemos a dejar a Nic en casa de su madre y de su padrastro en Pacific Palisades, lo abrazamos y él desaparece.

El verano ha terminado. Por fin, Karen, Daisy, Jasper y yo vamos al aeropuerto. Esperamos en la puerta la llegada del vehículo de la custodia compartida. Una larga fila de familiares y viajeros frecuentes pasan a nuestro lado y después, al ristre, los menores que viajan solos, con tarjetones de papel rosa prendidos de las ropas y sus nombres escritos en ellos con plumón. Los niños pequeños también tienen alas de pilotos sujetas en las solapas de sus chamarras. Y ahí está Nic. Su cabello es ahora corto y viste una nueva chamarra larga color azul cielo que lleva abierta sobre una camiseta. Lo abrazamos por turnos. "Todo." Después recogemos sus maletas llenas de sus cosas de verano.

Mientras nos dirigimos a nuestro hogar en Inverness, Nic nos cuenta acerca de su compañera de asiento en el avión.

—Entonces sacó unos de esos audífonos rojos que parecen orejeras —dice sobre la mujer que lo había ignorado cuando se dio cuenta de que viajaba solo— y sacó también un reproductor portátil de cintas de audio y comenzó a mecerse y a mover la cabeza con los ojos cerrados mientras murmuraba las canciones y las cantaba con voz vibrante: "Oooooh, *baby*. Te aaaaamo, mi canción y mi redentor... Oooooh, *baby*, eres tú, mi Dios, tú me envías, eres tú quien me envía..."

Nic cautiva a su audiencia, que somos nosotros.

—Cuando encontró el lugar de la cinta que buscaba, se quitó los audífonos y me los puso en la cabeza. "Escucha", me dijo. "Tienes que escuchar esto." Ella me los puso y subió todo el volumen. No me preguntó si quería escucharlo ni nada. La canción dice: "Yo canto *rock* para Jesús. Whoa-o-o. Jesús me mece. Sí, Jesús, estás en mi mente". Casi me vuela la tapa de los sesos por lo fuerte que estaba, pero sonreí con complacencia mientras me quitaba los audífonos, se los entregaba y le decía que era una buena canción. Ella respondió con cierta dureza: "No, la siguiente es la mejor", y me puso de nuevo los audífonos. Ahora escuchaba una... una canción de *rap*: "Oh, el diablo quiere tentarme, yo, y yo no lo escucharé, no..." y yo movía la cabeza mientras sonreía. Por fin me quité los audífonos y se los devolví. Ella dijo: "La cinta es para ti, hijo" y la sacó del reproductor. "No, gracias, es usted muy amable", pero sus ojos me causaron temor así que le dije: "Bueno, si usted está segura de que puede dármela, me encantará la cinta. Gracias".

Nic extrae la cinta del bolsillo de su pantalón.

—¿Quieren escucharla?

La escuchamos mientras avanzamos en el camino. Nic sujeta las manos de Jasper entre las suyas y las mueve al ritmo de la música mientras canta el "woo, woo" de los coros.

El nivel de ruido en nuestra casa ha aumentado. Con tres hijos, los amigos de Nic de diferentes tipos y numerosos instrumentos amplificados y de percusión, además de los dos perros, nuestro hogar es una cacofonía de cantos, llantos, ladridos, risas, gruñidos, Raffi, golpes, rechinidos, Axel Rose, azotes, choques y aullidos. Cierto día, mi agente habla con un amigo mío y le dice:

—No sé si vive en una guardería o en una jaula de perros.

Necesitamos un nuevo automóvil. Con nuestra horda de bestias y niños, lo obvio es comprar una minivan. Visitamos agencias de autos y probamos los coches. Yo comparo las minivan y examino sus medidas de seguridad. No nos engañan los anuncios de la Honda Odyssey que dicen que es una minivan para la gente que las odia, pero compramos una. Como débil señal de rebelión le agregamos una parrilla en el techo para las tablas de surf.

Existen playas más bellas y menos accidentadas a lo largo de esta línea costera que en Bolinas, la cual, durante el verano, está llena de perros y adolescentes. Sin embargo, el día previo a la orientación de Nic para su primer año en bachillerato vamos a la playa una tarde de resplandeciente belleza. Karen, Jasper y Daisy están en la arena, donde Jasper ata a Daisy con un alga y los pequeños, juntos, buscan conchas, comen arena y se revuelcan en las olas de la orilla de la laguna. Brutus y Moondog corren con una variopinta manada de perros locales. En un momento dado, Brutus se roba la baguette de un paseante.

Nic y yo nadamos hasta la línea de surfistas, donde nos sentamos sobre nuestras tablas. A la espera de una serie de olas, Nic me cuenta acerca de su verano de beisbol y películas, además de darme más detalles del bravucón que lo provocó en el parque local y después lo persiguió hasta su casa montado en una bicicleta. Cuando comenzamos a comentar sobre la orientación que tomará al día siguiente, Nic admite que está nervioso por entrar al bachillerato, pero también se siente emocionado.

La mejor serie de olas del día se aproxima y atrapamos cada quien una ola que nos lleva hasta la playa, donde Nic se une a Jasper en la construcción de un refugio para *hobbits* con arena y plantas acuáticas, decorado con conchas marinas y algas.

Mientras trabajan, Jasper le pregunta a Nic:

—¿Cómo es Los Ángeles?

—Es una ciudad grande, pero yo voy a una ciudad pequeña y agradable en las cercanías —responde—. Hay parques y playas. Es como aquí, pero sin ti. Te extraño cuando estoy allá.

—Yo también te extraño —dice Jasper y después pregunta—: ¿Por qué no se muda tu mamá aquí? Todos podríamos vivir en la misma casa y tú nunca tendrías que marcharte de nuevo.

—Es una gran idea —comenta Nic—, pero no puedo imaginarme cómo sería.

De camino a casa desde Bolinas hablamos más acerca del incesante ir y venir entre este lugar y Los Ángeles. Nic se queja de ello. A pesar de que nunca querría elegir entre sus padres, tampoco hubiera elegido la custodia compartida. Ésa es mi conclusión al respecto: sí, ha contribuido a su carácter. Es un chico notable, más responsable, sensible, desenvuelto, introspectivo y sagaz de lo que hubiera sido de otra manera. No obstante, el precio ha sido que, dada la geografía y las heridas emocionales que produjo nuestro divorcio, y que es probable que genere cada divorcio, al menos Nic no hubiera tenido que trasladarse. Nosotros debimos hacerlo. A pesar de que las visitas hubieran sido más incómodas, estoy convencido de que la infancia de Nic hubiera sido más fácil para él. En cambio, él tiene un triste premio de consolación por sus traslados entre sus padres: tiene más millas de viajero frecuente que la mayoría de los adultos.

6

Yo odié el bachillerato, un laboratorio darwiniano de grupos sociales y actos aislados de crueldad y violencia. Mis calificaciones eran decentes, sin sobresalir demasiado, y no me metí en problemas pero, a excepción de un curso de escritura, la escuela era una pérdida de tiempo. No aprendí nada y nadie se dio cuenta de ello. Sin embargo, la escuela de Nic tiene más en común con un colegio de artes liberales. Tiene interesantes programas de estudios sobre arte, ciencias, matemáticas, inglés, idiomas extranjeros, periodismo, así como cursos de justicia en Estados Unidos, Langston Hughes, religión y política, todos impartidos por dedicados maestros. La colegiatura es cara. Vicki y yo nos esforzamos mucho para poder pagarla. Estamos conscientes de que nada es más importante que la educación de nuestro hijo. No obstante, a veces me pregunto si tendrá relevancia. Algunos chicos de mi ciudad natal acudieron a escuelas privadas. De las historias que recuerdo, no les fue mejor ni peor que a aquéllos que asistimos a la escuela pública. Tal vez sólo nos ilusionamos con la idea de que podemos comprar una vida mejor o, al menos, más fácil, para nuestros hijos.

La escuela de Nic se localiza en el campus de 115 años de antigüedad de lo que fue una academia militar. Los salones de clases son abiertos y bien ventilados. Hay una alberca al aire libre, verdes canchas de juego, un impresionante laboratorio de ciencias, estudios de arte y un teatro. Al primer mes, Nic ya juega con el equipo de basquetbol de primer año y ya tiene un papel en una obra de teatro. Conocemos a los nuevos amigos de Nic del campus en una reunión en casa un viernes por la tarde. Parecen buenos chicos, ocupados con la asesoría en estudios, la política local, los deportes, la pintura, la actuación, la autoría de obras teatrales y la interpretación de música clásica y jazz. Nic adora a sus profesores. Es un comienzo auspicioso.

Nic aún devora películas, una pasión que adquirió desde que pudo encender una videocassettera. De niño, una vez me preguntó si FBI significaba Disney porque él asociaba las advertencias contra la piratería al inicio de las películas con la promesa de aventuras, romance, drama y comedia. Junto con *La pantera rosa*, *La cena de los acusados* y las películas de Monty Python, Nic ahora está obsesionado, gracias a Karen, con Godard, Bergman y Kurosawa.

Después de la escuela y antes de las películas, y entre los deportes, las obras de teatro y las reuniones con sus amigos, Nic reserva tiempo para Daisy y Jasper. Daisy ya comenzaba a comprender las claves del inglés pero, por alguna razón, cambia a los idiomas animales; mi hija gruñe como cerdito, rebuzna y maúlla. Ella y Jasper, a quien llamamos Boppy por Hale-Bopp, el cometa que da vueltas alrededor de la Tierra, un mechudo de cabellos castaños sobre unos ojos serenos y sabios, están enamorados de su hermano mayor y Nic parece adorarlos también.

El año escolar transcurre con suavidad. Nic hace su tarea de manera meticulosa y concienzuda. Karen examina su vocabulario semanal de francés. Yo le ayudo a corregir sus tareas escritas. Las notas de los maestros de Nic en sus calificaciones son deslumbrantes.

Entonces, una tarde de mayo, Nic, Jasper y Daisy están en el patio con Karen. El teléfono suena. Es el deán de primer año, quien me informa que Karen y yo debemos presentarnos a una junta para discutir la suspensión de Nic por comprar mariguana en el campus.

—¿Su *qué*?

—¿Quiere decir que usted no lo sabía?

Nic no nos había dicho nada.

Incluso después de haber descubierto la mariguana dos años antes, estoy sorprendido.

—Lo lamento, debe tratarse de un error —balbuceo.

No es un error.

Mi razonamiento comienza de inmediato. Nic sólo experimenta de nuevo, creo, y todos los chicos experimentan. Me digo que Nic no es un típico drogadicto, no es como los chicos vagos que se reúnen a fumar en la calle principal de la ciudad, sin supervisión, o como el hijo adolescente de un conocido del este quien, drogado con heroína, ocasionó un accidente automovilístico. Hace poco escuché acerca de una niña de la edad de Nic quien está internada en un hospital psiquiátrico después de cortarse las muñecas. También se drogó con heroína. Nic no es como esos chicos. Nic es abierto, amoroso y diligente.

Mis padres nunca supieron que yo consumía drogas. Incluso ahora te dirían que lo invento o, al menos, que lo exagero. No es así. En bachillerato yo ahorraba dinero para comprar mota de mi pequeña mesada y de mi ruta de entrega de periódicos. Yo fui como muchos niños que crecieron a finales de los años sesenta y setenta, que no sólo encontraban grandes cantidades de mariguana, sino un amplio rango de drogas desconocidas para las generaciones previas. Antes de nosotros, los chicos robaban alcohol, pero los consumidores de drogas eran exóticos fumadores de opio en zonas de chinos o músicos de jazz adictos a la heroína. En nuestro vecindario de clase media estadounidense, donde la televisión tenía tres canales y los teléfonos tenían disco, uno de nuestros vecinos cultivaba mariguana bajo luces de invernadero en su ático y otro vecino vendía LSD. Gente de grupos varios en la escuela, no sólo los drogados consetudinarios sino los atletas y las niñas estudiosas, incluso una por quien me obsesioné durante la mayor parte del bachillerato, siempre parecían tener mariguana y una variedad de píldoras.

Por las tardes, con mis nuevos amigos, unidos por la mariguana y el *rock and roll*, me drogaba y vagaba en las calles o nos íbamos a la casa de alguno. Por lo regular nos colábamos al interior sin ser detectados, pero a veces quedábamos acorralados y obligados a cenar con nuestros padres. En cierta ocasión, mi madre nos dijo:

—Ustedes dos están de demasiado buen humor esta noche, ¿no es así?

Después de la cena nos íbamos a mi habitación iluminada con luz negra, con un cartel de Jefferson Airplane en la pared, y escuchábamos música en mi estéreo. Los Beatles, Lennon solista, los Kinks y Dylan.

Brian Jones, Janis Joplin, Jimi Hendrix, Jim Morrison, Keith Moon, estrellas de *rock* a las cuales idolatrábamos, murieron. Esas tragedias no disminuyeron nuestro consumo de drogas ni siquiera un poco. No parecían tener relación alguna con nosotros porque sus muertes, como sus vidas, eran ejercicios del exceso. De alguna manera, ellos vivieron su música. "Estoy perdido", cantaba The Who. "Espero morir antes de envejecer" y "por qué no desaparecen todos ustedes".

No hacíamos caso de lo que percibíamos como advertencias histéricas de "muertes rápidas" ni de los abundantes anuncios del servicio público en contra de las drogas. "Ellos" —el gobierno, los padres— intentaban asustarnos. ¿Por qué? Al estar drogados veíamos a través de ellos y no les teníamos miedo. Además, ellos no podían controlarnos.

Mis padres eran relativamente modernos. Escuchaban a Herb Alpert y a Tijuana Brass. Algunas veces celebraban fiestas los sábados por la noche; eran ensamblajes de músicos aficionados que se reunían en nuestra sala para comer *fondue* de queso y tocar música. Mi padre tocaba una maltrecha trompeta al estilo de Al Hirt, y mi madre, quien vestía minifaldas y, durante un breve periodo a finales de los años sesenta, vestidos con estampado *paisley* en colores anaranjado y morado, tocaba "La chica de Ipanema" y el tema musical de *Un hombre y una mujer* en un sibilante acordeón. Pero la modernidad de mis padres no incluía el consumo de drogas. De hecho, sus fiestas ni siquiera incluían alcohol. El rango de opciones de bebidas iba desde Fresca hasta Sanka.

Los veranos en Arizona eran tan calientes que fue famoso el caso de un reportero que frió un huevo sobre el cofre de su auto. Cada vez que abríamos la puerta frontal de la casa, mi padre gritaba: "Adentro o afuera, adentro o afuera. ¿Qué intentas hacer? ¿Ponerle aire acondicionado al desierto?"

Por las tardes paseaba en bicicleta con un amigo, un chico bronceado y con corte de cabello regular de niño, y pasábamos las casas similares a las nuestras en un intento por escapar de la claustrofobia de nuestro encierro. Nos dirigíamos hacia la reservación india y al interminable desierto.

Una sofocante noche de verano pedaleamos, como siempre, hacia la reservación y, sin hacer caso de los letreros de "Prohibido el paso" y "Peligro", trepamos por un costado de uno de los canales de cemento que atraviesan el suelo del desierto. Apoyados hacia atrás sobre nuestros codos y mientras contemplábamos las estrellas, mi amigo sacó un pedazo de papel de aluminio, lo desenvolvió y me entregó un pequeño recuadro de papel con la imagen de la cara de un león. "Es LSD", me dijo.

Nervioso, coloqué al león en mi lengua y lo sentí disolverse.

Sentí náuseas y no pude moverme al principio, pero pronto unas placenteras olas comenzaron a pulsar a través de mi cuerpo. Con un repentino acceso de energía me puse de pie. La noche me parecía más brillante. Un chaparrón azotó el desierto y lo lavó todo. Yo estaba sorprendido por la agudeza de mi vista en la noche. La luna creciente estaba borrosa, pero se lo atribuí a la droga. Una liebre corrió por los alrededores, se detuvo y me observó. Mis persistentes sentimientos de ansiedad y aislamiento desaparecieron. Tuve una sensación casi abrumadora de bienestar, una sensación de que todo estaría bien, y así *era*.

Yo tenía que llegar a casa a las diez, así que regresé en mi bicicleta y el pedaleo no me costó esfuerzo alguno. Estacioné la bicicleta en la cochera y entré a la casa con tanto sigilo como me fue posible.

Quise meterme a mi habitación, pero fui detenido en el trayecto. Me reuní con mis padres en la cocina. "¿Qué tal su juego de boliche?" Ellos no tenían idea de que, cuando me senté con ellos a ver *Sólo se vive dos veces*, la película de la semana, yo tenía el cerebro intoxicado.

En la soleada tarde de mayo, Karen y yo guardamos silencio mientras nos dirigimos hacia la escuela de Nic. Los estudiantes reunidos cerca del asta bandera, a la entrada del campo, nos señalan la oficina correcta en la planta baja del edificio de ciencias. Allí nos reunimos con el deán de primer año, quien viste una camiseta, pantalones cortos color caqui y zapatos tenis. Él nos pide que tomemos asiento en un par de sillas de plástico que están colocadas frente a un escritorio atestado de revistas de ciencias. Otro hombre, de aspecto infantil y de cabellera escasa, vestido con una camisa abierta al frente, se une a nosotros y se presenta como el consultor escolar.

A través de la ventana veo que los chicos, incluso algunos amigos de Nic, se golpean unos a otros con palos de *lacrosse* en el verde campo atlético.

El deán y el consultor nos preguntan cómo estamos.

—Hemos estado mejor —respondo.

Asienten. Sin enfatizar en la infracción de Nic, ellos se esfuerzan por tranquilizarnos e inspirarnos confianza. Nos explican que muchas escuelas tienen políticas de cero tolerancia, pero que ésta tiene lo que ellos esperan que sea una perspectiva más progresista y útil al tomar en cuenta la realidad que los chicos viven en la actualidad.

—Nic tendrá una segunda oportunidad —dice el deán al inclinarse hacia el frente en su escritorio—. Estará a prueba y, si incurre en otra violación, será expulsado. También requerimos que acuda a una sesión vespertina de asesoría sobre drogas y alcohol.

—¿Qué fue lo que ocurrió con exactitud? —pregunto.

—Afuera de la cafetería, después del almuerzo, un maestro sorprendió a Nic cuando compraba mariguana. La política de la escuela indica que cualquier persona que venda drogas quedará fuera. El chico que le vendió mota a Nic fue expulsado.

El consultor, con las manos sobre el regazo, explica:

—Nuestra impresión es que Nic tomó una mala decisión. Queremos ayudarlo a tomar mejores decisiones en el futuro. Percibimos este suceso como un error y como una oportunidad.

Lo anterior suena razonable y esperanzador. Karen y yo nos sentimos agradecidos no sólo porque Nic tiene otra oportunidad, sino porque no estamos solos en el intento por resolver este asunto. El deán, el consultor y los maestros se enfrentan a este tipo se circunstancias todo el tiempo.

Durante la conversación de una hora yo menciono mi preocupación por el hecho de que Nic adora surfear y podría estar expuesto a las drogas en la playa. Es una extraña paradoja que, para algunos chicos, la excitación de surfear en las magníficas olas del Pacífico no sea suficiente. He visto surfistas en la playa, con sus trajes de neopreno, pasarse churros de mota antes de meterse al agua.

Se miraron unos a otros.

—Contamos con el consejero ideal para Nic —anuncia el deán y nos comenta acerca de uno de los maestros de ciencias, quien también es surfista.

—Llamaremos a Don.

—Es formidable. Tal vez él podría ser el consejero de Nic.

A continuación nos proporcionan detalles de un centro que ofrece asesoría sobre drogas y alcohol.

En casa, de inmediato llamamos y concertamos una cita para el día siguiente. Los tres nos reunimos con un consultor y después Karen y yo dejamos a Nic a solas con él para una sesión de dos horas que incluye una entrevista y asesoría sobre las drogas. Cuando lo recogemos Nic dice que fue una pérdida de tiempo.

Don, el maestro, es un hombre compacto con cabello color bronce arenoso y ojos azules como el mar. Su rostro es suave y rugoso a la vez. Por lo que sabemos, Don rara vez es efusivo, pero guía a los chicos con mano firme y paciente, además de sentir un contagioso entusiasmo por los temas que enseña y por los alumnos a su cargo. Él es uno de esos maestros que transforman vidas en silencio. Además de ser profesor de ciencias, Don es entrenador de natación y de water-polo. Por si fuera poco, tiene un grupo de pupilos a quienes asesora. Nic se convierte en su nueva carga, de lo cual nos enteramos pocos días después cuando Nic regresa a clases tras su suspensión.

—¡Ese hombre! —exclama Nic al correr al interior de la casa, arrojar su mochila en el suelo y dirigirse al refrigerador—. Ese maestro... —Nic se sirve cereal en un plato y comienza a rebanar un plátano sobre el cereal—. Se sentó conmigo durante en almuerzo. Es sensacional —se sirve leche—. Es muy buen surfista. Ha surfeado durante toda su vida —toma una rebanada de pan—. Fui a su oficina. Está llena de fotografías de vacaciones alrededor del mundo —unta mantequilla de cacahuate en el pan, después saca la jalea del refrigerador y agrega un poco al pan—. Me preguntó si querría surfear con él algún día.

Unas cuantas semanas después, ambos van a surfear juntos. Cuando Nic regresa, está fascinado. Don está al pendiente de Nic en la escuela y llama por teléfono a casa con frecuencia. Cuando el año escolar está a punto de terminar, Don comienza una campaña para convencer a Nic de formar parte del equipo de natación, que comenzará de nuevo en otoño. Nic está renuente. No quiere, pero Don ignora sus negativas. A lo largo del verano, Don llama con frecuencia a Nic a Los Ángeles para ver cómo van las cosas. Aún insiste en que Nic forme parte del equipo de natación. Después de una sesión de surf a finales del verano, ya de regreso en el norte de California, Don propone un trato: llegado el otoño, si Nic accede a asistir a una de las prácticas del equipo de natación, él dejará de insistir en que forme parte del equipo.

Nic acepta.

Nic tiene quince años de edad, ya cursa el segundo año de bachillerato y, según lo prometido, se presenta en la práctica inicial del equipo de natación, después a la siguiente y a la siguiente. Con su cuerpo largo y delgado y sus brazos musculosos por nadar entre las olas sobre una tabla de surf, Nic ya es un nadador poderoso y mejora con rapidez bajo la dirección de Don. Nic disfruta de la camaradería del equipo. Más que todo, Nic está inspirado por Don.

—Sólo quiero complacerlo —le confía a Karen después de una competencia.

La temporada de natación termina cerca de las vacaciones de Navidad. Para entonces, Don ha logrado reclutar a Nic para el equipo de water-polo también. Nic es electo co-capitán. Karen, Jasper, Daisy y yo asistimos con frecuencia a sus juegos. Karen y yo nos sentamos con los demás padres de familia y Jasper y

Daisy suben y bajan las gradas de metal mientras gritan, en cualquier momento: "¡Vamos, Nicky!".

Nic también parece prometedor como actor. Cierta noche, Karen, algunos de nuestros parientes y amigos, y yo quedamos boquiabiertos ante la actuación, dirigida por un estudiante, de *Despertar de la primavera*, la obra de 1891, con frecuencia prohibida o al menos censurada (pero no en esta producción), del autor Frank Wedekind. Es una historia que habla con franqueza acerca del despertar sexual en un grupo de adolescentes que no pueden acudir a los adultos de su vida en busca de ayuda. Una chica muere al tomar pastillas para abortar y otro personaje se suicida.

Don motiva el interés de Nic por la biología marina. A medida que el segundo año de bachillerato de Nic se acerca a su fin, Don le comenta acerca de un programa en la Universidad de California, en San Diego, dedicado a dicho tema. Un día, Nic llega a casa y agita en su mano un folleto y un formato de inscripción que imprimió de la página *web* del programa y nos pregunta si puede asistir. Después de que su madre y yo lo comentamos, Nic envía la solicitud.

Una mañana de finales de junio, la vista por la ventanilla del jet es formidable. El color del cielo es rosado y el Océano Pacífico, en su abrupto encuentro con la costa, resplandece en tonos azules, tan optimista como lo es el sur de California. Después de aterrizar en San Diego, recogemos nuestro equipaje, rentamos un auto y conducimos hacia el norte hasta llegar a la desviación al pueblo costero de La Jolla. Salimos de la autopista, llevamos a Nic al campus de la Universidad de California y lo registramos. Nic está un poco nervioso, pero los chicos presentes parecen darle la bienvenida. Al igual que él, algunos han traído sus tablas de surf, lo cual es reconfortante.

Nos despedimos. Daisy rodea a Nic por el cuello con sus pequeños brazos.

—Está bien, *bonky* —le dice—. Te veré pronto.

Nic nos llama por teléfono con frecuencia y nos dice que se divierte mucho.

—Tal vez quiera convertirme en biólogo marino —dice cierto día.

Nos cuenta acerca de los chicos del programa y de que él y otros surfistas se levantan temprano y, antes de las clases, caminan a lo largo de las escarpadas veredas hasta Black's Beach. Dice que ha decidido tomar el programa de certificación del campus de buceo. En una inmersión nocturna, cerca de Catalina Island, Nic nada con un grupo de delfines.

Cuando termina el programa, Vicki recoge a Nic para que pase el resto del verano con ella en Los Ángeles. El verano avanza con más rapidez de la normal, pronto Nic está de nuevo en casa y se prepara para su tercer año de bachillerato.

Es el año escolar más intenso para Nic, quien ha establecido fuertes vínculos con un grupo de amigos con el cual parece sentirse muy comprometido. En ese grupo comparte apasionadas preocupaciones acerca de la política, el medio ambiente y asuntos sociales. Juntos protestan contra una ejecución en San Quintín. Un amigo nuestro, quien también se encuentra allí, ve a Nic sentado en la banqueta. Las lágrimas resbalan por sus mejillas. Nic ama sus clases. La escritura aún es uno de sus intereses principales. Además de su escritura creativa para un maestro de inglés que lo inspira a crear historias cortas y poemas, Nic se une al equipo del periódico escolar como editor y columnista. Es autor de sentidas columnas personales y políticas acerca de la acción afirmativa, la balacera en Littleton, Colorado, y la guerra en Kosovo. Asiste a juntas editoriales y se queda hasta tarde para revisar los textos antes de imprimirlos. Sus columnas han aumentado en audacia. Una de ellas versa sobre el momento en el cual vendió sus más caros ideales. Se refiere a uno de nuestros amigos más queridos, la pareja cuyos miembros se convirtieron en los padrinos no oficiales de Nic. Uno de ellos es VIH positivo. Él le dio a Nic un brazalete del SIDA, "uno con el mismo listón del SIDA que, según puede verse, todas las idiotas celebridades usan, el mismo que se les entrega en la puerta de entrada a la ceremonia de entrega de los premios Oscar", escribe Nic. "Para muchas de esas personas, ese listón no es otra cosa que una moda pero, en el brazalete de mi amigo, simbolizaba esperanza. Me dijo que el dinero generado se destina a encontrar una cura para la enfermedad."

Nic escribió que utilizó el brazalete todos los días, "pero entonces me hice mayor. A pesar de que mis sentimientos hacia mis padrinos nunca cambiaron, me preocupaba lo que las demás personas pudieran pensar. Comencé a escuchar que la gente en mi escuela decía cosas horribles sobre los homosexuales... [y] empecé a sentirme incómodo de utilizar el brazalete... Al final, dejé de usarlo". Después, continúa Nic, lo perdió. "*Siento* mucho haber perdido el brazalete", concluyó, "pero tal vez su ausencia simboliza más que su presencia. Simboliza que no tuve la fortaleza para defender a mi amigo".

Motivado por el instructor de periodismo, Nic envía ésta y otras de sus columnas al Premio Anual de Escritura Ernest Hemingway para periodistas de bachillerato. Nic gana el primer lugar. Después envía otra columna a la sección "Mi turno" del *Newsweek*, que la revista publica en febrero de 1999. El texto es una acusación a la custodia compartida a larga distancia. "Tal vez debería hacerse una adición a los votos matrimoniales", escribe Nic. "'¿Prometen amarse y protegerse en la riqueza y en la pobreza, en la salud y en la enfermedad, hasta que la muerte los separe? Y si después tienen hijos y ustedes se divorcian, ¿prometen permanecer en la misma área geográfica que sus hijos?' De hecho, dado que la gente rompe con frecuencia dichos juramentos, tal vez debería existir una ley: Si tienen hijos, deben permanecer cerca de ellos. ¿O qué tal un poco de sentido común: si se mudan lejos de sus hijos, ustedes deberán realizar el trayecto para verlos?" De manera conmovedora, Nic describe el efecto de sus años de acuerdo de custodia compartida: "Siempre extraño a alguien".

El gusto de Nic por los libros y la música continúa en evolución. Sus autores favoritos de antaño, J.D. Salinger, Harper Lee, John Steinbeck y Mark Twain, han sido remplazados por un conjunto de misántropos, adictos, alcohólicos, depresivos y suicidas: Rimbaud, Burroughs, Kerouac, Kafka, Miller, Nietzsche, Hemingway y Fitzgerald. Uno de sus escritores favoritos, Charles Bukowski, tiene la dudosa distinción de ser el autor más robado en las librerías universitarias. En cierta ocasión describió a sus lectores como "los vencidos, los dementes y los dañados". Tal vez los adolescentes sean, o se sientan, todas esas cosas, pero me preocupa que estos autores, en especial cuando alaban las drogas y la disipación, resulten tan atractivos para Nic.

En las vacaciones de primavera, Nic y yo organizamos un viaje por las universidades del Medio Oeste y de la Costa Este. Volamos a Chicago y llegamos a una mañana neblinosa. Tenemos la tarde libre, así que visitamos el Instituto de Arte, los museos y, por la noche, vamos al teatro. Nic asiste a clases y pasa la noche en el dormitorio de la Universidad de Chicago. Por la mañana volamos a Boston, donde rentamos un automóvil. Después de dos días de visitar universidades en la ciudad nos vamos en auto a Amherst, a donde llegamos después de que ha caído la noche. Nos detenemos en el centro de la ciudad y cenamos en un restaurante hindú. Después pedimos indicaciones para llegar a nuestro hotel. El hombre a quien le preguntamos nos brinda una inmediata respuesta a gritos.

—¡Sigan derecho! —grita—. Llegarán a dos semáforos. —Nos mira con fiereza—. ¡Den vuelta a la derecha! ¡*Deben* dar vuelta a la derecha, nunca hacia la izquierda!

Nic y yo seguimos sus instrucciones con precisión; Nic me grita con el mismo tono y al mismo volumen empleado por el hombre.

—¡Detente! —grita—. ¡Derecha! ¡Derecha! ¡Derecha! ¡*Debes* dar vuelta a la derecha, nunca hacia la izquierda!

Nuestro destino final es Manhattan, donde Nic pasea por la Universidad de Nueva York y Columbia.

En casa, Nic llena las solicitudes de las universidades y planeamos su verano. Él y Karen continúan hablando en francés entre sí. Tiene aptitudes para los idiomas, la memorización se le facilita y tiene un oído impecable. Lo que le hace falta en vocabulario lo compensa con un fluido acento parisino y, con la ayuda de Karen, con un arsenal de modismos en francés. De hecho, hacia el final del año escolar, su maestro de francés lo motiva a enviar una solicitud para un programa de verano en París para estudiar el idioma en la universidad estadounidense de allá. Vicki y yo lo discutimos y decidimos que vaya.

Nic pasa gran parte de junio en Los Ángeles y después viaja a París para el curso de tres semanas. Cuando nos llama por teléfono nos dice que se divierte mucho. Su francés ha mejorado y ya ha hecho buenos amigos. Incluso obtiene un papel en una película estudiantil.

—Me encanta estar aquí, pero los extraño mucho a todos —dice en una ocasión antes de colgar—. Diles a los pequeños que los amo.

Cuando termina el programa, Nic vuela de regreso a casa y yo lo recojo en el aeropuerto. En la sala de espera lo miro descender del jet. Su aspecto es terrible. Ha crecido, pero eso no es lo primero que llama mi atención. Su cabello luce desordenado y desaseado. Hay círculos oscuros debajo de sus ojos. De alguna manera parece grisáceo. Sus modales me alarman pues detecto un sutil resentimiento. Por fin pregunto qué sucede.

—Nada. Estoy bien —dice Nic.

—¿Sucedió algo en París?

—¡No! —replica con un destello de ira. Yo lo miro con cierta sospecha.

—¿Estás enfermo?

—Estoy bien.

Sin embargo, con el paso de los días Nic se queja de dolor estomacal, así que hago una cita con nuestro médico familiar.

Su examen dura una hora. Después sale Nic y dice que debo acompañarlo. Con los brazos cruzados a la altura del pecho, el médico se refiere a Nic con preocupación evidente. Presiento que hay más cosas que él quisiera decirme, pero sólo anuncia que Nic tiene una úlcera.

¿Qué chico tiene úlcera a los 17 años de edad?

7

Después del bachillerato me inscribí en la Universidad de Tucson, en Arizona, aún más cercana a la frontera entre México y Estados Unidos. Mi compañero de cuarto era de Manhattan. Charles tenía un fideicomiso. Sus padres habían muerto. Nunca supe la verdad acerca de su muerte, pero sé que el alcohol y las drogas tuvieron algo que ver. Tal vez suicidio. "Haber perdido a un padre, señor Worthing, puede considerarse una desgracia", diría Charles al apropiarse de la famosa frase de *La importancia de llamarse Ernesto*. "Perder a ambos es descuido."

Charles era atractivo de una manera extraña, con nariz prominente, rizos color marrón y ojos del color del café. Tenía una energía exultante y prodigiosa. Él nos impresionaba, a mí y a otras personas que lo conocían, por su desenvoltura, sus historias de Navidades con algunos miembros de la familia Kennedy en Hyanis Port y "el Viñedo" y veranos en Mónaco y en la Costa Azul. Cuando nos invitó a mí y a unos amigos a cenar a un restaurante francés, ordenó, en francés, *escargot*, *foie gras* y *Dom Perignon*. Él agasajaba a su audiencia con anécdotas del internado de relajos que podrían haber sido extraídas (y tal vez lo eran) de un texto de Fitzgerald o escapadas sexuales que Henry Miller pudo haber escrito (y tal vez así fue). Si mencionabas que necesitabas una camisa nueva, él te recomendaba a un sastre de Hong Kong quien confeccionó los trajes de su padre durante años. Él declaraba conocer al mejor fabricante de relojes en la avenida Madison, al mejor cantinero en el Carlyle y al mejor masajista en el Pierre. Si mencionabas que habías probado un buen vino de California, él te comentaba sobre un *Château Margaux* que bebió con un heredero de los Rothschild. Todo acerca de él inspiraba respeto, incluso su manera de consumir alcohol y drogas. Consumía ambas cosas con lo que yo consideraba entonces como una impresionante determinación.

Descubrí que existían dos universidades paralelas en Tucson. A una de ellas acudían los estudiantes que sentían cierto grado de respeto por la universidad. La otra, que era a la cual asistí yo, fue elegida por *Playboy* como una de las escuelas más fiesteras de la nación.

Yo era un principiante comparado con Charles, quien nunca permitía que la escuela ni ninguna otra cosa se interpusiera en su camino de disipación, a pesar de que hubieron resacas intermitentes acompañadas por resoluciones culpables de comportarse mejor y seguidas por champaña o margaritas en la ruta de su nueva asiduidad.

Charles tenía amigos, también de Nueva York, quienes compartían una casa rosada de adobe en el bulevar Speedway, al otro extremo de Tucson desde la universidad. Ellos no tenían fideicomisos, pero sí contaban con dinero suficiente para organizar fiestas y cenas de cortes de carne; ese dinero provenía de la venta de hongos mágicos congelados que habían traído de contrabando desde Yucatán.

En aquel entonces, *Las enseñanzas de don Juan* y sus secuelas, de Carlos Castaneda, eran populares en los campus universitarios. Castaneda, un antropólogo, elaboró una crónica de su búsqueda del conocimiento a cargo de un chamán yaqui, quien le enseñó una filosofía quasi-religiosa estructurada con reminiscencias de varias tradiciones místicas orientales y occidentales. Como parte integral de la exploración espiritual de don Juan estaba el consumo de drogas psicotrópicas como peyote, datura y hongos alucinógenos. Mis amigos y yo estábamos intrigados y el libro nos motivaba a ver nuestros viajes con hongos y con otros psicodélicos no como disipación sino como búsqueda intelectual.

De alguna manera nos las arreglamos para justificar también la mariguana, el Quaalude, el Jack Daniel's, el José Cuervo, la cocaína y todo tipo de estimulantes y depresores.

Recuerdo con claridad que caminé a paso veloz por el desierto alto de piedras rojas, en las afueras de Tucson, y que vi transformarse a una margarita mexicana en la cara de un hombre. Pronto, ésa y las demás margaritas de los derredores mutaron hasta adquirir los suaves rasgos de miles de ángeles; entonces, la multitud entera comenzó a murmurar la respuesta a la pregunta por excelencia: ¿cuál es el sentido de la vida? Me acerqué para poder escuchar lo que decían, pero las voces susurrantes dieron paso a un coro de risitas contenidas y el jardín de rostros sombríos se convirtió en un campo de *muffins* ingleses.

Por la noche, después de que una blanca luna llena se había elevado en el horizonte, decidí que, si la gente del libro de Ítalo Calvino, el cual leíamos en la clase de literatura, podía utilizar escaleras para llegar a la luna, por qué yo no, pero renuncié a la idea cuando Charles anunció que era hora de ir a un centro nocturno.

Charles compraba drogas para estudiar y le ayudaban durante algo así como media hora. Después estaba demasiado excitado como para concentrarse en otra cosa que no fuera cuál bar visitar. Las copiosas cantidades de drogas y alcohol nunca impidieron que Charles condujera un auto y así estrelló dos Peugeots. Por fortuna y de milagro nunca lastimó a nadie, al menos hasta donde yo sé. Con él corrí grandes riesgos que ahora reconozco como formas de ruleta rusa.

Charles adoraba a los Rolling Stones. Tocaba su canción favorita, "Shine a Light", de manera incesante y a volumen alto, y cantaba a dúo con Mick Jagger.

A causa de un capricho auspiciado por las drogas, Charles y yo decidimos conducir hasta California cierta noche para ver el amanecer; de manera que, después de empacar un arsenal de drogas, nos dirigimos hacia el oeste para llegar a San Diego. Aún estaba oscuro cuando llegamos a la playa. Sentados en la arena y con cobijas sobre nuestros hombros, Charles y yo esperamos la salida del sol. Fumamos mota y charlamos. Después de un largo rato, uno de los dos notó que ya había luz. Nos giramos. Serían las diez de la mañana o algo así. El sol había salido horas antes.

—Oh —exclamó Charles al darse cuenta de la cruel realidad—. El sol sale por el este.

En otra ocasión, mientras conducíamos hacia Tucson después de visitar a mis padres en Scottsdale, le ofrecimos aventón a un viajero. Cuando llegamos a su destino, una escuela de paracaidismo en la ciudad desértica Casa Grande, en medio de la nada, nuestro pasajero nos convenció de probar su deporte favorito. La sesión de instrucción tuvo lugar frente a un muro sobre el cual alguien había escrito: "Todo lo que hagas en el suelo es irrelevante". Nuestro instructor dijo:

—Su tarea más importante es disfrutar el viaje.

Al llegar al final de su discurso, el instructor estalló en carcajadas y dijo:

—Al carajo. Volemos.

Mi paracaídas no se abrió. Me salvé en el último segundo posible cuando el paracaídas de reserva me detuvo. El golpe fue fuerte pero todo salió bien. Charles se aproximaba a gran velocidad sobre mí.

—¡Quítate de allí!

Las historias de drogas son siniestras. Como algunas historias de guerras, éstas se enfocan en la aventura y el escape. En la tradición de una larga línea de borrachos famosos e infames y sus biógrafos, incluso las resacas, las experiencias cercanas a la muerte y las visitas a las salas de emergencias pueden presentarse como glamorosas. Sin embargo, con frecuencia los narradores omiten la lenta degeneración, el trauma psíquico y, al fin, los fallecimientos.

Cierta noche, después de que Charles regresó de una parranda de dos días, me preocupé porque llevaba demasiado tiempo en el baño. Cuando no me respondió, rompí el seguro y empujé la puerta para abrirla. Estaba desmayado y se había descalabrado en el suelo de mosaicos, el cual estaba anegado en sangre. Llamé a una ambulancia. En el hospital, el médico advirtió a Charles acerca de su manera de beber y éste prometió dejar de hacerlo pero, desde luego, no lo hizo.

Tiempo después, ese mismo año, otro de nuestros viajes por tierra inspirados por Hunter Thompson nos llevó hasta San Francisco, a donde llegamos una mañana. Nunca antes había estado allí. Detuvimos el auto en la cima de la colina más alta de la ciudad, donde soplaba un viento vigorizante. Después de mi infancia en Arizona, sentí como si pudiera respirar por primera vez en mi vida.

Hice solicitud para transferirme a la Universidad de California en Berkeley. Aún no había dañado mi historial académico, de manera que fui aceptado y me inscribí al siguiente otoño. Era una época en la cual no era raro que un estudiante universitario construyera una ciencia social individual mayor. Mi enfoque era la muerte y la conciencia humana.

Me entregué a mis estudios en Berkeley, pero las drogas eran abundantes también allí. La cocaína y la mota eran el punto principal de muchos de nuestros fines de semana. El padre de un amigo, un médico, nos recetaba frascos de Quaaludes porque no quería que su hijo consumiera drogas callejeras. Yo probé muchas de ellas, pero no mucho más que cualquiera de los chicos a mi alrededor. De alguna manera hemos evolucionado hasta llegar al punto en que la educación superior tiene vínculos inextricables con las borracheras y las drogas.

Me mantuve en contacto con Charles, cuyo alcoholismo y drogadicción aumentaron hasta un nivel que, todos estos años después, me preocupan en Nic. Mi consumo de drogas fue excesivo, pero nunca fui como Charles. A la una o dos de la mañana me despedía porque tenía que levantarme temprano al día siguiente para asistir a clases y Charles me miraba como si hubiera perdido la razón. Para él, la fiesta apenas comenzaba.

Después de su verano en Francia, Nic ha regresado a la escuela. La úlcera ha sanado pero él está distinto. Aún saca buenas notas en la mayoría de sus asignaturas y mantiene un promedio alto. Este hecho vuelve más trágicos sus tropiezos que si fuera un fracaso escolar. Sin embargo, ha dejado la natación y el waterpolo y, después, el periódico. Comienza a faltar a clases e insiste en que sabe con exactitud lo que puede y no puede hacer. Llega tarde a casa y desafía los límites de la hora de llegada. Con preocupación creciente, Karen y yo nos reunimos con el consejero escolar, quien nos dice:

—La honestidad de Nic, inusual en los varones, es buena señal. Continúen hablando al respecto con él; lo superará.

Lo intentaré.

Es como si Nic fuera jalado por dos fuerzas contrarias. Los maestros, asesores y padres de Nic se esfuerzan por protegerlo y evitar que sucumba ante la otra fuerza que viene desde su interior.

Después de 25 años en esa escuela, Don acepta un empleo en otro sitio. Nadie tiene el tipo de influencia que él ejerce sobre Nic, y no es que Don ni ninguna otra persona puedan alterar el curso que Nic ha tomado. A algunos maestros aún les sorprende el juicio de Nic, además de su talento para escribir y pintar que incluye cierta pieza de una exhibición de arte estudiantil, *gouache* en el interior de un juego de Clue que representa a un chico que grita y tiene un texto sobre la cara. Pero otros maestros están preocupados. Un maestro de historia retirado, a quien Nic adoraba, me llama para decirme:

—Simplemente no le interesa hablar acerca de lo que le sucede.

La baja motivación en los estudiantes de último año de bachillerato es común, pero cierto día el deán de su grupo me comenta que Nic ha roto el récord de más faltas a clases en tercer grado, incluso mientras recibimos noticias de las universidades a las cuales Nic ha enviado solicitudes. Ha sido aceptado en la mayoría de ellas.

Nic pasa el mayor tiempo posible fuera de casa y se junta con un grupo de chicos locales que es obvio que consumen drogas. Yo confronto a Nic, pero él niega consumirlas. Es lo bastante inteligente como para justificar algunos de sus comportamientos bizarros con mentiras convincentes y cada día mejora sus estrategias para encubrir sus faltas. Cuando descubro su deshonestidad me siento confundido porque aún creo que nuestra relación es estrecha, mucho más que la de la mayoría de los padres con sus hijos. Con el tiempo, Nic admite que consume algunas drogas "como todos los demás", "sólo mota" y sólo "de vez en cuando". Me promete que nunca se subirá a un auto con nadie que esté drogado. Mis consejos, súplicas y enojo llegan a oídos sordos y drogados. Él continúa con sus intentos por tranquilizarme:

—No es tan importante. Es inofensivo. No te preocupes.

—No siempre es inofensivo —replico y repito una lección bien aprendida—. Puede convertirse en un problema para algunas personas. Conozco gente que comenzó por fumar un poco y se hizo mariguana y...

Nic gira los ojos hacia el techo con evidente fastidio.

—Es verdad —continúo—. Su ambición se agotó después de décadas de fumar mariguana.

Le platico acerca de otro examigo, un sujeto que nunca ha podido conservar un empleo ni ha tenido una relación que dure más de un mes o dos.

—Alguna vez me dijo: "He vivido en una nube de humo y televisión desde que tenía trece años de edad, así que quizá no sea una sorpresa que mi vida no haya mejorado".

—Tú fumaste montones de mota —dice Nic—. No te corresponde decirme nada.

—Desearía no haberlo hecho —digo yo.

—Te preocupas demasiado —replica él con desdén.

En una visita a mis padres con motivo de una fiesta familiar, Nic y yo caminamos alrededor de la cuadra. Desde que partí de aquí las palmeras han crecido mucho y su aspecto es absurdo, delgado y alto, como jirafas con cuellos demasiado largos. Algunas casas han sido remodeladas y les han agregado un segundo piso. Por lo demás, nuestra calle conserva el mismo aspecto. Recuerdo cuando Nic y yo tomamos justo la misma ruta cuando él tenía dos o tres años de edad. Yo lo guiaba con una cuerda atada a un pequeño automóvil de plástico con Nic en el asiento del conductor. Fuimos al parque Chaparral, donde él jaló el freno de mano imaginario, abrió la puerta y la cerró con cuidado antes de correr hacia la orilla del lago artificial. Allí alimentó con pedazos de pan a los patos y gansos. Un viejo ganso mañoso le mordió el dedo y Nic lloró a gritos.

Sé que estoy perdiendo a Nic pero aún racionalizo: es típico de los adolescentes alejarse de sus padres, estar distantes y comportarse con arrogancia. "Debes imaginar cómo era Jesús a los 17 años de edad", escribió Anne Lamott. "Ni siquiera se habla de ello en la Biblia; tal parece que él era muy desagradable." Sin embargo, yo intento acercarme y hablar con Nic, aunque él no tenga mucho por decir.

Por fin se dirige a mí y me pregunta, como al descuido, si quiero fumar mota. Yo lo observo: ¿me pone a prueba, asegura su independencia o intenta llegar a mí para conectarse conmigo? Tal vez todas las opciones anteriores.

Él saca un churro, lo enciende y me lo pasa. Yo lo miro durante un minuto. Aún fumo mota, aunque en raras ocasiones: si voy a una fiesta o a casa de algún amigo donde se fuma mota con la misma ligereza con que se ofrece vino en la cena. En esas ocasiones doy una fumada. O dos.

Pero este caso es distinto. No obstante, acepto la fumada y pienso —racionalizo— que no es muy diferente a cuando un pa-

dre de una generación previa compartía una cerveza con su hijo
de 17 años de edad; un momento inofensivo para estrechar lazos.
Inhalo y fumo con él mientras caminamos por mi viejo barrio.
Charlamos, reímos y la tensión entre nosotros desaparece.

Pero regresa. Esa misma tarde volvemos al punto de partida.
Nic es el beligerante y molesto muchacho que se queja de haber
sido arrastrado a Arizona. Yo soy el ansioso, preocupado y, en
muchos aspectos, inexperto padre. ¿Debí fumar con él? Desde
luego que no. Estoy desesperado, demasiado tal vez, por acercarme a él. No es una excusa muy plausible.

Nic accede a acudir a un terapeuta, a quien nos recomendaron
como un genio con varones adolescentes. Incluso desde que llegamos a la cita, Nic está inquieto y un tanto disgustado ante la
perspectiva de conocer a otro loquero. El terapeuta es alto y un
poco inclinado hacia el frente; es robusto y el color de sus ojos es
azul intenso. Él y Nic se saludan y desaparecen juntos.

Una hora más tarde, Nic emerge del consultorio con una
sonrisa, con color en sus mejillas y con cierto júbilo en sus pasos
por primera vez en mucho tiempo.

—Fue increíble —dice—. Es diferente a los demás.

Nic comienza a tomar sesiones semanales después de la escuela, a pesar de que a veces falta. Karen y yo también nos
reunimos con el terapeuta. En una sesión, éste sostiene que la
universidad enderezará a Nic. Es una noción loable. (¿Cuándo
ha enderezado a alguien el primer año de universidad?) Sin embargo, sólo puedo esperar que el terapeuta tenga razón.

En una tarde de finales de primavera, Vicki llega y ella, Karen,
Daisy, Jasper y yo asistimos a la graduación de bachillerato de
Nic. La ceremonia tiene lugar en el campo atlético. Nic ha esta-
do disgustado porque su grupo decidió vestir togas y birretes.
Karen y yo nos decepcionaremos, aunque no nos extrañará,

que él no se presente. Pero sí lo hace. Muy peinado, con toga y birrete, Nic marcha al frente y acepta el diploma de manos de la directora después de besarla en la mejilla. Parece sentirse jubiloso. Yo observo cada pequeño detalle que me indique si Nic está bien. Pienso que tal vez. Quizá todo resulte bien, a fin de cuentas.

Después de la ceremonia invitamos a sus amigos a una barbacoa en casa. Hemos colocado una mesa larga debajo de un corno lleno de flores rosadas. A media comida, durante el paso de platos de alimentos, Nic y sus amigos están arriba y abajo, afuera y adentro. Después se despiden y se dirigen a la fiesta de graduación "segura y sobria" en un centro local de recreación. Sus amigos lo llevan tarde a casa esa misma noche. Nic, mi graduado de bachillerato, pasa frente a mí de camino a su habitación y cuando le pregunto qué tal estuvo la fiesta, murmura:

—Estoy exhausto. Buenas noches.

En verano, Nic ya ni siquiera finge cierto control. Debido a su errático comportamiento y sus abruptos cambios de humor resulta obvio que con frecuencia está drogado y que a la mariguana se han agregado otras drogas. Mis amenazas, castigos y amenazas de castigos más severos son inútiles. En ciertas ocasiones Nic reacciona con cierta preocupación y arrepentimiento, pero es más frecuente que se disguste. Me he vuelto inconsecuente. No sé qué más puedo hacer salvo advertirle, negociar y reforzar las horas obligatorias de llegada a casa, negarle el uso del auto y seguir llevándolo a terapia, incluso a pesar de que él se ha hecho más furtivo, peleonero y descuidado.

Aún acudimos a las cenas nocturnas de los miércoles por la noche en casa de Nancy y Don.

Los adultos se reúnen en la cocina mientras los nietos por lo regular se quedan en el sótano atestado de muebles almacenados, kayaks colgados de las paredes y un kayak plegable, para jugar ping-pong. También se columpian en la sala. La casa de Nancy y Don es la única que conozco que tiene un columpio en su interior. Consiste en dos gruesas cuerdas que cuelgan de una viga y un asiento de tela. A veces los chicos utilizan el columpio como artefacto de propulsión en un juego semejante al boliche. Primero construyen elaboradas torres de ladrillos de cartón multicolor; después sientan a Daisy en el columpio, sujeta a las cuerdas, y la hacen volar.

Una gran estufa de madera con seis quemadores es el punto principal de la cocina de Nancy. Por lo regular algo se cocina allí y la habitación exuda los deliciosos y exóticos aromas, aunque a veces huele a quemado, de cualquier receta que ella haya encontrado en el periódico, en el recetario de Peggy Knickerbocker o en *Gourmet*. Una noche se sirve pollo amarillo de curry con arroz blanco al jazmín, *raita* preparado con yogurt y pepinos, *chutney* de mango y un pan plano, indio, sazonado con cardamomo. Otro menú incluye un burbujeante potaje mexicano con chiles y queso. O cerdo asado y cocido con limones y ciruelas, papas crujientes y coles de Bruselas fritas con tocino *pancetta*. Cuando llega la hora de comer los chicos escogen sus platos favoritos de cerámica, cada uno de ellos con la imagen de un animal distinto. Jasper siempre elige a la ballena. Daisy y sus primos se lanzan sobre el perro hasta que Daisy se da por vencida y se conforma con el burro.

Nic aún parece disfrutar de esos miércoles festivos, pero esta noche actúa de manera extraña. Está en la cocina y discute una serie de premisas sin sentido:

—¿Por qué la gente *no* tiene sexo con quien quiera y cuando quiera? La monogamia es un concepto arcaico —sermonea a Nancy, quien lo escucha mientras revuelve una olla hirviente en la estufa—. El doctor Strauss es un genio.

Y continúa durante un rato con sus últimas filosofías frenéticas e incoherentes sobre las cuales lo imagino discutiendo con sus amigos, ya avanzada la noche.

No obstante, más tarde me doy cuenta de que tal vez Nic estaba drogado. Por la mañana se lo pregunto. Él lo niega. Una vez más lo amenazo, pero mis advertencias no tienen sentido para él. Le prohíbo consumir drogas pero eso también es inútil. Cuando consultamos a su terapeuta, él me recomienda no prohibirlas en casa y dice:

—Si las prohíbes, él lo hará a escondidas. Su consumo de drogas será secreto y tú lo habrás perdido. Es más seguro mantenerlo en casa.

Los amigos y los amigos de los amigos ofrecen consejos contradictorios: Córrelo de la casa; no lo pierdas de vista. Yo pienso: ¿Correrlo de la casa? ¿Qué oportunidades tendrá entonces? ¿No perderlo de vista? Intenta *tú* acorralar a un chico drogadicto de 17 años de edad.

Es una tranquila tarde de mediados del verano, justo después de su décimo octavo cumpleaños. Llego a casa y percibo que algo está fuera de lugar. Poco a poco me doy cuenta de que Nic se ha marchado y que se ha robado dinero, comida y una caja de vino. Fue selectivo: sólo se llevó vinos de buena calidad. Siento pánico y llamo a su terapeuta quien, a pesar de la gravedad del episodio, me asegura que Nic estará bien y que sólo "ejerce su independencia" de manera adecuada. Si su rebelión es extrema es porque yo he dificultado el hecho de que Nic tenga algo contra lo cual rebelarse.

Por fin alguien lo dijo: así que es *mi* culpa que Nic se comporte de manera rencorosa y sombría, que consuma drogas y que ahora mienta y robe. Fui demasiado indulgente. Estoy listo para soportar su crítica y aceptar que lo he echado todo a perder; sin embargo, pienso en esos chicos cuyos padres fueron demasiado estrictos o aquéllos cuyos padres fueron mucho más permisivos que yo y que, no obstante, parecen estar bien.

Nic desaparece durante dos días antes de llamar. Tal parece que él y sus amigos están en el Valle de la Muerte, en una odisea al estilo Kerouac cuyos combustibles son las drogas y el licor. Le exijo que regrese a casa. Él cumple y yo lo castigo: llegamos a un acuerdo en el cual Nic trabajará para pagarme lo que me ha robado (yo no muestro mi ansiedad ni mi nerviosismo).

—¡Tú siempre intentas controlarme! —acusá Nic cierta tarde cuando le digo que no puede salir durante el periodo de su castigo. Viste pantalones *baggies* color verde sujetos con un cinturón del ejército y una playera blanca con las mangas enrolladas.

—Te he dado suficiente libertad y tú has abusado.

—Vete al carajo —dice Nic con rencor—. Vete al carajo —repite, se dirige hacia su habitación y azota la puerta.

Karen y yo acudimos a sesiones con Nic en el consultorio de su terapeuta, una pequeña y confortable habitación con un par de sillas acojinadas. Nic está despatarrado en un sillón frente a nosotros. El terapeuta hace lo posible por orquestar una conversación civilizada, pero Nic, irascible y a la defensiva, minimiza mis preocupaciones y las califica de estúpidas y sobreprotectoras. Una vez más nos acusa de intentar controlarlo.

Después, pero sólo después, concluyo una vez más que Nic debió estar drogado. Cuando llamo al terapeuta para conocer su opinión, él dice:

—Tal vez, pero la hostilidad en los adolescentes es normal. Es bueno que él se haya dado permiso de expresarla en tu presencia. Es saludable.

Acordamos una nueva sesión, la cual es más civilizada. Nic se disculpa y dice que se ha sentido enojado. De hecho, llega al punto de decir que sus parrandas —sólo admite que son parrandas "modestas"— son un preludio al arduo trabajo que tendrá que realizar en la universidad.

—Siento que me lo merezco —dice—. Me esforcé mucho en bachillerato.

—Nunca te esforzaste tanto.

—Bueno, me esforzaré mucho cuando empiece la universidad. Comprendo la gran oportunidad que representa. No lo echaré a perder.

Desde luego que aún quiero creerle. No creo que sólo se trate de que soy demasiado crédulo, pero no puedo comprender las implicaciones de su comportamiento. Cuando los cambios suceden de manera gradual resulta difícil captar su significado.

Dos semanas después, un sábado por la tarde, Karen planea llevar a los tres chicos a la playa. Mi fecha de entrega está próxima, así que me quedaré en casa a escribir.

La niebla se ha esfumado y yo les ayudo a subir las cosas al auto en el camino de entrada a nuestra casa. Nuestros amigos, que acompañarán a Karen y a los chicos, abordan su auto. Cuando un par de oficiales uniformados se aproximan yo pienso que necesitan ayuda para encontrar una dirección, pero ellos pasan frente a mí y se dirigen hacia Nic, esposan sus muñecas a la espalda, lo empujan al asiento trasero de una patrulla y se alejan.

Jasper, quien tiene seis años de edad, es el único de nosotros que responde de manera apropiada: llora inconsolable durante una hora.

8

El arresto es el resultado de que Nic no se presentó en la corte después de ser citado por posesión de mariguana, una infracción que olvidó comentarme. No obstante, yo lo libero.

—Ésta será la única vez —le digo.

Confío en que el arresto le enseñe una lección.

El estado de ánimo de Nic es voluble, pero conserva su empleo como dependiente de una cafetería en Mill Valley, donde sirve *espressos* y calienta leche. A veces vamos allí Karen, Jasper, Daisy y yo. Nic está de pie detrás del mostrador y nos saluda con una gran sonrisa. Presenta a los chicos con el resto del personal y después sirve unas tazas enormes de chocolate caliente con altos montes de crema batida para ellos.

Nic nos obsequia anécdotas de su vida laboral. Ha llegado a conocer a varios clientes regulares, quienes corresponden a una de varias categorías. Los "codos" piden cafés pequeños en tazas grandes. Según explica, el codo sabe que los dependientes llenan más las tazas grandes, así que ellos obtienen café adicional gratis y se ahorran 25 centavos. Los "preocupados" quieren capuchinos preparados con *espresso* descafeinado y leche baja en grasa. Los "adictos" son maniáticos que ordenan *espressos* cuádruples. Los clientes inconformes dejan muy poca propina a cambio de su rudeza. Nic y sus compañeros cobran su venganza al mezclar órdenes de manera intencional, de modo que cierto cliente grosero que ordena café descafeinado recibe raciones dobles de *espresso* normal mientras otros que pidieron café regular reciben descafeinado.

Nic es tan expresivo en sus demostraciones de amor hacia Jasper y Daisy como siempre. Cierta mañana, con ánimo travieso, Nic hace su personificación de Agnes Moorehead, la de *Pollyanna*, pero su audiencia es Daisy en esta ocasión.

—¡Señorita, tiene usted la naricita tapada!

¿Con cuánta frecuencia nos hemos sentido furiosos con Nic, pero nos ha desarmado su gentileza y simpatía? ¿Cómo pueden ambos Nics, el amoroso, considerado y generoso, y el egoísta y autodestructivo, ser la misma persona?

Daisy, de pie en una canasta africana, está furiosa.

—Nic, ¿cómo me encontraste? No es *justo*.

Como siempre, su escondite fue el primero descubierto en un juego de escondidillas. Nic la encontró oculta en una canasta, cerca del librero de la sala.

—Detened vuestros maullidos —dice Nic con una voz nueva y en un estilo semejante al de los piratas—. ¿Cuántas canastas cantan canciones? La próxima vez cantad sólo para vos.

Los dos corren hacia el exterior en busca de Jasper y sus primos, quienes aún están escondidos. Es el final del verano y las hojas de maple se han tornado marrones; las rosas y las hortensias nos sorprenden con sus tonos blancos y amarillos. El aire sopla con fuerza y los chicos, a la mitad de su juego, exhalan vapor.

Nic, esta vez imitador de Karl Madden, un predicador de los castigos del infierno, también de *Pollyanna*, clama con voz grave por Jasper.

—Te encontraremos y, cuando lo hagamos, te colgaremos de los delicados deditos de tus pies.

—Sí —continúa Daisy—. Y bañaremos tu pequeña cabeza de yegua con jalea de chocolate caliente.

Nic juega con los pequeños y todo parece estar bien en nuestro hogar. Después de su arresto, su paradójico comportamiento me desconcierta.

Nic ha decidido inscribirse en Berkeley. Una tibia tarde de agosto nos metemos al auto Karen y yo, y con Jasper y Daisy al ristre, llevamos a Nic a la universidad para ayudarlo a instalarse. Nos detenemos a comer pizza y después llegamos al extenso campus donde encontramos Bowles Hall, un antiguo dormitorio de los Tudor.

—¡Es un castillo! —exclama Jasper, impresionado y envidioso—. ¡Vas a vivir en un castillo!

Nos estacionamos al frente y ayudamos a Nic cargar su equipaje a través del camino de piedra, con un gran arco encima, y dos tramos de escaleras de piedra hasta encontrar la habitación de Nic. Allí conocemos a sus compañeros de dormitorio, quienes desempacan sus pertenencias. Parecen chicos serios. Uno de ellos parece ser muy estudioso. Todos me dan la impresión de ser muy agradables. Un muchacho de cabello rojo y suéter de cuello alto color azul claro ensambla un complicado sistema computacional casero. Otro muchacho, éste con gafas ovales en forma de caparazón de tortuga y camiseta a rayas, tiene a George Michael, Celine Dion, Barbra Streisand y Elton John mezclados en un pequeño reproductor de discos compactos, una selección no muy prometedora para la armonía en la pequeña habitación dado el azaroso gusto musical de Nic.

Después, mi hijo nos acompaña hasta el auto.

—Estaré bien —afirma con cierto nerviosismo—. Es un viejo edificio sensacional.

Abraza a cada uno de nosotros.

Menciono a George Michael y Nic ríe.

—Los educaré. No pasará mucho tiempo antes de que escuchen a Marc Ribbot.

Ribbot canta una de las canciones favoritas de Nic: "¡Oye! Yo maté a tu Dios".

Cuando nos llama, varios días después, Nic parece comprometido con sus clases, en especial con un curso de pintura. Sin embargo, en llamadas subsecuentes admite que no puede estirar bien sus lienzos sobre los bastidores.

—Sin importar lo que haga, me quedan chuecos —explica—. Y tengo que cargarlos por todo el campus. Me siento como Jesús que carga su cruz.

Más llamadas y también se queja de sus demás cursos.

—Nos enseñan puros maestros asistentes, no profesores reales —me dice—. Son estúpidos.

En algunas de las siguientes conversaciones, Nic parece distraído y después deja de devolverme las llamadas. No tengo idea de lo que sucede, pero su silencio me dice que las cosas no están bien. Cuando por fin se reporta ("Me he quedado en casas de amigos"; "la escuela va bien, pero en realidad ahora estoy en la escena de la música subterránea") lo motivo a aprovechar la oportunidad que ahora tiene en California y a aprovechar lo más posible del periodo que inicia.

—Valdrá la pena— insisto—. Siempre es difícil al principio, pero estarás bien.

Le sugiero que se reúna con los consejeros escolares en el centro de salud y, si lo desea, que se reporte con su terapeuta, quien le ha extendido la invitación de mantenerse en contacto con tanta frecuencia como él desee.

—Muchos estudiantes de primer año sufren al principio —le digo—. Es común. Tal vez los consejeros puedan ayudarte.

Él dice que es buena idea. Una parte de mí cree que él seguirá mi consejo y buscará ayuda, pero una parte mayor sabe que no lo hará. Una semana después me llama uno de los compañeros de habitación de Nic para decirme que está preocupado porque mi hijo no ha llegado en varios días. Yo estoy consternado.

Dos días después, una tarde de otoño, Nic llama y admite por fin que la universidad no le funciona. Yo asumo que las drogas son el problema y le digo que necesitamos hablar acerca de la rehabilitación, pero él dice que no ha consumido mucho.

—Aún no estaba listo para la universidad —me dice—. Sólo necesito un poco de tiempo. Tengo mucho por hacer conmigo primero. Las he pasado duras; me he sentido muy deprimido.

Nic suena juicioso y eso tiene cierto sentido para mí. Existe amplia evidencia de que muchos chicos usan las drogas para automedicarse contra la depresión, por no mencionar una larga lista de trastornos mentales adicionales. Las drogas que consumen pueden convertirse en el punto focal tanto para los chicos como para sus padres, pero pueden encubrir problemas aún más graves. ¿Cómo puede saberlo un padre? Consultamos a más expertos, pero ellos no necesariamente lo saben tampoco. La diagnosis no es una ciencia exacta y es complicado, en especial con adolescentes y adultos jóvenes en quienes los cambios de humor y la depresión son comunes. Muchos síntomas de estos trastornos parecen idénticos a algunos de los síntomas del abuso de drogas. Además, para cuando los expertos descubren que existe un problema, la adicción a las drogas puede haber exacerbado el padecimiento subyacente y fundirse con él. Entonces se vuelve imposible dilucidar dónde termina uno y comienza el otro.

"Dado el nivel de madurez de los adolescentes, la disponibilidad de las drogas y la edad a la cual los jóvenes las prueban por primera vez, no es sorprendente que un número sustancial de ellos desarrolle serios problemas con las drogas", escribe Robert Schwebel, en *Saying No is Not Enough (No es suficiente decir no)*. "Una vez que sucede, los efectos son devastadores. Las drogas protegen a los chicos de la necesidad de enfrentarse a la realidad y de realizar tareas fundamentales que son cruciales para su futuro. Las habilidades de las cuales carecen y que los hicieron vulnerables al abuso de las drogas, en primera instancia, son las mismas que las drogas fomentan. Esos chicos tendrán dificultades para establecer un sentido claro de identidad, para desarrollar habilidades intelectuales y para aprender a autocontrolarse. El periodo de la adolescencia es cuando se supone que los individuos hacen la transición de la niñez a la edad adulta. Los adolescentes con problemas de drogas no estarán preparados para asumir roles adultos... Madurarán en términos cronológicos, pero permanecerán como adolescentes emocionales."

Una especialista en desarrollo infantil me dice que el cerebro de los niños se encuentra más maleable (es decir, cuando tienen lugar los cambios más importantes) antes de los dos años de edad y de nuevo cuando son adolescentes. "La peor etapa para que una persona lidie con su cerebro es la adolescencia", me dice. "Las drogas alteran el desarrollo del cerebro de los adolescentes de manera radical." Según lo explica dicha especialista, la experiencia y el comportamiento ayudan a establecer un ciclo que puede hacer más profundos los problemas emocionales; además, los fundamentos biológicos pueden hacerse más agudos y menos tratables. La droga refuerza los problemas psicológicos y éstos se establecen de manera más firme. Después de todo, atender a pacientes cuyo consumo de drogas comenzó en la adolescencia es mucho más complicado porque el hecho de destruir o reubicar caminos establecidos tiene raíces tanto biológicas como conductuales y emocionales.

Cuando veo a Nic puedo creer que ha sufrido otros problemas, tal vez depresión. ¿Será que los bien reputados loqueros que lo han atendido no hayan detectado un diagnóstico tan obvio? Si los terapeutas no lo vieron, es probable que sea porque Nic es bueno para encubrirlo, tan bueno como lo era para encubrir su consumo de drogas. La depresión es una explicación plausible y más fácil que comprender que un problema por consumo de drogas. No es que la depresión no sea seria pero, a diferencia de las drogas, no es autoinfligida. Me consuela imaginar que las drogas son el síntoma y no la causa de las dificultades de mi hijo.

Nic también me dice que Berkeley fue un error y que le irá mejor en una universidad más pequeña. Su teoría es que se dejó absorber por la burocracia impersonal de California.

—Intenté ver a un consejero —me dice—, tal como me sugeriste, pero tuve que hacer fila durante una hora para pedir cita. Llegué al frente de la fila y me dijeron que la primera cita tendría que ser una semana después.

"Quiero solicitar mi ingreso a varias universidades de nuevo —continúa—. Mientras tanto, creo que me tomaré un año sin estudiar, conseguiré un empleo y recuperaré mi condición física y mental."

Nic se muda a casa una vez más y promete seguir las reglas, ir a terapia, llegar a la hora convenida, ayudar en los quehaceres domésticos, trabajar y solicitar su ingreso a otras universidades. Se reúne con su terapeuta, quien más tarde me dice que está de acuerdo con el plan. De hecho, Nic parece sentirse mejor y ésa es una razón para creer que las cosas marchan por bien camino. Después envía solicitudes a numerosas universidades pequeñas de artes liberales en la Costa Este. Su primera opción es la Universidad Hampshire en el oeste de Massachusetts. Cuando fuimos a conocer la escuela, Nic se sintió inspirado por la vibrante atmósfera y los derredores bucólicos. Entró a las clases de inglés y de ciencias políticas, y conoció los estudios de arte dramático y música. Yo también sentí que es una universidad hecha con Nic en mente. Tal parece que su escritura aún es poderosa porque pocos meses después recibe una carta de aceptación de la escuela. Yo respiro con más tranquilidad. Nic ha vuelto al camino correcto que, de manera inevitable (según mi punto de vista) lo conducirá a la universidad de nuevo. Hemos enfrentado una etapa difícil, pero Nic la superará. Sin embargo, a pesar de que a veces aparece para jugar con Jasper y Daisy o se materializa a la hora de comer, cuando no trabaja, Nic pasa la mayor parte de su tiempo en su habitación.

Una noche, cuando él está en el trabajo, yo me duermo temprano, pero me despierto sobresaltado después de la medianoche. Percibo que algo anda mal. Tal vez se trate de un sexto sentido paterno o quizá sea que una parte de mí ha detectado las primeras señales de conflicto inminente. Cuando salgo de la cama, ésta emite un sutil rechinido suficiente para despertar a Karen.

—¿Está todo bien?

—Todo está bien —susurro—. Duérmete.

El piso está frío y la habitación también, pero no me detengo a calzarme mis pantuflas ni a ponerme una bata porque no quiero hacer más ruido. El vestíbulo está a oscuras, pero la luz de la luna en el cielo nocturno esparce sus rayos y lo pinta todo de color marrón. Enciendo la luz de la cocina, me dirijo hacia la habitación de Nic y toco la puerta. No hay respuesta. La abro y me asomo: la desordenada cama está vacía.

Me estoy acostumbrando a una abrumadora y demoledora mezcla de enojo y preocupación. Cada una de esas emociones oscurece y distorsiona a la otra. Es un sentimiento sombrío y desesperado. Ya debería conocerlo bien, pero no es fácil de soportar.

Nic ha roto la regla de la hora de llegada a casa. Ése es el límite hasta donde permitiré que llegue mi preocupación, así que me anticipo a su llegada a cada segundo y ensayo lo que haré. Lo confrontaré, a pesar de que el hecho de enfrentarlo es un doloroso recordatorio de mi falta de capacidad para modificar su comportamiento.

Camino de puntillas hasta mi dormitorio e intento conciliar el sueño de nuevo pero, para entonces, es inútil. Estoy despierto en la cama. La preocupación comienza a consumirme.

Vivimos en la cresta de una pequeña colina antes de que el camino continúe su ascenso, de manera que los autos que pasan por la calle, frente a nuestra casa, bajan la velocidad hasta casi detenerse antes de continuar. Un auto pasa y después otro y se detienen. Cada vez, mi corazón deja de latir. Es Nic. Pero entonces los motores aceleran para subir la cuesta.

A las tres de la mañana me doy por vencido, dejo de engañarme con la idea de que me quedaré dormido y me levanto. Karen también despierta.

—¿Qué sucede?

Le digo que Nic no ha llegado a casa y caminamos hacia la cocina.

—Quizás estuvo con sus amigos y se le hizo tarde para llegar a casa, así que se quedó a dormir. Dice Karen.

—Pudo haber llamado.

—Tal vez no quiso despertarnos.

La miro y detecto la desesperación y la preocupación en ella. Tampoco puede creerlo. Los minutos transcurren; nosotros bebemos té y nos inquietamos cada vez más.

Alrededor de las siete de la mañana comienzo a llamar a sus amigos; a algunos los despierto, pero nadie lo ha visto. Llamo a su terapeuta quien, incluso ahora, me ofrece palabras de aliento.

—Nic está resolviendo sus cosas, estará bien.

Mi pánico aumenta. Cada vez que suena el teléfono se me contrae el estómago. ¿Dónde puede estar? No puedo imaginarlo o, con más precisión, elijo no hacerlo y hago a un lado los pensamientos más oscuros. Por fin llamo a la policía y a las salas de emergencias de los hospitales para preguntar si está detenido o si ha habido un accidente. Cada vez que llamo me preparo para lo impensable. Ensayo la conversación: la insensible e incorpórea voz y las palabras "está muerto". Lo hago para prepararme. Me aproximo a la idea y le doy vueltas en mi cabeza. Él está muerto.

Espero horrorizado pero no puedo hacer nada más.

Más tarde, Jasper, descalzo y en piyama, entra a la cocina, nos mira con sus ojos claros, se trepa al regazo de Karen y mordisquea un pan tostado. Enseguida Daisy, en medio de un bostezo, aparece con el cabello revuelto.

No decimos nada acerca de Nic. No queremos preocuparlos. Sin embargo, pronto tendremos que decirles porque ellos perciben que algo anda mal y saben que Nic no está por allí. Por fin, Jasper pregunta:

—¿Dónde está Nic?

Yo respondo con más emoción de la que quisiera manifestar.

—No lo sabemos.

Jasper comienza a llorar.

—¿Está bien Nic?

—No lo sabemos —repito, tembloroso—. Esperemos que sí.

El terror dura cuatro días.

 જી ∽જી

Una noche, Nic llama. Su voz tiembla, pero aún así representa un gran alivio.

—Papá...

—Nic.

Su voz parece provenir de un profundo túnel.

—Yo... —suena débil—. Lo arruiné todo —un sonido gutural—. Estoy en problemas.

—¿Dónde estás?

Él me indica dónde está y colgamos.

Voy en auto a encontrarme con él a un callejón detrás de una librería en San Rafael. Detengo el auto y me aproximo a una fila de basureros y contenedores llenos de botellas vacías, vidrios rotos, pedazos de cartón y sábanas sucias.

—Papá...

La débil y chirriante voz proviene de detrás de uno de los contenedores. Camino en esa dirección, aparto algunas cajas de desecho, doblo una esquina y veo a Nic, quien camina hacia mí con paso vacilante.

Mi hijo, el esbelto y musculoso nadador, el jugador de waterpolo y surfista de la sonrisa deslumbrante, está pálido, amarillento, en los huesos. Sus ojos son dos huecos vacíos y negros. Cuando llego hasta él, se abandona en mis brazos. Lo llevo casi a cuestas hasta el auto; sus pies se arrastran detrás de él.

En el auto, antes de que Nic se desmaye, le digo que necesita internarse en un centro de rehabilitación.

—Eso es todo —digo—. No hay otra alternativa.

—Lo sé, papá.

En silencio conduzco a casa. Nic despierta durante un momento y murmura, con voz monótona e inexpresiva, que le debe dinero a alguien y que debe pagarlo o lo matarán. Después vuelve a perder el conocimiento. De tanto en tanto despierta y murmura algo, pero sus palabras son incomprensibles.

Enfermo, frágil y a veces también disperso, Nic pasa los siguientes tres días con estremecimientos como de fiebre, encogido en su cama entre lamentos y llantos.

A pesar de que estoy aterrorizado, también me anima el hecho de que mi hijo haya aceptado que necesita rehabilitación, así que llamo a la agencia que visitamos cuando Nic cursaba el primer año y hago una cita. Sin embargo, la mañana de la cita, cuando le recuerdo que acudiremos, él me mira con rebeldía.

—De ninguna manera.

—Nic, tienes que ir. Me dijiste que irías.

—No necesito rehabilitación.

—Lo prometiste. Casi mueres.

—Cometí un error. Eso es todo. No te preocupes. Aprendí mi lección.

—Nic, no.

—Escucha: estaré bien. Nunca más consumiré esa chingadera. Ya aprendí lo peligrosa que es la metanfetamina cristal. Es una mierda. No soy estúpido. Nunca más volveré a probarla.

Me detengo. ¿Escuché bien?

—¿Metanfetamina cristal?

Él asiente.

Por fin lo tengo claro. Por Dios, no. Me horroriza que Nic haya consumido metanfetamina cristal. También yo tuve mi propia experiencia con esa droga.

PARTE II

Su droga preferida

¡Oh, Dios, esos hombres deberían poner a un enemigo en sus bocas para robar sus cerebros! Para que nosotros podamos, con gozo, placer, regocijo y aplauso, transformarnos en bestias.

WILLIAM SHAKESPEARE, *La tempestad*

9

En mi primer verano en Berkeley, Charles viajó desde Tucson para inscribirse a la escuela de verano y rentamos juntos un departamento. Una tarde, Charles llegó a casa, descolgó un espejo de segunda mano de la pared y lo colocó sobre la mesa de centro. Después abrió un paquetito doblado al estilo *origami* y vació su contenido en el espejo: un montón de polvo cristalino. De su cartera extrajo una navaja de una sola hoja con la cual comenzó a pulverizar los cristales. El acero golpeaba con ritmo la superficie del espejo. Mientras acomodaba el polvo en cuatro líneas paralelas, me explicó que a Michael (Michael el Mecánico, un traficante de drogas) se le había terminado la cocaína. En su lugar, Charles había comprado metanfetamina cristal.

Yo inhalé las líneas a través de un billete enrollado de un dólar. Los químicos quemaron mis pasadizos nasales y mis ojos se humedecieron. Sin importar si la droga es inhalada, fumada o inyectada, el cuerpo absorbe con rapidez las metanfetaminas. Una vez que llega al torrente sanguíneo, es un viaje directo e instantáneo al sistema nervioso central. Cuando la droga llegó al mío escuché música cacofónica, como de un calíope, y sentí como si hubieran encendido fuegos artificiales dentro de mi cráneo. Las metanfetaminas disparan de diez a veinte veces el nivel normal de los neurotransmisores del cerebro; en especial la dopamina pero también la serotonina y la norepinefrina, que se esparcen como las balas de la pistola de un mafioso. Me sentí fantástico, confiado hasta un grado supremo, y eufórico.

Después de que las metanfetaminas activan la liberación de neurotransmisores, bloquean su readmisión a sus sitios de almacenamiento, de manera muy parecida a la cocaína y a otros estimulantes. No obstante, a diferencia de la cocaína, la cual es metabolizada por el cuerpo casi por completo (y tiene una vida media de 45 minutos), las metanfetaminas permanecen relatívamente estables y activas durante diez o doce horas. Cuando el amanecer comenzó a asomarse a través de las persianas rotas de la ventana, me sentía deprimido, exhausto y agitado. Me fui a la cama y dormí durante un día entero. Falté a clases.

Nunca más volví a tocar esa droga, pero Charles regresó una y otra vez con Michael el Mecánico. Su parranda con la metanfetamina cristal duró dos semanas.

Charles podía ser considerado, encantador, seductor y divertido, pero cuando consumía metanfetaminas, a las dos o tres de la mañana, podía volverse malvado y cruel. Después, tanto si se había comportado como un extraño o como un amigo, se disculpaba de manera profusa y convincente y la mayoría de la gente lo perdonaba. Durante demasiado tiempo yo también lo hice, pero él regresó de Berkeley a Tucson y nos separamos. Con el tiempo perdimos el contacto. Más tarde me enteré de que, después de la universidad, su vida se definió por el abuso de metanfetaminas, cocaína y otras drogas. Se sometió a rehabilitaciones voluntarias u ordenadas por una corte, sufrió varios accidentes automovilísticos, incendió una casa al quedarse dormido con un cigarro entre los labios, las ambulancias lo llevaron a las salas de emergencias después de accidentes y sobredosis, y fue encarcelado, tanto en hospitales como en la prisión.

Charles murió la víspera de su cumpleaños número cuarenta.

El alcohol y la heroína son metabolizados por el hígado; las metanfetaminas, por los riñones. A los cuarenta años de edad, Charles sucumbió por fin.

Que el buen Dios te ilumine con su luz, Charles. Cálida, como el sol de la tarde.

Cuando escucho a los Rolling Stones, pienso en él. También cuando escucho hablar acerca de las metanfetaminas.

Es por ello que me siento enfermo al saber que Nic las ha consumido.

Parte integral de mi escritura es la investigación que realizo de manera compulsiva. Ahora que sé que Nic consume metanfetaminas, intento aprender todo lo que pueda acerca de esas drogas. Es más que un intento por comprenderlas. Siento que existe poder en el conocimiento del adversario. Sin embargo, mientras más aprendo, más desmotivado me siento. Las metanfetaminas parecen ser las drogas más maléficas de todas.

El químico alemán que sintetizó la anfetamina, antecesora de las metanfetaminas, por primera vez, escribió en 1887: "He descubierto una droga milagrosa que inspira la imaginación y proporciona energía al usuario". La anfetamina estimula la parte del sistema nervioso central que controla la actividad involuntaria; es decir, la acción del corazón y las glándulas, la respiración, los procesos digestivos y los actos reflejos. Uno de sus efectos es la dilatación de los conductos bronquiales, lo cual condujo, en 1932, a su uso médico inicial como atomizador nasal para el tratamiento del asma. Estudios posteriores demostraron que la droga también era útil para tratar la narcolepsia, calmar la hiperoactividad de los niños y suprimir el apetito. Además permitía que los individuos permanecieran despiertos durante largos periodos.

Al experimentar con un cambio simple en la estructura mo-

lecular de la anfetamina, un farmacólogo japonés sintetizó las
metanfetaminas por primera vez en 1919. Eran más potentes que
la anfetamina y más fáciles de elaborar; además, el cristalino
polvo era soluble en agua y podía ser inyectado. La metedrina,
producida en los años treinta, fue la primera metanfetamina
disponible comercialmente. En un inhalador se vendía como
broncodilatador; en píldoras, como supresor del apetito y estimulante. Cierto anuncio decía: "Nunca más te sientas abatido
ni padezcas depresión".

Las metanfetaminas fueron ampliamente utilizadas en la
Segunda Guerra Mundial por las tropas japonesas, alemanas y
estadounidenses para incrementar su resistencia y desempeño.
A partir de 1941 comenzaron a venderse formas moderadas de
metanfetaminas de libre despacho como el Philopon y el Sedrin.
Una típica frase publicitaria reza: "Combate la somnolencia e incrementa la vitalidad". Para 1948, esas drogas eran consumidas
por cinco por ciento de los muchachos de entre 16 y 25 años de
edad en Japón. Alrededor de 55 mil personas presentaban síntomas de un padecimiento que los médicos comenzaron a llamar
psicosis inducida por las metanfetaminas: se comportaban de
manera agresiva e incoherente y alucinaban. Algunas personas
se tornaban violentas. Las madres ignoraban o, en algunos casos, abusaban de sus bebés.

En 1951, la Administración de Alimentos y Medicamentos de
Estados Unidos clasificó a las metanfetaminas como sustancias
controladas. Era necesaria una receta médica para adquirirlas.
De acuerdo con un reporte publicado ese año en *Pharmacology
and Therapeutics*, las metanfetaminas eran efectivas contra "la
narcolepsia, el temblor post-encefalítico, el alcoholismo, ciertos
estados depresivos y la obesidad".

La producción ilegal se disparó, incluso del primer "arranque", derivado de las metanfetaminas que es un polvo amarillo
pálido, y la metanfetamina cristal, una forma más pura y la
primera inyectable (puede inhalarse también), a principios de los
años sesenta. Surgieron laboratorios clandestinos de metanfe-

taminas en San Francisco en 1962 y el *speed* inundó el distrito Haight Ashbury, lo cual fue un preludio de la primera epidemia nacional a mediados de la misma década. Cuando mi investigación me lleva al consultorio de David Smith en San Francisco, el médico que fundó la Clínica Libre de Haight Ashbury, éste recuerda la llegada de esta droga al vecindario:

—Antes de la llegada de las metanfetaminas ya habíamos visto aquí algunos tipos de ácidos malos, pero hasta el más malo de ellos resultó moderado. Las metanfetaminas devastaron el vecindario y enviaron chicos a las salas de emergencias y a algunos a la morgue. Las metanfetaminas pusieron fin al verano del amor.

Antes de fundar la clínica, Smith era estudiante de la escuela de medicina de la Universidad de California, en la parte alta de la colina de Haight. Cuando la sala de emergencias del hospital comenzó a llenarse de víctimas de sobredosis de esta droga, él inició la primera investigación clínica acerca de sus efectos: administró dosis bajas a ratas y todas ellas murieron de convulsiones masivas. Las ratas encerradas en la misma jaula también murieron a pesar de que se les administraron dosis menores de metanfetaminas. El efecto fue más rápido y la causa de su muerte cambió: las ratas interpretaron el comportamiento normal de apareamiento como ataque y, según recuerda Smith, "se hicieron pedazos entre sí".

En 1967, Smith bajó de la colina Parnassus para trabajar en la comunidad. (Se convirtió en presidente de la *American Association of Adiction Medicine* [Asociación Estadounidense de Medicina para las Adicciones] y ahora es director médico ejecutivo de una institución de rehabilitación en Santa Mónica.) Cuando llegó a Haight, dice:

—Me encontré con una jaula de ratas: la gente consumía *speed*, deambulaba despierta y paranoica durante toda la noche, había una insalubridad total, violencia y peligro.

Smith lanzó la primera advertencia de que "el *speed* mata" en 1968, en la época de los "arponazos de metanfetaminas" en el Palacio de Cristal, un bar. Círculos de usuarios se pasaban una jeringa entre sí.

—Recibía llamadas a las siete de la mañana, cuando el chico que había consumido más droga estaba completamente sicótico —recuerda Smith. El que compartieran las agujas originó una epidemia de hepatitis C—. Cuando les advertía a los adictos a las metanfetaminas sobre la hepatitis, me decían: 'No se preocupe. Por eso dejamos al tipo amarillo hasta el final'.

El consumo de metanfetaminas en Estados Unidos decreció, se incrementó y disminuyó una vez más desde los días iniciales de la droga de antaño. Ahora muchos expertos dicen que es más potente y persistente que nunca. A pesar de que hace algunos años se concentraban en las ciudades occidentales, las metanfetaminas se han infiltrado a través de la nación y han inundado el Medio Oeste, el sur y la Costa Este. El consumo de metanfetaminas es una epidemia en muchos estados, pero la gravedad del problema apenas ha sido reconocida en Washington, en parte por el tiempo que le ha tomado a la nueva ola de adictos inundar los hospitales, las instituciones de rehabilitación y las cárceles del país. El exjefe de la Fuerza Administrativa Antidrogas (DEA, por sus siglas en inglés), Asa Hutchinson, llamó a las metanfetaminas "el problema número uno de drogas en Estados Unidos" porque ha rebasado a la fuerza legal, a los generadores de políticas y a los sistemas de cuidado de la salud.

En el año 2006, la administración Bush provocó un furor político cuando los funcionarios de la Oficina de Política de Control Nacional de Drogas publicaron el resultado de una encuesta de la Asociación Nacional de Condados en la cual 500 funcionarios de las fuerzas legales locales declararon que las metanfetaminas son su principal problema. (La cocaína ocupaba un distante segundo lugar y la mariguana es el tercero.) En ese mismo año, el Centro Nacional de Inteligencia contra las Drogas publicó los resultados de una muestra más grande y al azar de 3 400 agencias de fuerzas antidrogas nacionalmente. Por primera vez desde que la organización comenzó a conducir la encuesta, una pluralidad (40 por ciento) consideró a las metanfetaminas como su más significativo problema en cuanto a drogas.

Entre los consumidores de metanfetaminas se encuentran hombres y mujeres de todas clases sociales, razas y antecedentes. A pesar de que la epidemia actual tiene sus raíces en bandas motorizadas y barrios rurales y urbanos de clase baja, las metanfetaminas, según reportó *Newsweek* en una historia de primera plana en el año 2005, "ha marchado a través del país y ha ascendido en la escala socioeconómica". Ahora, "la gente más probable y la más improbable consume metanfetaminas" de acuerdo con Frank Vocci, director de la división de farmacoterapias y consecuencias médicas del abuso de drogas del Instituto Nacional de Abuso de Drogas (NIDA, por sus siglas en inglés).

Internacionalmente, la Organización Internacional de la Salud estima que hay 35 millones de consumidores de metanfetaminas, comparados con 15 millones de consumidores de cocaína y siete millones de consumidores de heroína. Las variadas formas de la droga reciben distintos nombres, entre los cuales se encuentran el arranque, el cristal, la piedra, Tina, *gak*, L.A. y el vidrio, además del *speed*. Una forma particularmente devastadora, el hielo, el cual se fuma como cocaína de base libre, casi no se había visto en ciudades de Estados Unidos aparte de Honolulú, pero ahora ya llega al centro del país. Otra variedad llamada *ya ba* ("medicina loca" en tailandés) es fabricada por millones de tabletas en Myanmar, llevada de contrabando a Tailandia y de allí a la Costa Oeste de Estados Unidos, donde se vende en bares y esquinas, a veces en forma de píldoras dulces y coloridas que son ingeridas o molidas para ser fumadas.

La forma más generalizada en el país es el cristal, que con frecuencia se fabrica con ingredientes tales como el descongestionante nasal y el líquido limpiador de frenos en lo que la DEA ha llamado "laboratorios de Beavis y Butthead" en casas y cocheras. Se han descubierto laboratorios ilegítimos móviles o "cajas" en *campers* y camionetas, además de laboratorios en hoteles, en cada estado. En el año 2006, Bill Maher declaró:

—Si los estadounidenses se hacen más tontos para la ciencia, no serán capaces ni de fabricar su propio cristal metanfetamina.

Sin embargo, por ahora todo lo que se necesita es visitar Internet donde, por treinta dólares más cargos de envío, compré un grueso libro de instrucciones titulado *Secrets of Metamphetamine Manufacture (Secretos de fabricación de las metanfetaminas)*. La sexta edición revisada y aumentada del "texto clásico de la química clandestina" contiene una declaración en la portadilla: "se vende para fines informativos exclusivamente". El ejemplar incluye instrucciones detalladas para fabricar una variedad de formas y cantidades de metanfetaminas, además de algunos consejos para evadir a las fuerzas de la ley.

Los fabricantes caseros de metanfetaminas obtienen el ingrediente básico —pseudoefedrina— de las píldoras de venta libre para la gripe, lo cual ha motivado a muchos estados a tomar medidas restrictivas que incluyen limitar el número de cajas de Contac, Sidafed y Drixoral que pueden comprarse a la vez. Como resultado, se ha reportado que los fabricantes de estos medicamentos trabajan para cambiar las fórmulas de manera que ya no puedan ser utilizados para producir metanfetaminas. Mientras tanto, Wal-Mart, Target y otras tiendas ahora las colocan detrás del mostrador.

El control del suministro de píldoras para la gripe y otras fuentes de efedrina y pseudoefedrina ha tenido cierto efecto en la producción doméstica de metanfetaminas y muchos pequeños laboratorios tóxicos (STL, por sus siglas en inglés) han cerrado. Pero estos éxitos domésticos han dado pie a nuevos negocios para los cárteles de drogas mexicanos e internacionales, los cuales ahora introducen la droga de contrabando a lo largo de las rutas de la cocaína, heroína, mariguana y otras drogas. A pesar de que la droga aún se produce en cocheras, sótanos y laboratorios instalados en cocinas, la gran mayoría proviene de superlaboratorios operados por estos cárteles. *The Oregonian* publicó un artículo del reportero Steve Suo que revela que el gobierno pudo haber contenido (y aún puede hacerlo) la epidemia de las metanfetaminas. Sólo son nueve los laboratorios que fabrican la mayor parte del suministro mundial de efedrina y pseudoefedrina, pero las compañías farmacéuticas y las legislaturas influidas por ellas han detenido cualquier movimiento que hubiera podido controlar de manera efectiva la distribución de los químicos, de modo que no pudieran desviarse a los superlaboratorios de metanfetaminas. El reporte de Suo sugiere que sólo hasta que el gobierno controle a las compañías farmacéuticas, la guerra contra esta droga será una especie de broma. ¿La prueba? Los consumidores que desean conseguir metanfetaminas pueden obtenerlas casi en cualquier parte.

El gobierno sostiene que el uso general de la droga ha descendido en Estados Unidos, pero depende del punto de vista. En muchas comunidades hay más adictos y alcohólicos que nunca. De acuerdo con *Los Angeles Times*, en California, las sobredosis y otras muertes relacionadas con las drogas pronto superarán a las de accidentes automovilísticos como la causa principal de muertes en el estado. Numerosos barómetros indican un fuerte ascenso en el abuso de metanfetaminas. En muchas ciudades, las metanfetaminas se encuentran detrás del creciente número de adictos que se someten a tratamientos, que llegan a las salas de emergencias y que cometen crímenes. Del año 1993 al 2005, el número de admisiones a rehabilitación para tratamiento de adicción a las metanfetaminas ha aumentado más de cinco veces, de 25 mil a cerca de 150 mil por año, de acuerdo con James Colliver, del Instituto Nacional de Abuso de Drogas. En su reporte del año 2006, la Administración de Servicios para Abuso de Sustancias y Salud Mental reportó un incremento de admisiones a tratamiento por abuso de metanfetaminas. El crimen asciende de manera dramática en comunidades inundadas por estas drogas. En algunas ciudades, entre 80 y 100 por ciento de los crímenes están relacionados con ellas. En algunos estados, los legisladores les han atribuido el incremento en las tasas de asesinatos. En ciudades donde las metanfetaminas son el problema de drogas predominante existen altas incidencias de abuso marital y contra los hijos. De hecho, son comunes las trágicas historias acerca del abuso contra menores.

Cerca de la mitad de los consumidores de metanfetaminas y un gran porcentaje de consumidores de hielo se quiebran; es decir, en algún momento experimentan el tipo de psicosis por metanfetaminas que fue identificada por primera vez en Japón a finales de los años cuarenta. Se caracteriza por alucinaciones visuales y auditivas, paranoia intensa y una variedad de síntomas adicionales, algunos de los cuales son idénticos a la esquizofrenia. El estado de hiperansiedad del quiebre puede conducir a la agresión y la violencia; es por ello que un reporte de la policía indica lo siguiente para enfrentar a los adictos a las metanfetaminas:

"El estado más peligroso del abuso de las metanfetaminas para los consumidores, el personal médico y los oficiales de la ley se conoce como "quiebre". Un "quebrado" es un consumidor que tal vez no ha dormido en un lapso de tres a quince días y se encuentra irritable y paranoide. Con frecuencia, los quebrados se comportan o reaccionan de manera violenta... detener solo a un quebrado no es recomendable y los oficiales de la ley deben solicitar refuerzos."

El reporte incluye seis consejos de seguridad para enfrentar a un quebrado, entre los cuales se incluyen: "Mantenga una distancia de dos a tres metros. Acercarse demasiado puede percibirse como amenaza. No dirija luces brillantes hacia él. El quebrado ya está paranoide y, si usted lo ciega con una luz brillante, lo más probable es que corra o se torne violento. Un quebrado ya escucha sonidos a gran velocidad y a volumen agudo. Muévase con lentitud. Así disminuirá las probabilidades de que el quebrado malinterprete sus acciones físicas. Mantenga visibles sus manos. Si usted coloca sus manos en un sitio donde el quebrado no pueda verlas, puede sentirse amenazado y tornarse violento. Haga que el quebrado hable. Un quebrado que guarda silencio puede ser peligroso al extremo. Con frecuencia, el silencio significa que sus pensamientos paranoides han superado a la realidad y cualquier persona presente puede convertirse en parte de las alucinaciones paranoides del quebrado".

Quebrados o no, los adictos a las metanfetaminas tienen más probabilidades que los consumidores de otras drogas (con la posible excepción de los adictos al *crack*) de incurrir en conductas antisociales y criminales. Un exitoso hombre de negocios consumió la droga para trabajar más horas, se hizo adicto y asesinó a un hombre que le debía drogas y dinero. Un adicto le disparó a su esposa; otro atacó a su víctima con un garrote hasta darle muerte y otro asesinó a una pareja por un auto y 70 dólares. Una pareja, ambos miembros consumidores de metanfetaminas, golpearon, privaron de alimentos y desollaron a su sobrina de cuatro años de edad, quien murió en una tina de baño. Un hombre de Potoon Beach, Illinois, se encontraba bajo la influencia de las metanfetaminas cuando asesinó a su esposa y después se suicidó. En Portland, una mujer intoxicada con metanfetaminas fue arrestada por matar a su bebé de año y medio de edad al estrangularlo con una bufanda. En Texas, un hombre drogado con metanfetaminas, después de discutir con un amigo, lo siguió y lo asesinó con seis disparos en la cabeza. En el condado Ventura, en California, un hombre bajo la influencia de las metanfetaminas secuestró y estranguló a una mujer. También en California, una madre adicta a las metanfetaminas fue apresada por mantener a sus dos hijos encerrados en una cochera fría e infestada de cucarachas. Hace poco, un hombre de Omaha fue sentenciado a cuarenta años de prisión por asesinar al hijo de su novia después de consumir metanfetaminas. El pequeño había sido asfixiado y tenía numerosos huesos rotos. Han habido juicios en Phoenix, Denver, Chicago y el condado Riverside, en California, de madres acusadas de matar a sus bebés por alimentarlos con leche materna mientras estaban intoxicadas con metanfetaminas. La madre de Riverside, durante su juicio, declaró: "Desperté con un cadáver".

Además del crimen, las metanfetaminas causan un significativo daño ambiental en los lugares donde se produce. La fabricación de medio kilo de metanfetaminas genera tres kilos de líquidos corrosivos, vapores ácidos, metales pesados, solventes y otros materiales dañinos. Cuando estos químicos hacen contacto con la piel o son inhalados, pueden causar enfermedades, deformaciones o la muerte. Los operadores de los laboratorios casi siempre arrojan los desechos a la basura. Las implicaciones para Central Valley, en California, fuente de un gran porcentaje de las frutas y verduras de Estados Unidos —y gran parte de sus metanfetaminas— son relevantes. A principios del siglo XXI los hospitales de la zona atendieron a muchos niños, con frecuencia inmigrantes indocumentados, por padecimientos relacionados con los químicos derivados de la producción de metanfetaminas. Como me comentó un agente del FBI en ese sitio: "Millones de kilos de químicos tóxicos van a los fruteros de Estados Unidos. Los químicos alcanzan niveles alarmantes en muestras de agua subterránea".

Los efectos de consumir metanfetaminas en la salud son desastrosos. Las metanfetaminas llevan a más personas a las salas de emergencias que cualquier otra droga recreativa, incluso el éxtasis, la ketamina y la GHB combinadas. (Y en unas pruebas de laboratorio realizadas por la Universidad de California en Los Ángeles, ocho de cada diez píldoras vendidas como éxtasis en bares de esa ciudad contenían metanfetaminas.) Aquellas personas que no lleguen a la sobredosis aún pueden morir a causa de ellas. Las metanfetaminas causan o contribuyen a los accidentes fatales y los suicidios. Después de realizar una encuesta sobre tendencias suicidas en consumidores de drogas, el psiquiatra Tom Newton, investigador de la UCLA, concluyó que "las metanfetaminas son una potente droga que induce una depresión tan severa que puede hacer que la gente desee suicidarse".

Muchos otros riesgos de salud se relacionan con el abuso crónico de metanfetaminas. Un médico que trabaja en una sala de emergencias de San Francisco me comentó sobre la ola de adictos a las metanfetaminas que llegan con las aortas rotas o destrozadas. Algunos adictos pueden arrojar pedazos del tejido que cubre sus pulmones. Muchos adictos a las metanfetaminas pierden los dientes. El uso crónico de metanfetaminas puede causar una disfunción cognitiva parecida al Mal de Parkinson que incluye el deterioro de la memoria y las facultades mentales, además de un daño físico que puede llegar a la parálisis, lo cual resulta en infartos cerebrales inducidos por las metanfetaminas. Consumir la droga una sola vez puede ser fatal. Puede ocasionar que la temperatura corporal se eleve mucho y provoque convulsiones letales, muerte por hipertermia, "muerte súbita por arritmia", que es cuando el corazón deja de latir de manera funcional, o aneurismas fatales. Es más probable que las condiciones serias o fatales ocurran debido los extensos periodos de actividad que realizan los consumidores. Los consumidores de metanfetaminas suelen dejar de dormir y comer durante varios días. Se ha demostrado que la combinación de la droga con la fatiga contribuye a la paranoia y la agresividad. El ciclo tiende a implicar problemas físicos, psicológicos y sociales, y todos los anteriores pueden exacerbarse por los problemas mentales existentes, que son comunes entre los consumidores.

Nic ha consumido metanfetaminas. A pesar de sus protestas y promesas, yo incremento mis súplicas de que se someta a rehabilitación, pero él no cede. Ya aprendí que, ahora que es mayor de 18 años de edad, no puedo someterlo. Si él representara una amenaza para sí mismo o para alguna otra persona, existe un complicado proceso a través del cual yo podría someterlo a una breve evaluación en un hospital mental, pero un padre preocupado por el consumo de drogas de su hijo no califica para tal efecto. Si hubiera sabido que ocurriría esto, hubiera obligado a Nic a someterse a rehabilitación cuando aún podía tomar la decisión por él. No hay manera de saber si eso hubiera sido útil; tal vez Nic no hubiera estado listo para recibir el mensaje de la rehabilitación, pero al menos yo hubiera podido detener su avance. Ahora él tiene que acudir por su propia voluntad.

Nic duerme casi hasta veinte horas al día durante los siguientes tres días, después de los cuales está deprimido y distante. Enseguida, sin previo aviso, una fría mañana de primavera, Nic desaparece de nuevo.

10

Sin Nic, quien se llevó nuestro viejo auto, de nuevo vuelvo a llamar a las salas de emergencias de los hospitales. Llamo una vez más a la policía para averiguar si ha sido arrestado. Cuando explico que mi hijo ha desaparecido, un policía, después de darme el número telefónico de la cárcel, me dice que, si Nic aparece de nuevo, debo enviarlo a un campamento militar. En ese tipo de campamentos despiertan a los chicos a mitad de la noche, los atan de manos o piernas y los someten por medio de la fuerza a la disciplina imperante. He leído al respecto de uno de ellos, un campamento militar en Arizona, cerca de la casa de mis padres. Un chico murió allí el verano pasado. En el campamento militar los chicos fueron golpeados, pateados, encadenados y privados de alimentos y agua en el desierto, a una temperatura superior a los 45°C.

Platico con otros padres, quienes me dan sus versiones al respecto y me bombardean con sus consejos, muchos de los cuales me resultan familiares y otros me parecen contradictorios. Una vez más, uno de ellos me dice que, si Nic aparece, debo correrlo de la casa. No me parece prudente porque sé a dónde iría: a las casas carentes de supervisión de sus amigos o tal vez a los sórdidos y peligrosos lares de sus traficantes de drogas. Eso sería todo. Cualquier esperanza estaría perdida. Una madre me recomienda una escuela de reclusión donde mantuvo a su hija durante dos años.

Nic ha estado seis días fuera de casa y mi desesperación raya en locura. Nunca había experimentado una pena como ésta. Invierto horas frenéticas en Internet leyendo historias terribles de chicos que consumen drogas. Llamo a padres que conocen a padres que han vivido casos similares. Una y otra vez intento comprender qué significan las drogas para Nic. Él me dijo en una ocasión:

—Todo escritor y artista que amo fue alcohólico o adicto.

Sé que Nic consume drogas porque se siente más inteligente y menos introvertido e inseguro, y también tiene la idea falaz y peligrosa de que la disipación conduce al arte más excelso, como en los casos de Hemingway, Hendrix o Basquiat.

En su nota suicida, Kurt Cobain escribió: "Es mejor consumirse que desaparecer". Él citaba una canción de Neil Young acerca de Johnny Rotten de los Sex Pistols. Cuando yo tenía 24 años de edad entrevisté a John Lennon y le pregunté acerca de este sentir, mismo que está presente en el *rock and roll*. Él era una fuerte y notable excepción al respecto.

—Es mejor desaparecer como un viejo soldado que consumirse —me dijo—. Venero a la gente que sobrevive. Prefiero a los vivos y sanos.

Los vivos y sanos.

No sé si mi hijo pueda ser uno de ellos.

De alguna manera conservo el aplomo frente a Jasper y Daisy. No me permito desfallecer pues no quiero preocuparlos más de la cuenta. Con los chicos, Karen y yo reconocemos que estamos preocupados por Nic y, al hacerlo, intentamos alcanzar un delicado equilibrio. No queremos asustarlos, pero tampoco queremos fingir que todo está bien cuando ellos saben que no es así. ¿Cómo podrían no saberlo? Estoy convencido de que el hecho de no reconocer esta crisis sería más confuso y dañino que la verdad.

Sin embargo, cuando estoy a solas lloro como no había vuelto a llorar desde que era niño. Nic solía burlarse de mi incapacidad para llorar. En las raras ocasiones en que las lágrimas humedecían mis ojos, él hacía bromas acerca de mis "lágrimas constipadas". Ahora las lágrimas se presentan en momentos inesperados y por razones injustificadas, y fluyen con ferocidad. Me asustan mucho. Me asusta el hecho de estar tan perdido, vulnerable, fuera de control y temeroso.

Llamo a Vicki. Nuestra acrimonia después del divorcio se ha hecho a un lado debido a nuestra preocupación conjunta por Nic. Me alivia darme cuenta no de lo que nos separa, sino de lo que nos une. Ambos amamos a Nic como sólo los padres aman a sus hijos. No es que Karen o el padrastro de Nic no estén preocupados por él, pero en largas conversaciones en las cuales nadie más puede participar, su madre y yo compartimos una calidad particular de preocupación, misma que es aguda y visceral.

Mientras tanto, Karen y yo intercambiamos roles. Cuando yo desfallezco, ella me proporciona seguridad.

—Nic estará bien.

—¿Cómo lo sabes?

—Sólo lo sé. Él es un chico inteligente. Tiene buen corazón.

Después Karen pierde la fe y yo la consuelo.

—Todo está bien —le dijo—. Sólo es que Nic está confundido. Lo resolveremos. Él regresará.

Y así es.

Una apacible, fría y gris tarde, una semana después, Nic llega a casa. Como cuando fui a buscarlo al callejón en San Rafael, está débil, frágil y tembloroso, un espectro al cual me cuesta trabajo reconocer.

Sólo lo miro parado en el quicio de la puerta.

—¡Oh, Nic! —exclamo.

Lo observo y después lo conduzco del brazo hasta su habitación donde, aún vestido, se acuesta en su cama y se cubre con un edredón. Agradezco que nadie más esté en casa porque así no tengo que dar explicaciones.

Contemplo a mi hijo.

Si todas las terapias no sirvieron, ¿entonces qué? Rehabilitación. No hay más.

—Nic, tienes que someterte a rehabilitación. Tienes que hacerlo.

Él murmura algo y se queda dormido.

Sé que debo hacer todo lo posible por inscribirlo a un programa de rehabilitación. Llamo a consejeros y a otros especialistas para pedirles sus recomendaciones. Ahora, el terapeuta de Nic está de acuerdo en que la rehabilitación es esencial y localiza a algunos de sus colegas especializados en adicción al alcohol y a las drogas. Mis amigos llaman a sus amigos que han vivido experiencias similares.

Nic duerme.

Llamo a las instituciones que me recomendaron en esta área y pregunto sus índices de éxito en tratamientos para consumidores de metanfetaminas. Estas conversaciones me proporcionan mis primeras nociones de lo que debe ser el campo más caótico y convulsivo del cuidado de la salud en Estados Unidos. Se me informa un rango de entre 25 y 85 por ciento de éxito, pero un consejero sobre drogas y alcohol involucrado con muchos de estos programas me indica que esas cantidades no son confiables.

—Incluso los números más conservadores son demasiado optimistas —me dice—. Sólo alrededor de 17 por ciento de las personas que se someten a estos programas permanecen sobrias después de un año.

Es probable que una enfermera certificada de un hospital en el norte de California sea la más precisa al indicarme el porcentaje de adictos a las metanfetaminas que ha logrado recuperarse.

—El porcentaje verdadero es de un solo dígito —asegura—. Cualquiera que prometa más, miente.

Mientras más aprendo acerca de la industria de la rehabilitación, más desorganizada me parece. Algunos de los programas de rehabilitación más publicitados y caros no son efectivos.

Muchas instituciones de este tipo aplican programas unitarios para todos los casos. Tanto privadas como públicas, algunas instituciones apenas son útiles en lo que se refiere al tratamiento de adictos a las metanfetaminas de acuerdo con Richard Rawson, director asociado de los Programas Integrales para el Abuso de Sustancias en la UCLA, quien les llama "los Earl Scheib de la rehabilitación. La pintura nunca dura".

El doctor Rawson no sugiere que muchos programas carezcan de componentes útiles. Tienden a basarse en los principios de Alcohólicos Anónimos, los cuales parecen ser esenciales para permanecer sobrios tanto para alcohólicos como para adictos, sin importar el tipo de droga. Además de lo anterior, estos programas ofrecen terapias rudimentarias psicológica, conductual y cognitivamente. Muchos de ellos incluyen conferencias, sesiones de terapia individual, tareas que implican severas consecuencias para quien no las cumpla y terapias de grupo de confrontación y confesión, incluso para pacientes renuentes que se resisten a las bondades del tratamiento. (De acuerdo con los consejeros sobre alcohol y drogas en esos programas, la resistencia significa negación y la negación conduce a la reincidencia.) Algunos programas ofrecen entrenamiento en habilidades para la vida, como redacción de currícula personal, ejercicio, sesiones grupales e individuales con los familiares, y consultas con médicos y psiquiatras, quienes pueden prescribir determinados medicamentos. Algunas instituciones ofrecen masajes y consultas sobre nutrición. Ciertos programas para pacientes externos agregan una técnica relativamente nueva llamada manejo de contingencias, un sistema de recompensas por la abstinencia. Sin embargo, sin estándares basados en protocolos demostrados, con frecuencia los pacientes son sometidos a las filosofías particulares de los directores de programas, algunos de los cuales no más tienen certificaciones oficiales que su propia adicción pasada.

—Tener seis hijos no te convierte en un buen gineco-obstetra —dice Walter Ling, neurólogo y director del programa de la UCLA.

Incluso las instituciones de rehabilitación comandadas por médicos y clínicos entrenados aplican un amplio rango de tratamientos, muchos de ellos experimentales. Lo más importante es que muchos de los programas no toman en cuenta las condiciones específicas de las metanfetaminas, la cual es, según algunos expertos, la adicción más difícil de tratar. Pero, ¿qué más puedo intentar?

Elijo un lugar muy recomendado en Oakland llamado Thunder Road y hago una cita. Me preparo para realizar lo más difícil que nunca imaginé que haría y utilizo lo que queda de mi casi extinta influencia para lograr que Nic venga conmigo: amenazar con correrlo de la casa y retirarle todo mi apoyo. El hecho de que hable en serio, dado que estoy convencido de que ésa es su única esperanza, no lo hace más fácil.

A la mañana siguiente, mientras Jasper y Daisy están en la escuela, entro a la habitación de Nic; él duerme profundamente, con el rostro relajado y apacible. Un niño dormido. Después, mientras lo miro, él se sobresalta, hace gestos horribles y rechina los dientes. Lo despierto y le digo a dónde iremos. Él enfurece.

—¡De ninguna manera!

—Vámonos, Nic, terminemos con esto —suplico.

Él se levanta y se alisa el cabello hacia atrás con mano temblorosa. Incluso se sujeta al marco de la puerta en busca de apoyo.

—Dije que de ninguna manera. —Nic balbucea y sus movimientos son titubeantes.

—Así están las cosas, Nic —digo con firmeza aunque mi voz tiembla—. Iremos. No es una elección.

—No puedes obligarme. ¿Qué chingados?

—Si quieres vivir aquí, si quieres que te ayude, si quieres que pague tu universidad, si quieres vernos... —lo miro y agrego—: Nic, ¿quieres morir? ¿De eso se trata todo esto?

Él patea la pared, azota los puños en la mesa y llora. Con tristeza, le digo:

—Vámonos.

Él se resiste un poco más, pero me sigue hasta el auto.

PARTE III

No importa

Estás a salvo, recuerdo haberle murmurado a Quintana cuando la vi por primera vez en el quirófano de la UCLA. *Estoy aquí. Estarás bien.* Le habían rasurado la mitad del cráneo para la cirugía. Pude ver la larga cortada y las grapas de metal que la mantenían cerrada. Ella respiraba de nuevo a través de un tubo endotraqueal. Estoy aquí. *Todo está bien...* Yo cuidaría de ella. Todo estaría bien. También se me ocurrió que ésa era una promesa que no podría cumplir. No siempre podría cuidar de ella. No podría no abandonarla nunca. Ella ya no era una niña. Era un adulto. Sucedieron cosas en la vida que las madres no pudieron evitar o corregir.

JOAN DIDION *THE YEAR OF MAGICAL THINKING*
(EL AÑO DEL PENSAMIENTO MÁGICO)

11

Conduzco el viejo Volvo color azul desteñido, destartalado por el aire salino de la costa y abollado por las desventuras de Nic. Huele a sus cigarros. Éste es el auto que se llevó. Nic se balancea como muñeco de trapo y está apoyado contra la portezuela de su lado, tan lejos de mí como le es posible.

Ninguno de los dos habla.

La guitarra eléctrica de Nic, de color amarillo como la mantequilla y con una guarda negra, está en el asiento trasero. Otra reminiscencia de su huida está allí también: un *bong* tallado fabricado con un recipiente de vidrio y el tallo de una pipa. Más:

una linterna, una copia de Rimbaud con la portada arrancada, pantalones de mezclilla sucios, media botella de Gatorade, *El guardián de la bahía*, su chamarra de bombero de piel, botellas vacías de cerveza, cintas de audio y un sándwich viejo.

Nic intenta varias veces hacerme cambiar de opinión.

—Esto es estúpido —es su débil alegato—. Sé que la cagué. Aprendí mi lección.

Yo no respondo.

—No puedo hacer esto —me dice—. No lo haré. —Se torna lívido. Con la mirada fija en mí, agrega—: Me escaparé.

Nic se comporta de manera desdeñosa y condescendiente, casi salvaje.

—¿Crees que me conoces bien? No sabes nada sobre mí. Siempre has intentado controlarme.

Nic grita hasta que se le quiebra la voz. En medio de su arranque, cuando noto su manera imprecisa de hablar, me doy cuenta de que está drogado. Otra vez. Todavía.

—¿Qué droga te metiste hoy, Nic?

Hay incomprensión en el tono de mi voz. Un furioso murmullo escapa de sus labios.

—Vete a la chingada.

Yo volteo a mirarlo y observo con detenimiento su rostro inexpresivo. Nic tiene muchas de las atractivas facciones de su madre. Como ella, él es alto y delgado, y sus labios y nariz son finos. Nic solía tener un hermoso cabello, como el de ella, antes de que se le oscureciera al crecer. A pesar de ello, a veces he mirado su cara y es como si me viera en un espejo. No sólo he detectado semejanzas físicas, sino que me veo oculto en sus ojos, en sus expresiones. Eso me sorprende. Tal vez todos los hijos al crecer se apoderan de los gestos y maneras de sus padres y se hacen más como ellos. Ahora veo a mi padre en detalles míos que nunca percibí cuando era más joven. No obstante, en el auto veo a un extraño. Un extraño al cual, sin embargo, conozco a la perfección. Recuerdo sus ojos dulces cuando siente júbilo o cuando está decepcionado, su rostro pálido a causa de una enfermedad o tostado por el sol, su boca e incluso cada uno de sus dientes por las visitas al dentista y al ortodoncista, sus rodillas cuando se las lastimó y lo curé, sus hombros al ponerle bloqueador solar, sus pies al extraerles astillas. Cada parte de él. Conozco cada parte de él por cuidarlo, vivir con él y estar cerca de él; sin embargo, de camino hacia Oakland, contemplo su soberbia, su enojo, su distancia, su disipación y su agitación, y pregunto para mis adentros: ¿quién eres tú?

Me estaciono frente a la institución de rehabilitación de Oakland y pasamos por las puertas de vidrio hacia una austera sala de espera. Mientras informo a la recepcionista que tenemos una cita, Nic está de pie detrás de mí con postura beligerante y los brazos cruzados a la altura del pecho.

La recepcionista nos indica que debemos esperar.

Una consejera de ojos negros y cabello atado en una larga cola de caballo sale y se presenta con nosotros, primero con Nic y después conmigo. Nic la recibe con un gruñido. De acuerdo con sus instrucciones, Nic la sigue hacia otra sala. Está jorobado. Sus pies apenas le permiten avanzar.

Hojeo una vieja revista *People* y, casi una hora después, sale la consejera y dice que quiere hablar conmigo a solas. Nic, con irritación evidente, toma mi lugar en la sala de espera. Yo sigo a la mujer hasta una pequeña oficina con un escritorio de metal, dos sillas y una pecera mohosa.

—Su hijo está en serios problemas —me dice—. Necesita tratamiento. Podría morir a causa de todas las drogas que consume.

—¿Qué puedo...

—A sus 18 años de edad consume y mezcla más drogas que mucha gente de más edad. Su actitud es peligrosa pues no comprende que está en problemas. Se enorgullece de su resistencia y la utiliza como insignia de honor. Este programa no es adecuado para él. Está a punto de rebasar el límite de edad y, en este momento, se resistirá al tratamiento. Lo vemos todo el tiempo. Está en estado de negación. Es típico de los adictos, quienes aseguran y creen que todo está bien, que pueden detenerse cuando lo deseen, que todos los demás tienen problemas pero ellos no, que están bien incluso cuando terminan por perderlo todo, incluso cuando viven en las calles, incluso cuando acaban en la cárcel o en el hospital.

—Entonces, ¿qué...

—Nic tiene que someterse a un tratamiento de inmediato, sin importar lo que cueste. No aquí, pero en algún otro sitio.

Ella me recomienda otros programas. En su tono de voz y en su expresión sombría detecto que no guarda grandes esperanzas.

De camino a casa, la tensión en el auto crece y explota. Por fin, Nic grita:

—Esto es una mierda.

Pienso que podría salirse del auto mientras acelero en la autopista.

—*Es* una mierda —respondo—. Si quieres matarte, tal vez debería dejarte hacerlo.

—Es mi vida —exclama con amargura. Nic grita fuera de control y de manera histérica mientras golpea el tablero con los puños y lo patea con sus botas.

Nos estacionamos afuera de la casa, pero con Jasper y Daisy en ella no permito que Nic entre, así que me quedo sentado con él en el auto durante media hora más hasta que queda exhausto. Nic está distante, somnoliento por las drogas y por el derroche de ira; su respiración se tranquiliza y después, por fin, cae en un sueño profundo. Lo dejo en el auto y regreso a verlo con frecuencia. *¿Vendrás a verme cada quince minutos?* Después de un rato, Nic entra a hurtadillas a la casa y se dirige hacia su habitación. Jasper y Daisy observan en silencio cómo el letárgico cuerpo de su hermano atraviesa la sala.

Tengo que encontrar un programa que lo acepte de inmediato. Antes de perderlo.

෯ ෯

Con Nic dormido en su habitación me reúno con los chicos y les explico, en la medida de mis posibilidades, que Nic consume drogas otra vez y que está enfermo. Les digo que intento encontrar un hospital o un programa de rehabilitación para adictos que pueda ayudarle. Les digo que los niños que tienen hermanos, hermanas o padres que padecen un problema de adicción a veces sienten que es su culpa.

—No es culpa de ustedes. Lo prometo.

Ellos me miran con tristeza y sin poder comprenderme.

—Nic tiene un problema muy serio, pero le proporcionaremos la ayuda que necesita. Con ayuda estará bien.

Nic se sumerge y emerge de un tormentoso sueño a medias y yo llamo a más programas de rehabilitación. Uno de ellos, el Ohlhoff Recovery House, en San Francisco, tiene un lugar disponible. Ese programa tiene muy buena reputación y es recomendado por muchos expertos de la zona de la bahía. La amiga de un amigo me dijo que ese programa transformó la vida de su hijo, adicto a la heroína.

—Ahora vive en Florida —me dijo—. Tiene su propia familia. Tiene un trabajo que adora y, en su tiempo libre, ofrece su ayuda voluntaria a jóvenes con problemas de drogas.

Los padres de adictos vivimos de historias motivantes como ésta.

Cuando Nic despierta le digo que he encontrado un programa en la ciudad. De mal talante, él acepta someterse a una nueva evaluación y me sigue, molesto, al auto.

Ohlhoff Recovery se localiza en una firme aunque antigua mansión victoriana con tres pisos, una cúpula central y un agradable recibidor con páneles de madera donde espero mientras Nic entra a una entrevista, esta vez con la directora del programa primario de 28 días. Primario como en la escuela primaria; es el paso inicial hacia la rehabilitación y la recuperación.

Después de la sesión me llaman a la austera sala y tomo asiento en la silla vacía. Nic y yo estamos frente a la directora, quien ocupa un asiento detrás de un escritorio de madera. Por sus modales y por la fatiga reflejada en sus ojos deduzco que Nic se ha comportado tan beligerante con ella como con la consejera en Thunder Road, pero esta mujer parece menos perturbada y comienza:

—Nic no reconoce que es adicto.

—Porque no lo soy.

Con determinación, la directora continúa:

—Y dice que viene al tratamiento sólo porque usted lo obliga.

—Lo sé —respondo.

—Pero está bien. Mucha gente no viene aquí por su voluntad. Esa gente tiene tantas oportunidades de alcanzar y conservar la sobriedad como los individuos que se arrastran hasta aquí y suplican que se les atienda.

Yo respondo con un "de acuerdo" y Nic me mira con rencor.

—Lo registraremos por la mañana para nuestro programa de 28 días.

Nic se refugia en su habitación durante la cena. A Jasper y Daisy les decimos que Nic ingresará a un programa de tratamiento por la mañana y que está asustado.

Voy a la habitación de los chicos después de que Karen les ha leído un cuento para dormir.

—Lamento mucho que tengan que vivir esto con Nic —les digo por enésima vez. ¿De qué otra manera puedo ayudarlos?—. Es muy triste que tengamos este problema en nuestra familia. Espero que hablen al respecto con sus maestros y amigos en la escuela, al menos si así lo desean. Si tienen preguntas o algo les preocupa, siempre pueden acudir a mamá o a mí.

Jasper asiente, solemne. Daisy está inmóvil. Ella comienza a leer una historieta de Garfield y Jasper se la arrebata. Ella, a su vez, vuelve a arrebatársela y Jasper la empuja. Ambos lloran.

Por la mañana, mientras conduzco hacia la ciudad, Nic aún parece iracundo pero desahogado. Apenas pronuncia palabra. Es un prisionero condenado, resignado y petrificado que contiene sus lágrimas.

Estaciono el auto frente a la vieja mansión y camino con Nic, quien carga un morral lleno de ropa. Oculto debajo de su desgastada camiseta y sus viejos pantalones de mezclilla, con la cabeza baja, Nic tiembla. Subimos por los escalones y pasamos entre un grupo de adictos al tabaco; al menos presumo que son los adictos residentes del programa reunidos en la escalera frontal. Yo también tiemblo. Al notar el equipaje de Nic y sus miradas aprensivas y furtivas, algunos de los sujetos se dirigen a él.

—Hey.

—Hola.

—Bienvenido al manicomio.

Nic se reúne con la directora del programa en la misma sala de páneles de madera y recibe una hoja de papel:

"Yo, quien firma al calce, por este medio solicito mi admisión al Programa de Recuperación de Alcohol y Químicos", etcétera.

Él firma.

En el vestíbulo, la directora, de pie y con Nic a su lado, me dice:

—Deben despedirse ahora. Están prohibidas las llamadas telefónicas durante la primera semana.

Giro hacia Nic, nos abrazamos con torpeza y después me marcho.

Ya afuera siento una casi olvidada sensación de gozo con el aire frío pero, de camino a casa, siento como si fuera a derrumbarme a causa de las emociones, muchas más de las que puedo soportar. Sé que soy incongruente, pero siento como si hubiera traicionado, abandonado, entregado a Nic; sin embargo, encuentro

cierto consuelo en el hecho de que sé dónde está. Por primera vez
en varias semanas duermo la noche completa.

A la siguiente mañana entro en su habitación y abro las
persianas y la ventana que mira hacia el jardín. La sombría
habitación roja está atestada de libros, lienzos a medio pintar,
ropa sucia, bocinas enormes y, sobre la cama, la guitarra amarilla. Los dibujos agudos de Nic de alargadas figuras femeninas
y masculinas, con los cuerpos en contorsiones grotescas, están
pegados en la pared. La habitación tiene el olor de Nic, no el
dulce olor de infancia que alguna vez tuvo, sino un olor saturado de incienso y mariguana, cigarros y loción para después de
afeitar, tal vez ciertos rasgos de amoniaco o formaldehído, el olor
residual después de quemar metanfetaminas. Huele a espíritu
adolescente.

Karen me observa mientras reviso su ropero y los cajones de
su escritorio y reúno su arsenal oculto: el *bong* de vidrio, una
pipa de vidrio soplado, papeles de cigarro, los trozos de un espejo
roto, navajas de filo recto, botellas y encendedores Bic vacíos.
Coloco todo en una bolsa de plástico negro para desperdicios, la
llevo fuera de mi casa y la arrojo al bote de basura.

Durante los siguientes días, la ola de consejos de amigos y
de amigos de amigos continúa. Un amigo de Karen, cuando se
entera de que Nic está en rehabilitación, pregunta:

—¿Por cuánto tiempo?

Karen le explica que es un programa de cuatro semanas. Su
amigo mueve la cabeza.

—No es suficiente.

—¿Qué quieres decir?

Él le cuenta la historia de su hijo, quien se había sometido
a dos programas de cuatro semanas antes de que lo enviaran
a otro que dura un año. Aún combina la rehabilitación con el
bachillerato. Tiene 17 años de edad, así que pudieron obligarlo
a asistir. El amigo de Karen dice:

—Incluso con un año de tratamiento no sabemos si será lo
bastante largo.

Otro amigo nos dice que la rehabilitación fue una opción errónea y que lo que Nic necesitaba era asistir a un campamento de Outward Bound. Algunas personas creen en la terapia y otras la aborrecen. En mi opinión, los psicólogos y psiquiatras que atendieron a Nic durante varios años me proporcionaron útiles consejos y apoyo y quizá le ayudaron a él pero, a pesar de sus impecables credenciales y obvia dedicación a su trabajo, casi todos los profesionales que consultamos carecían de experiencia en cuanto a las drogas y no pudieron diagnosticar la adicción a tiempo. Todo el mundo tiene una opinión y la ola de consejos bienintencionados es interminable. Karen y yo escuchamos con atención. A pesar de que hacemos caso omiso de la mayoría de ellos, agradecemos la preocupación de la gente.

La madre de un compeñero de escuela de Jasper y Daisy nos habla para recomendarnos un especialista local, diciendonos que éste ayudó un amigo más de lo que pudo hacerlo cualquier otro especialista. Por alguna razón tomamos su consejo y hacemos una cita para verlo.

La oficina del terapeuta está escaleras arriba de una tienda de suministros artísticos en San Anselmo. Es modesta y está compartida con un terapeuta de parejas, menos formal que los consultorios de los psicólogos que hemos conocido. Parece como si hubiéramos acudido a cada consejero, psicólogo y psiquiatra en el área de la bahía de San Francisco, donde una persona de cada tres dice ser terapeuta de algún tipo. ¿Qué dice lo anterior acerca de nosotros? Scott Peck dijo que la gente más sana y la más enferma acude a terapia. ¿De qué tipo seremos nosotros?

El médico esboza una sonrisa tranquila en su arrugado rostro. Es calvo y viste una camisa de cuello abierto bajo una chamarra de lana. Parece sólido, gentil y empático; con base en su apariencia, modales, voz y mirada suaves, comprendemos que conoce nuestra pena porque la ha vivido.

Le contamos todo acerca de Nic y le explicamos que está en rehabilitación en Ohlhoff Recovery. Le decimos que nos sentimos inseguros de haber hecho lo correcto. Expresamos nuestra

preocupación por Jasper y Daisy, y confesamos que no tenemos
ni idea de lo que haremos una vez que el programa finalice.

Para nuestra sorpresa no tiene muchos consejos para ofre-
cernos, al menos no acerca de ayudar a Nic a pesar de que apoya
nuestra decisión de tenerlo en rehabilitación. Su asesoría, en su
mayor parte, se dirige a nosotros.

—Cuídense a sí mismos —nos dice—. Presten atención a su
matrimonio. Los matrimonios pueden destruirse cuando uno de
los hijos es adicto a las drogas.

El terapeuta dice que no podemos ni debemos decidir qué
haremos cuando finalice el programa pues muchas cosas suce-
derán en el ínterin.

—Tómenlo un día a la vez.

El cliché funciona, nos dice.

Más tarde, durante la sesión, el terapeuta se inclina hacia el
frente y nos habla con absoluta franqueza.

—Organicen una cita para estar juntos.

—Sí lo hacemos —replica Karen con sequedad—. Ésta es
nuestra cita.

Ella y yo nos miramos y compartimos la ironía. Es verdad
que no hemos estado a solas en mucho tiempo. Traumatizados,
hemos deseado permanecer cerca de casa y nos hemos sentido
ansiosos ante la perspectiva de dejar a los chicos. Esa tarde por
fin los dejamos en casa de Don y Nancy.

El terapeuta nos pregunta si hemos asistido a Al-Anón. Respondo que no.

—Pensé que Al-Anón era para... —mi voz se desvanece. Él
responde:

—Vale la pena intentarlo.

Tal vez el teléfono esté prohibido, pero en su tercer día en Ohlhoff
Nic se las arregla para llamarme y suplicarme que le permita regresar a casa. Cuando me niego, él azota el auricular. Preocupado, le llamo a la consejera que le han asignado. Ella reporta que

el comportamiento de Nic es brusco, depresivo y confrontante, además de que amenaza con escapar.

—Pero todos inician así, casi siempre —me dice.

—¿Qué sucederá si escapa?

—No podemos impedírselo. Es un adulto.

Karen y yo tenemos una serie de sesiones con el consejero sobre alcohol y drogas. Él es muy bueno para escuchar, que tal vez sea lo que más necesitamos en este momento, pero no sólo eso. Él nos ayuda a tener claro lo que podemos y no podemos hacer por Nic. Nos dice que lo más difícil de tener un hijo adicto a las drogas es que no podemos controlarlo. No podemos salvar a Nic.

—Pueden apoyar su recuperación, pero no pueden hacerla por él —nos dice—. Intentamos salvarlos. Los padres lo intentan. Eso es lo que hacen los padres.

Nos comenta las tres C de Al-Anón: Ustedes no la Causaron, no pueden Controlarla, no pueden Curarla.

Cada vez que salimos de su consultorio, el terapeuta nos recuerda:

—Sean aliados. Recuerden: cuídense a sí mismos. No le servirán a nadie más (sus hijos, su pareja) si no lo hacen.

᷐᷐᷐

Ahora que Nic está a salvo, por el momento, trabajo más. Uno de mis entrevistados es un drogadicto en recuperación y también padre de un adicto. Le digo que apenas acabo de meter a mi hijo a rehabilitación. Él dice:

—Que Dios te bendiga. Ya lo he vivido. Es un infierno. Pero él está en manos de Dios.

Esto me sorprende. Menciono que mi familia nunca creyó en Dios.

—Desearía creer —le digo—. Desearía poner este problema en las manos de alguien más. Alguien benévolo y poderoso. Pero no somos creyentes.

—Creerás en Dios antes de que esto termine —asegura.

Llamo a la consejera de Nic en Ohlhoff. Estoy seguro de que ella intenta poner su mejor cara ante la situación pero parece desmotivada. Me dice:

—Las metanfetaminas son particularmente engañosas. Son las drogas del mismísimo diablo. Es terrible lo que les causa. —Después de una pausa, agrega—: Sin embargo, aún es demasiado pronto.

Ésta no es la primera vez que me dicen que las metanfetaminas son peores que casi cualquier otra droga. Para conocer la razón continúo con mi investigación y viajo para conocer a otros investigadores que estudian las metanfetaminas. Ellos me explican que, con frecuencia, los consumidores de estas drogas exageran su uso e incrementan las dosis en un intento por recrear el efecto excitante inicial; pero, para los adictos a las metanfetaminas, con la disminución de casi 90 por ciento de la dopamina del cerebro, esto ya no es posible. Como con muchas drogas, la deficiencia de dopamina causa depresión y ansiedad pero por lo regular este fenómeno es más frecuente con las metanfetaminas. Lo anterior provoca que el adicto consuma más droga y se genere más daño a nivel del sistema nervioso, lo cual incrementa la compulsión por consumir. Éste es un ciclo que conduce tanto a la adicción como a la reincidencia. Muchos investigadores sostienen que la neurotoxicidad única de esta droga significa que los adictos a las metanfetaminas, a diferencia de las demás drogas, tal vez nunca se recuperen por completo. Para mí, como es obvio, ésta es una conclusión devastadora que inyecta más urgencia a mi investigación.

La administración Clinton reservó varios millones de dólares para la investigación de tratamientos contra las metanfetaminas cuando la epidemia comenzaba a extenderse; los adictos a dichas drogas tenían un índice tan alto de reincidencias que resultaba inaceptable, además de un índice demasiado bajo de retención en los programas disponibles. Una de las metas de la investigación era determinar si el cerebro de los adictos estaba

dañado de manera irreparable. De ser así, como sucede con el
Mal de Parkinson, lo mejor que podía hacerse era tratar los síntomas o tal vez detener un poco la degeneración. La recuperación
total quizá sería imposible.

En 1987, la Sociedad para una América Libre de Drogas
lanzó la campaña antidrogas "Éste es tu cerebro drogado". Pero
el cerebro humano con metanfetaminas no parece un huevo estrellado. Parece más como el cielo nocturno de Bagdad durante
las primeras semanas de la guerra. Al menos esa impresión me
dio en la pantalla de la computadora de Edythe London, una far-
macóloga por entrenamiento, quien es profesora de psiquiatría
y ciencias del comportamiento en la Escuela de Medicina David
Geffen en la UCLA.

Cuando estaba por graduarse de la universidad, la doctora
London realizó una prueba que le indicó que tenía aptitudes para
la ilustración médica. De cierta manera y a través de las tecnolo-
gías de imágenes cerebrales funcionales, ella hace justo eso. En
el año 2000, London creó imágenes del cerebro de 16 consumidores de metanfetaminas. Como la mayoría de los adictos a las
metanfetaminas cuando dejan de consumir la droga, sus sujetos
de estudio durmieron en el hospital durante dos días después de
ser admitidos. Varios días después de que despertaron, London
utilizó tomografías de emisión de positrones (PET) para estudiar
sus cerebros. Los PET registran la actividad cerebral al medir el
flujo de sangre y las reacciones bioquímicas a través de los movimientos y concentraciones de los buscadores radiactivos. Los
resultados son imágenes de la función del cerebro humano y la
actividad medible que puede relacionarse con las emociones. Según el compuesto o marcador utilizado en la prueba, un estudio
puede registrar la actividad general en el cerebro o la actividad
de un neurotransmisor en específico. Al estudiar a los adictos a
las metanfetaminas, la meta de la doctora London era aprender
más acerca del estado cerebral de dichos individuos en las etapas iniciales de la abstinencia. Es decir, ¿qué forma tenían al
ingresar a rehabilitación por primera vez?

La doctora London es una mujer de hablar suave con el cabello negro hasta los hombros y flequillo. Mientras tomo asiento frente a ella en su pequeña oficina en el centro médico, ella rota el monitor plano de su computadora para que yo pueda ver el funcionamiento (o, con más precisión, el mal funcionamiento) del cerebro de un adicto. Ella explica que la imagen es el promedio entre los cerebros de los 16 adictos; una combinación de los PET que confirman una crónica de la actividad e imágenes de resonancia magnética que proporcionan una estructura bastante precisa. Estas imágenes están superpuestas en el promedio de cerebros en el grupo de control y London ha asignado colores a las imágenes. El resultado está frente a mí: una imagen muestra la diametral diferencia entre el cerebro de los adictos y un cerebro normal. Es una sección cruzada lateral con la materia gris, que es la estructura de la resonancia magnética, en color gris. Los manchones azules indican los sitios donde la actividad cerebral de los adictos a las metanfetaminas disminuye de manera significativa en comparación con los cerebros del grupo de control. Las áreas de amarillo a rojo son "calientes", lo cual indica que existe una actividad cerebral mucho más alta en los cerebros de los adictos que en los otros.

London contempla la imagen con atención. Después de unos momentos, suspira.

—Es hermoso, pero también es triste.

Mi mente vuela hacia Nic. Si asumimos que él es un consumidor promedio de metanfetaminas, la marca mayor de colores calientes, con el tamaño y la forma de un ratón pequeño y sin cola, se localiza en el cíngulum o materia blanca posterior. Mientras señala el manchón, amarillo en el centro y con radiación hacia afuera en un círculo color anaranjado Halloween, London explica:

—Lo que está encendido aquí es justo lo que se enciende mientras la gente siente dolor. —La palabra operativa es *mientras*. La doctora continúa—: Esto es lo que le espera a una persona deja de consumir metanfetaminas.

Las personas que trabajan con adictos a las metanfetaminas ya saben que con frecuencia están deprimidos, irritables, ansiosos y poco deseosos de comprometerse con el tratamiento —justo como Nic—, pero los estudios de London revelan que esas condiciones tienen bases biológicas. Además señalan un nivel de severidad que antes no se conocía. Lo anterior la llevó a concluir que los adictos a las metanfetaminas no son capaces de participar en muchos tratamientos comunes y no es que no lo deseen, al menos en las primeras etapas de la abstinencia. En vez de una falla moral o una falta de fuerza de voluntad, el abandono de los tratamientos y la reincidencia pueden ser resultado de un cerebro dañado.

Ella explica que los severos daños cognitivos pueden incapacitar a los pacientes a participar en terapias que requieran concentración, lógica y memoria. De igual manera, los pacientes con niveles extremos de depresión y ansiedad y aquéllos que sufren de una "agonía crónica", como ella la describe, están en mayor desventaja al formar parte de tratamientos cognitivos y conductuales. No es sorprendente que Nic, en su primera semana de recuperación, desee escapar. De hecho, la investigación de la doctora London me preocupa porque ésta, junto con otras investigaciones, demuestra cuánto se tarda el cerebro en regresar a la normalidad, si es que lo hace.

Después de un mes de abstinencia, los síntomas depresivos y el dolor que siguen a dejar las metanfetaminas son menos severos en muchos de los consumidores de metanfetaminas, pero en número sustancial están aún lejos de superarlo. No es sorprendente que las probabilidades sean tan bajas; es decir, no es sorprendente que los programas disponibles en la mayoría de las instituciones de rehabilitación en la mayoría de las comunidades fallen la mayoría de las veces. Algunos de los lugares a donde llamé sólo ofrecen desintoxicaciones de varios días o semanas. Muchos de los programas, como Ohlhoff, duran 28 días, pero pocas ciudades han fundado programas de largo plazo y muy pocos planes de seguros incluyen coberturas para tratamientos intensivos. Los programas más largos, en especial para pacientes internados, son tan caros que resultan prohibitivos para la mayoría de la gente. Pero a pesar de que un adicto a las metanfetaminas puede recuperarse lo suficiente en cuatro semanas para comprender la necesidad de un tratamiento más duradero, es probable que no esté lo bastante recuperado como para cumplirlo. Las imágenes de la doctora London ilustran por qué los programas cuya efectividad es más probable deberían durar varios meses. Tal vez se requieran al menos dos meses para que un paciente se recupere lo suficiente como para comprometerse de manera significativa a un tratamiento.

¿Qué debería hacerse con los pacientes al llegar a estos programas? Sería risible intentar atender a los adictos a la heroína, pocos días después de consumir su última mezcla, con terapias cognitivas o conductuales, que son los puntos centrales de los programas de rehabilitación. Los adictos a la heroína tienen un muy bien documentado retiro físico de la droga que incluye temblores, convulsiones y síntomas semejantes. Sin embargo, los efectos físicos de la abstinencia de las metanfetaminas se manifiestan como síntomas que por lo regular asociamos con la psicología y las emociones, pero, según prueban las imágenes azules y anaranjadas de la pantalla de la doctora London, tienen bases físicas.

Hay muchas manchas de actividad cerebral "caliente" que se correlaciona con ansiedad crónica (constante) y aguda (situacional), mucho más que en los sujetos del grupo de control. La imagen es única para esta droga, explica London.

—Los estudios cerebrales de consumidores de heroína, cocaína o alcohol no muestran cambios como éstos.

La imagen también sugiere daños cognitivos. Una mancha azul en la corteza media orbitofrontal es preocupante para London porque la actividad en esa área se relaciona con la habilidad para tomar decisiones. Tiene un color azul definido y el centro es blanquecino. Mientras tanto, el área de materia blanca posterior, relacionada con el dolor y las emociones, no está activada en los sujetos de control, pero está muy encendida en los consumidores de metanfetaminas. Resulta lógico que sea más difícil pensar cuando están activas las partes del cerebro relacionadas con las emociones negativas.

—En los consumidores de metanfetaminas, al menos durante las primeras semanas, las estrategias cognitivas que el cerebro utiliza son anormales —dice la doctora London.

Esto significa que, además de la ansiedad y depresión cuya base es biológica, el funcionamiento cognitivo de los pacientes está severamente dañado.

Investigo más y me encuentro con un estudio realizado tres años antes que el de la doctora London por Stephen Kish, un doctor del centro médico de la Universidad de Toronto, quien realizó autopsias cerebrales en consumidores de metanfetaminas. (Eran cerebros de personas que murieron a causa de sobredosis de metanfetaminas o que tenían altos niveles de la droga en sus sistemas cuando murieron por balazos o en accidentes.) En diapositivas, en varias generaciones de clases de salud de bachillerato, los cerebros deshidratados, consumidos y arrugados de alcohólicos fueron comparados con cerebros saludables, blancos y esponjosos. A diferencia de los alcohólicos, no existe daño visible en el cerebro de los adictos a las metanfetaminas. Sin embargo, microscópicamente sí aplica la metáfora del cerebro de huevo estrellado de "éste es tu cerebro en drogas". Los investigadores han visto que los extremos de algunas neuronas están casi quemados.

Las biopsias de células cerebrales dicen más. Para analizarlas, Kish utilizó instrumentos bioquímicos y estudió pedazos de veinte miligramos de cerebro. Así midió cantidades de neurotransmisores específicos y los comparó con las cantidades de los mismos en los cerebros normales.

Su estudio demostró niveles un poco más bajos de serotonina y otros neurotransmisores, pero "muy bajos" niveles de dopamina (entre 90 y 95 por ciento menos). Kish también estudió la presencia de transportadores de dopamina, desde donde se libera el químico. Éstos también disminuyen. Otros científicos encontraron disminuciones similares cuando observaron los cerebros de monos, babuinos, ratones y ratas adictos a las metanfetaminas, lo cual conduce a la conclusión de que las metanfetaminas son neurotóxicas y modifican la estructura física del cerebro mucho más que la cocaína y que la mayoría de las drogas. Esto generó una pregunta esencial, mi pregunta esencial: Incluso si Nic deja de consumir metanfetaminas, ¿podrá su cerebro recuperarse?

Así se estableció que la dopamina disminuye de manera dramática, pero no si existe una disminución en las terminales de dopamina. De acuerdo con el doctor Kish, si la droga destruye las terminales de manera permanente, no hay mucha probabilidad de recuperación. En sus muestras de cerebros, Kish observó un indicador llamado transportador vesicular de monoamina, o V-MAT2. En pacientes con Mal de Parkinson, en quienes hay una pérdida permanente de neuronas de dopamina, los niveles de V-MAT2 son muy bajos. Si el indicador disminuye en los cerebros de los adictos a las metanfetaminas, es posible que exista también una pérdida en las terminales nerviosas y el daño cerebral sea irreversible. Sin embargo, cuando Kish hizo pruebas de V-MAT2, encontró niveles normales. Fue un descubrimiento sorprendente y esperanzador. Ésta y las investigaciones subsecuentes indican que los extremos neuronales "fritos" tal vez se regeneren aunque es probable que ese proceso tome alrededor de dos años. Dos años.

Esto significa que es posible que los adictos a las metanfetaminas se recuperen.

Son buenas noticias para el padre de un adicto. Desde luego que deseo que Nic sobreviva, pero no puedo evitar desear algo más para él. Quiero que esté bien de nuevo. A pesar de que los descubrimientos de los investigadores aún no son concluyentes y se han debatido bastante, éstos sugieren que Nic puede estar bien si se mantiene alejado de la droga. *Si* se mantiene alejado de la droga.

Karen y yo cenamos en Haigh Street y después nos arrastramos colina arriba hasta lo que llamamos la Casa del Conde Ohlhoff (el Conde Olaf es el villano de *Una serie de eventos desafortunados*, los libros de Lemony Snicket que leemos a Jasper y Daisy). Después de pasar entre los fumadores de la puerta frontal nos dirigimos hacia la puerta de hierro. Luego de absorber décadas de humo de cigarro y adicción, el jardín a través del cual caminamos parece incapaz de producir vida.

Estamos aquí para una sesión de grupo familiar con Nic. Las reuniones suelen llevarse al cabo en una sala húmeda. Karen y yo, junto con otros padres, esposos o parejas visitantes y nuestros adictos, tomamos asiento en sillones desgastados y en sillas plegables. Una consejera con aspecto de abuela y voz de bebedora de whisky (a pesar de llevar veinte años de sobriedad), guía la conversación.

—Diles a tus padres lo que significa para ti que estén hoy aquí contigo, Nic.

—No importa. Está bien.

Estas reuniones son intensas, amargas y dolorosas. En ellas conocemos a los demás adictos y a sus familiares. Una de las adictas a las metanfetaminas es una chica de 19 años de edad con rostro ingenuo, desaliñado cabello peinado en dos colitas y ojos apagados. Ha perdido la custodia de su bebé, quien nació adicto a las metanfetaminas. Ella misma luce como una niña excepto por las cicatrices. Entre los demás pacientes se incluyen adictos a la heroína y a la mariguana y un viejo alcohólico de los *Días de vino y rosas* con la piel manchada. Escuchamos sus historias. El alcohólico abandonó a sus hijos y a su esposa repetidas veces sin despedirse. Después volvía a casa y se disculpaba.

—Después de las primeras cuatro o cinco veces, las disculpas casi no significaban nada para ellos —dice. Ingresó a rehabilitación cuando ellos lo abandonaron.

Un chico, un poco mayor que Nic, de cabello y ojos descoloridos, vino desde Nueva York a San Francisco para estudiar
arquitectura, pero, según dice:

—Las metanfetaminas cambiaron mis planes.

No es sorprendente que en un programa en San Francisco,
cerca de la mitad de los pacientes sean hombres homosexuales
cuya droga por elección sea Tina, su término para las metanfetaminas. El *speed* es un desastre en muchas comunidades
homosexuales urbanas "que los regresan a los años setenta,
antes del SIDA", de acuerdo con Steven Shoptaw, psicólogo del
departamento de medicina familiar de la UCLA. Los expertos en
salud estiman que 45 por ciento de los hombres homosexuales
de San Francisco, Nueva York y Los Ángeles han probado el cristal. Treinta por ciento de esos hombres con contagios recientes
de VIH son consumidores. Los homosexuales de California que
consumen *speed* tienen el doble de probabilidades de ser VIH
positivos que aquéllos que no consumen la droga. Tanto hete-
rosexuales como homosexuales, hombres y mujeres, utilizan
las metanfetaminas para maratones sexuales. El "sexo *speed*"
puede ser intenso y duradero. De hecho, en las primeras etapas
la droga puede hacer sentir "energético, desenvuelto, seguro y
sexy" al consumidor, dice Gantt Galloway, científico del Laboratorio de Investigación en Farmacología de la Adicción en el
Instituto de Investigación del Centro Médico California Pacific.
"Pero pronto la excitación sexual resulta imposible. Para entonces, es probable que el consumidor ya se encuentre liado en el
tipo de relación sexual en la cual no participaría sin la droga;
es decir, el tipo que contagia el virus."

Un homosexual VIH positivo que está en el programa con
Nic, un adicto que ha consumido metanfetaminas durante siete
años, habla en susurros vacilantes.

—Perdí casi todos los dientes —dice y muestra un solitario
par de premolares torcidos—. Tengo agujeros en mis pulmones
—con manos temblorosas, el hombre se levanta la playera y
muestra su hundido abdomen infestado de llagas—. Esta mierda

no se cura. Al toser, arrojo pedazos de mi estómago y sangre. Me duele todo el tiempo.

A la tercera semana de sesión familiar, Nic, motivado por su consejera, nos dice a Karen y a mí que no irá a la universidad.

—Yo iba por ustedes —nos dice—. Yo quiero trabajar. Quiero estar solo durante un tiempo. Necesito ser independiente.

Cuando Karen y yo salimos de la Casa del Conde Ohlhoff nos recibe un viento cortante y helado. Nos arrebujamos en nuestros abrigos y damos una larga caminata hasta Fillmore Street y después hacia el Centro Cívico. Karen está tan sorprendida como yo por la decisión de Nic de no ir a la universidad. Para ser honesto, aún me esfuerzo por hacerme a la idea de que Nic es adicto. La rehabilitación es necesaria, creo, pero él estará bien. No veo a Nic como veo a los demás adictos en la sala. Nic es un chico inteligente que se salió de control. Ignoro la advertencia de mi amigo y siento que la rehabilitación podrá, en estas cuatro semanas, mantenerlo sobrio y asustarlo lo suficiente de manera que comprenda que ha estado a punto de destruir su vida. Pero eso es todo. Él regresará a la universidad, se graduará y tendrá una vida normal.

Dada mi fantasía idealista siento rencor hacia los consejeros cuyo punto de vista es claro. Para ellos, la rehabilitación es todo lo que importa. Todo lo demás debe hacerse a un lado.

Al final de nuestra caminata llego a una nueva interpretación: Nic sólo intenta posponer su ingreso a la universidad. Eso es todo y tiene sentido, así que me adapto a ese nuevo escenario. Nic sólo tiene 18 años de edad. Mucha gente pospone la universidad y le va bien.

A la cuarta semana de sesión familiar, Nic nos sorprende de nuevo. Esta vez nos dice que se ha dado cuenta de que necesita más tiempo en rehabilitación y nos pregunta si puede mudarse a la casa intermedia del programa. Walter Ling, de la UCLA, dijo:

—El tiempo que uno pase alejado de las drogas es el mejor indicador de más tiempo alejado de las drogas.

Aunque parezca temible es un plan sensato. Quiero que termine ya. Quiero que Nic se cure. Además, debo admitir que siento temor de lo que sucedería si Nic viniera a casa, de modo que acordamos permitirle a Nic mudarse a la casa intermedia de Ohlhoff. Él se muda y, tres días después, cuando llamo para ver cómo está, me entero de que ha desaparecido.

12

En determinado momento los padres pueden acostumbrarse a la autodestrucción de un hijo, pero yo no. Sin embargo, ya estoy entrenado. Llamo a la policía y a las salas de emergencia de los hospitales. Nada. No sé nada durante un día, otro día y otro más. Una vez más se los explico a Jasper y Daisy con tanta claridad como me es posible. Todo lo que ellos comprenden es que Nic está en problemas y que sus padres están invadidos por la preocupación. Sin olvidar el incidente con los oficiales de policía en Inverness, Jasper pregunta.

—¿Nic está en la cárcel?

—Ya llamé a la cárcel. No está allí.

—¿Dónde duerme?

—No lo sé.

—Tal vez tenga un amigo y duerma en su casa.

—Eso espero.

Aún intento comprender lo que sucede, no sólo a Nic sino a nuestras vidas absortas en nuestra preocupación por él. Siempre soy cuidadoso con los niños, pero me desahogo con Karen. Por lo regular ella tolera mis explosiones de ira y frustración, pero a veces se fastidia de mí y de mi angustia por Nic. No es que ella no comprenda, pero a veces llega a su límite y esto es interminable. No duermo mucho. Ella despierta a medianoche y me encuentra en la sala contemplando las llamas menguantes en la chimenea.

Le confío que no puedo dormir porque no puedo bloquear en mi mente las imágenes de Nic en las calles de San Francisco. Lo imagino herido, en problemas. Lo imagino muerto.

—Lo sé —me dice—. Me sucede lo mismo.

Por primera vez lloramos juntos.

Con la desesperación en aumento, quiero y necesito saber que está bien y así, en una fría y neblinosa mañana y consciente de que realizo el viaje errático del tonto, conduzco a través del puente Golden Gate con planes de recorrer el distrito Haight y Mission, los vecindarios donde sospecho que Nic podría estar. Después de vagar por Mission, cruzo el centro, el parque de Ashbury y termino por caminar a lo largo de la calle Haight. Me interno en Amoeba, su tienda preferida de discos, y me asomo a los cafés y a las librerías.

A pesar de las tareas de remodelación, el Haight aún conserva el aspecto de la era de los años sesenta y el aroma del aire acusa mariguana encendida. Los vagabundos —con cabellos descoloridos, tatuados, con rastas, con heridas, drogados— se reúnen en los quicios de las puertas.

—Los chicos de la calle se aferran a la fantasía de Haigh Ashbury, pero ya no tiene nada que ver con amor y paz—, observó Nic en una ocasión—. Tiene que ver con música *punk*, pereza generalizada y drogas. (También tiene que ver con "todos esos terribles adolescentes *hippies* de Marin que suplican por un cambio", agrega Dave Eggers en *A Heartbreaking Work of Staggering Genious [Una historia conmovedora, asombrosa y genial].*) Cierta vez escuché a una adicta en recuperación describir a su exnovio de una manera que me recuerda a esos chicos:

—Tenía las uñas negras y conducía una carroza fúnebre. Todo en él gritaba: "Mírenme, mírenme" y, cuando lo mirabas, él exclamaba: "¿Qué chingados me ves?"

Si eres adepto a la idea de que la adicción es una enfermedad, es sorprendente ver cómo muchos de estos chicos —paranoicos, ansiosos, lastimados, trémulos, consumidos y, en algunos casos, psicóticos— están gravemente enfermos y mueren poco a poco. Nunca permitiríamos una escena como ésta si los chicos padecieran otra enfermedad: estarían en un hospital, no en las calles.

Resulta ridículo pero pregunto a algunos de esos chicos si conocen a mi hijo. Ellos me ignoran o me contemplan con recelo. Yo camino entre ellos y miro cada uno de sus rostros mientras pienso en ellos y en sus padres.

En Stanyan cruzo hacia el parque Golden Gate y llego a un pequeño bosque con patinadores y ciclistas en las pistas destinadas para ellos. Cerca de una glorieta llena de flores detengo a un oficial de policía y le explico que busco a mi hijo, un adicto a las metanfetaminas.

—Es fácil perder de vista a los quebrados —me dice. Después agrega que conoce un sitio donde tal vez algunos de ellos se reúnan y me conduce hacia cierto camino—. Inténtelo aquí —sugiere y me señala una colina llena de césped, debajo de un árbol de magnolias, donde está reunida una docena de personas.

Me acerco a una chica sentada en una banca y apartada del grupo. Parece etérea y pálida, envuelta en un mugroso suéter de marinero francés. Cuando me aproximo a ella puedo ver las señales características de las metanfetaminas: la mandíbula tensa y el cuerpo pulsante. Me presento y ella se encoge.

—¿Eres policía?

Respondo que no, pero agrego que fue un policía quien me la señaló. Le muestro al oficial, quien se aleja, y ella parece relajarse.

—Él es buena onda —me dice—. Sólo te molesta si causas problemas o te drogas cerca de los niños en el jardín de juegos —señala. Claro que conozco el jardín de juegos. Nic solía jugar allí al agente secreto.

Después de una breve charla le comento sobre Nic y le pregunto si lo conoce. Ella me pregunta cómo es el aspecto de mi hijo. Respondo y ella sacude la cabeza.

—Así es la mitad de los chicos que conozco —replica—. No lo encontrarás si él no quiere que lo encuentres.

—¿Tienes hambre? No tengo nada que hacer durante un rato. Pensaba conseguir algo para comer.

Ella asiente, dice que sí y caminamos a McDonald's, donde ella devora una hamburguesa con queso.

—He estado a dieta de cristal —comenta.

Quiero saber cómo llegó hasta aquí. Ella habla con voz serena y dudosa al responder a mis preguntas.

—Yo no era una niña conflictiva —dice en cierto momento—. Fui una niña dulce.

Me dice que jugaba con muñecas, era "la reina del Twister", marchaba con la banda del bachillerato, le gustaba la historia y era buena para el francés.

—*Comment allez-vous? Où est la bibliothèque, s'il vous plaît?*

Dice que lee con voracidad y nombra a sus autores favoritos mientras los cuenta con sus delgados dedos. Es una lista que podría ser la de Nic, al menos cuando él era más chico. Harper Lee, Tolkien, Dickens, E.B. White, Hemingway, Kafka, Lewis Carroll, Dostoievsky.

—Fyodor era mi dios, *Los hermanos Karamasov* era mi biblia, pero ahora ya no leo mierda —levanta la mirada y agrega—: Tú sabes, yo era una niña bombón. Nada de mierda. Pero no llegué a graduarme.

Se ríe con vergüenza, se cubre la boca con mano vacilante y después la dirige hacia su grasiento cabello.

—Ninguna hada madrina salvó el día.

Un chico le dio metanfetaminas cuando ella tenía catorce años de edad. Eso ocurrió cinco años atrás. Ella sorbe su refresco y después, mientras se mece hacia atrás y hacia adelante, agrega:

—Metanfetaminas... a pesar de saber la mierda que es, si tuviera la oportunidad de comenzar de nuevo, lo haría otra vez. No puedo vivir sin drogas y no quiero. No te imaginas lo buena que es, cuando es buena, y yo necesito eso en mi vida.

Ella saca algunos trozos de hielo de su vaso de Coca-Cola, los coloca sobre la mesa y los mueve con los dedos mientras los mira derretirse sobre el plástico. Me dice que su padre es banquero; su madre, agente de bienes raíces. Ellos viven en Ohio, en la casa donde ella creció.

—Es blanca, con rosas y una barda de estacas puntiagudas. La experiencia estadounidense —dice. Su padre contrató a un detective privado para encontrarla cuando escapó de casa la primera vez y consiguió quien la llevara a San Francisco con una amiga. El detective siguió su rastro hasta un refugio para vagabundos y la convenció de regresar con él. En casa, sus padres la llevaron a un hospital para que se desintoxicara del cristal—. Fue un infierno. Yo quería morir.

Se robó un frasco de Valium y el día que fue dada de alta consumió todo su contenido, lo cual le ocasionó una sobredosis. Después de recuperarse, sus padres la llevaron a Hazelden, la reconocida institución de rehabilitación del Medio Oeste, pero también escapó de allí. Sus padres la encontraron de nuevo y la enviaron a otro centro de rehabilitación.

—Es pura mierda; es un culto —dice acerca de los programas—. Toda esa mierda de Dios.

Escapó de nuevo, consiguió arranque con un antiguo novio y regresó a San Francisco de aventón, la mayor parte del camino, con un camionero fumador de metanfetaminas. Después se estableció en el Haight donde comenzó a vender y "arponear" —es decir, inyectar— cristal. Dice vivir en una cochera con calentador y sin agua corriente, y duerme sobre un viejo colchón.

Me dice que consume cristal casi a diario, lo fuma y se lo "arponea"; se mantiene despierta durante 72 horas o más; duerme, cuando lo hace, por varios días; tiene pesadillas "horrendas". Ya estuvo tres veces en la sala de emergencia, una de ellas por neumonía, "una cosa del estómago porque tosía con sangre" y por "volverse loca". Gana suficiente dinero para comprar café y cigarros como pordiosera. Cierta vez apuñaló a un sujeto, "sólo en la pierna", y paga sus metanfetaminas con lo que vende.

—Cuando no puedo pagar les hago una mamada o lo que sea.

Al decir esto parece avergonzada, de alguna manera incómoda por el recuerdo de alguna emoción solidificada. Baja la cabeza hacia un lado y mira al suelo. De perfil, con sus grasientos cabellos colgando, parece tener la mitad de su edad.

—Me convierto en una zorra si no consigo drogas —dice—. Con metanfetaminas estoy bien.

—¿Y qué hay de tus padres?

—¿Qué con ellos?

—¿No los extrañas?

—No mucho. Sí. Supongo.

—Deberías llamarles.

—¿Por qué?

—Estoy seguro de que te extrañan y se preocupan por ti. Ellos podrían ayudarte.

—Me dirían que debo volver a la rehabilitación.

—Tal vez no sea mala idea.

—Ya he estado allí.

—Al menos llámales. Que sepan que estás viva.

Ella no responde.

—Llámales. Sé que ellos querrían saber que estás viva.

Conduzco a casa. Sin Nic. Pienso en los padres de la chica y si son como me los imagino; es decir, si son semejantes a mí y pienso que, sin importar lo que sea que hagan en este momento, seguro que lo hacen con sólo la mitad de su conciencia. Nunca están libres de la preocupación por su hija. Se preguntan qué fue lo que estuvo mal. Se preguntan si ella está viva. Se preguntan si es su culpa.

Yo me atormento con las mismas preguntas sin respuesta:

¿Lo malcrié?

¿Fui demasiado indulgente?

¿Le di poca atención?

¿Demasiada?

Si tan sólo no nos hubiéramos mudado al campo.

Si tan sólo no hubiera consumido drogas nunca.

Si tan sólo su madre y yo hubiéramos permanecido juntos.

Si tan sólo y si tan sólo y si tan sólo...

La culpa y las autoacusaciones son reacciones típicas de los padres de los adictos. En el muy útil libro *Addict in the Family (Adicto en la familia)*, Beverly Conyers escribió: "La mayoría de los padres, al recordar cómo criaron a sus hijos, tiene al menos algunas causas de arrepentimiento. Desean haber sido más o menos estrictos, esperar más o menos de sus hijos, haber pasado más tiempo con ellos o no haber sido tan sobreprotectores. Tal vez reflexionen acerca de algunos sucesos complicados, como un divorcio o una muerte en la familia, y los consideran puntos cruciales para la salud mental de sus hijos. Incluso es probable que algunos lleven a cuestas pesadas cargas de vergüenza relacionadas con dificultades pasadas, como una infidelidad que lastimó a la familia y causó una ruptura en la confianza. Sin importar las fallas paternas, es casi inevitable que los adictos reconozcan esos puntos vulnerables y así abusen de sus padres...

"Los adictos pueden tener muchas quejas entre las cuales se incluyen sufrimientos mayores o menores del pasado. Algunas de sus acusaciones pueden, de hecho, contener cierta verdad. Es probable que las familias hayan infligido dolor en los adictos. Es probable que le hayan fallado al adicto en algún punto significativo. (Después de todo: ¿cuál relación humana es perfecta?) Pero los adictos recurren a estos problemas no para resolverlos ni con la esperanza de sanar viejas heridas. Recurren a ellos con la sola intención de inducir culpa pues es una herramienta con la cual manipulan a los demás a favor de su adicción continua."

No obstante: si tan sólo, si tan sólo, si tan sólo.

La preocupación, la culpa y el arrepentimiento pueden tener su función como supercargadores de la conciencia, pero en exceso son inútiles y discapacitantes. Sin embargo, no puedo hacerlos callar.

Después de varios días sin noticia alguna sobre Nic, él llama desde la casa de una exnovia. Habla con rapidez y es obvio que miente. Dice que ha dejado las drogas por sí mismo y que ha permanecido sobrio durante cinco días. Le digo que, por lo que a mí respecta, tiene dos opciones: otro intento en una institución de rehabilitación o la calle. Mi rudo tono de voz oculta mi deseo de correr y tomarlo entre mis brazos.

Él sostiene que la rehabilitación es innecesaria porque dejará las drogas por sí mismo, pero yo afirmo que no es negociable. Indolente, Nic acepta intentarlo de nuevo y concluye:

—Como quieras.

Voy a la casa de la chica y espero en el exterior con el auto apagado en el callejón cerrado. Nic, desanimado, se sube al auto. Noto un golpe en su mejilla y un raspón en su frente. Le pregunto qué le sucedió. Él mira hacia arriba y después cierra los ojos.

—No es tan grave —dice—. Un imbécil me golpeó y me robó.

Yo me sobresalto.

—¿Y no es *tan grave*?

Él luce fatigado y vacío. No trae maleta ni mochila; nada.

—¿Qué pasó con tus cosas?

—Me robaron todo.

¿Quién es? El chico sentado junto a mí no es Nic ni sabe nada acerca del niño que yo recuerdo. Como si corroborara mis reflexiones, por fin habla.

—¿Qué chingados hago aquí? Esto es una mierda. No necesito la rehabilitación. Es pura mierda. Yo me largo de aquí.

—¿Te largas? ¿A dónde?

—A París.

—Ah, a París.

—Irme de este jodido país es lo que necesito.

—¿Qué harás en París?

—Tom, David y yo iremos a tocar música en el metro y nos conseguiremos un changuito, como los viejos organilleros.

Durante las siguientes 24 horas, el humor de Nic varía entre el estado agitado y el comatoso. Además del changuito, sus planes incluyen irse de mochilazo a México, unirse a los Cuerpos de Paz y sembrar en América del Sur, pero cada vez regresa con débil resignación al hecho de que retomará la rehabilitación. Después dice de nuevo que no la necesita, que está sobrio, vete al carajo, y luego que necesita las drogas y que no puede sobrevivir sin ellas.

—La vida apesta y por eso me drogo.

No estoy seguro de que tenga sentido otro plazo de cuatro semanas en rehabilitación, pero sé que vale la pena intentarlo. Esta vez me las arreglo para internarlo en el hospital St. Helena, incomprensiblemente ubicado entre los viñedos del Valle de Napa, el país de los vinos.

Muchas familias gastan cada centavo, hipotecan sus casas y vacían sus ahorros para estudios universitarios y jubilación en su búsqueda de programas exitosos de rehabilitación de adicciones, así como en campamentos militares, campamentos en el desierto y cualquier variedad de terapeutas. El seguro de su madre y el mío cubren la mayor parte de los costos de estos programas. No estoy seguro de lo que haríamos si no contáramos con esa cobertura. Los 28 días tienen un costo de casi 20 mil dólares.

A la siguiente mañana, Nic, Karen y yo vamos en auto a través de interminables campos amarillos y verdes —flores de mostaza, viñedos geométricos— de camino al hospital.

Sobre el Valle de Napa, a un lado de Silverado Trail, giro hacia Sanatorium Road que conduce hasta el hospital. Nic mira el anuncio, sacude la cabeza y comenta con ironía:

—Genial. Campamento terapéutico. Allá vamos de nuevo.

Estaciono el auto y veo que Nic mira sobre su hombro. Piensa cómo escapar de allí.

—No te atrevas.

—Estoy asustado, ¿de acuerdo? ¡Jesús! —exclama—. Esto será una pesadilla.

—¿Comparada con ser golpeado y casi asesinado?

—Sí.

Entramos al edificio principal y seguimos las indicaciones hacia el programa de abuso de sustancias. Abordamos un elevador hasta el segundo piso y caminamos a lo largo de un corredor. En contraste con Ohlhoff, éste es un hospital estéril de alfombras grises, luces fluorescentes, interminables pasillos, enfermeras vestidas de blanco y ordenanzas vestidos de azul. Nos sentamos en un par de sillas tapizadas, cerca de una agitada estación de enfermeras, a llenar formatos. No hablamos.

Después, una enfermera peinada al estilo Harpo Marx y grandes anteojos color de rosa viene por Nic. Ella nos explica que Nic será entrevistado y sometido a un examen físico antes de su admisión. Se dirige a mí y dice:

—Tomará alrededor de una hora. Luego se reunirá con ustedes aquí.

Karen y yo descendemos por las escaleras hasta la tienda de regalos del hospital y de las escasas opciones le compramos algunos artículos de aseo personal. Cuando regresa, Nic anuncia que es momento de marcharse a su habitación. Caminamos juntos un tramo pequeño del corredor. Él se sujeta de mi brazo. Se siente casi ingrávido, como si pudiera elevarse sobre la tierra.

Todos nos abrazamos con cierta torpeza.

—Buena suerte —le digo—. Cuídate.

—Gracias, pá. Gracias, KB.

—Te amo —dice Karen.

—Yo también te amo.

Nic me mira y dice:

—Todo.

Las lágrimas fluyen.

El programa en St. Helena es similar al de la Casa del Conde Ohlhoff aunque incluye más ejercicio, como yoga y natación en la alberca del hospital con forma de riñón, además de consultas con el personal médico y con un psiquiatra. El centro enfatiza la educación con conferencias y películas acerca de la química cerebral de la adicción, una reunión diaria de Alcohólicos Anónimos y Narcóticos Anónimos, y un programa familiar adicional de dos días a la semana. En este punto no estoy tan optimista acerca de la rehabilitación pero me permito sentir un rayo de esperanza. Bruce Springsteen tiene una canción llamada "Razón para creer". La mía es una mezcla entre esa esperanza y, una vez más, el tenue alivio de saber dónde está.

En casa concilio el sueño pero no profundo. En mis pesadillas, Nic está drogado. Me enfurezco contra él. Le suplico. Lloro por él. Drogado, a él no le importa. Drogado, él me contempla, frío e inexpresivo.

Otras personas visitan el país de los vinos por su cabernet y su pinot noir, sus baños de lodo y su buena comida. Karen y yo hacemos peregrinaciones para los fines de semana familiares en el hospital. Antes de nuestra primera sesión en St. Helena, una consejera me dice que la prognosis de un adicto es mucho mejor cuando participa su familia.

—Nos preocupamos más por los que no tienen familia —dice—. Su hijo es uno de los afortunados. Encontrarán muy cambiado a Nicholas —enfatiza mientras caminamos a lo largo de un pasillo blanco—. Pero se siente muy deprimido. Todos se sienten así cuando se desintoxican y las metanfetaminas son las peores.

Las sesiones familiares en el hospital tienen una estructura distinta a la de la Casa del Conde Ohlhoff. Primero nos reunimos en una sala grande con filas de sillas frente a un podio y monitores de televisión. El hospital ofrece cuatro foros educativos en domingos alternos. Nuestra primera sesión es sobre el modelo de enfermedad de la adicción. Éste es un concepto extraño para mí. ¿Cuál otra enfermedad incluye como síntoma la participación voluntaria de la víctima? Cada vez que Nic consume *speed*, toma una decisión. (¿No es así?) Los fumadores pueden provocarse cáncer de pulmón pero, por otra parte, los pacientes de cáncer no son responsables de su padecimiento. Los drogadictos sí lo son. (¿No es así?)

La conferencista explica que la adicción es genética; al menos, la predisposición a la adicción lo es. Es decir, los genes de Nic tienen parte de la culpa, la potente mezcla de su herencia: mis antepasados judíos rusos de complexión oscura mezclados con los bellos metodistas del sur de los antepasados de su madre. El padre de Vicki murió a causa del alcoholismo, así que no tuvimos que buscar mucho en el árbol familiar, a pesar de que nadie sabe con exactitud cómo se transmite dicha predisposición. Alrededor de 10 por ciento de la gente la tiene, dice la conferencista. De ser así, la droga o el alcohol "activan" la enfermedad.

—Se enciende un interruptor —indica. Una vez que se activa, no puede ser desactivado. La caja de Pandora no puede cerrarse.

Un hombre la interrumpe:

—Usted está jusificando a los adictos —dice—. Nadie obligó a mi hijo a acudir a su vendedor de drogas, a drogarse, a preparar metanfetaminas, a inyectarse heroína, a robarnos, a robar una tienda de licores y a sus abuelos.

—No —responde ella—. Nadie lo obligó. Él lo hizo por sí mismo. Sin embargo, él está enfermo. Es una enfermedad engañosa. Sí, la gente puede elegir qué hacer al respecto. Sucede lo mismo con una enfermedad como la diabetes. Un diabético puede decidir monitorear sus niveles de insulina y tomar sus medicamentos; un adicto puede elegir atender su enfermedad hasta recuperarse. En ambos casos, si no atienden sus enfermedades, pueden empeorar y la persona está en riesgo de morir.

—Pero —el mismo hombre interviene—, un diabético no roba, no engaña ni miente. Un diabético no elije inyectarse heroína.

—Existe evidencia de que la gente que se hace adicta, una vez que comienza a consumir, siente un tipo de compulsión que no puede detener o controlar con facilidad —explica—. Es casi como respirar. No es un asunto de fuerza de voluntad. Es sólo que no puede dejar de hacerlo por sí misma. Nadie quiere ser adicto. La droga se apodera de la persona. La droga, y no la mente racional de la persona, es la que tiene el control. Nosotros enseñamos a los adictos a manejar su enfermedad a través de un trabajo continuo de recuperación. Es la única manera. La gente que dice que puede controlarla no comprende la naturaleza de la enfermedad porque es ésta la que tiene el control.

No, pienso yo.

Nic es quien tiene el control.

No, Nic está fuera de control.

Después de la presentación hay preguntas y respuestas. Más tarde nos reunimos en otra sala y nos sentamos en sillas dispuestas en círculo. Otro círculo. Ya nos estamos acostumbrando a estas reuniones circulares surrealistas de padres, hijos y personas significativas para los adictos. Nos presentamos por turno y compartimos versiones abreviadas de nuestras historias. Todas son diferentes. Diferentes drogas, diferentes mentiras, diferentes traiciones, pero a la vez son las mismas, devastadoras y conmovedoras, todas enlazadas por una intensa preocupación, tristeza y desesperación palpables.

Se nos permite un descanso para almorzar con nuestro familiar internado en el programa. Nic camina vacilante a nuestro encuentro a través del vestíbulo. Está pálido y se mueve despacio, como si cada paso le causara un inmenso dolor. Su felicidad parece genuina al vernos. Nos abraza con calidez y se demora un largo rato con cada uno. Su mejilla se oprime contra la mía.

Elegimos sándwiches envueltos en bolsas de plástico, nos servimos café en vasos desechables y los llevamos en charolas hasta una banca vacía en el balcón exterior. Después de una mordida a su sándwich, Nic lo aparta de sí y nos explica su lasitud. Le han administrado sedantes para ayudarle en su proceso de descenso. Dice que el medicamento es distribuido dos veces al día por la "Enfermera Ratched". Mi hijo imita a Louise Fletcher en *Atrapado sin salida*.

Nic ríe pero su actuación es débil; está demasiado sedado como para imprimirle mucho entusiasmo.

Después del almuerzo nos muestra su habitación con camas gemelas, burós y una pequeña mesa redonda con dos sillas. Parece cómoda, como la habitación de un hotel modesto. Al señalarnos la cama pegada a una de las paredes, Nic nos habla acerca de su compañero de cuarto.

—Es un tipo genial —dice Nic—. Era chef. Alcohólico. Está casado y tiene una hija pequeña. Miren...

Levanta una fotografía con marco de bambú del buró. Una bebita angelical de alrededor de dos años de edad y su madre, una belleza con un mar de rizos dorados y una luminosa sonrisa.

—Ella le dijo que ésta era su última oportunidad —dice Nic—. Si no permanece sobrio, ella lo dejará.

En el buró de Nic está el *Libro grande* de Alcohólicos Anónimos y varios libros sobre recuperación. Hay un pequeño clóset y una cajonera donde guarda la pequeña pila de prendas de ropa que le trajimos.

Enseguida nos guía hacia el balcón cuyo panorama son los viñedos.

—Lamento mucho todo —dice de pronto y de manera abrupta.

Miro a Karen. No sabemos qué responder.

13

Otro fin de semana en el país de los vinos. La conferencia matutina es sobre "la familia adicta"; es decir, nosotros.

—Es probable que no tenga que decirles que ésta es una enfermedad que afecta también a las familias —comienza la conferencista, una consejera del programa—. No duermen, no comen, se enferman. Se culpan. Sienten furia, una abrumadora preocupación y vergüenza. Mucha gente se guarda sus sufrimientos. Si su hijo tuviera cáncer, el apoyo de sus amigos y familiares los inundaría. Dado el estigma de la adicción, con frecuencia la gente es discreta al respecto. Sus amigos y familiares pueden intentar apoyarlos, pero también pueden trasmitir un juicio, sutil o no.

En apariencia, la dinámica familiar es predecible, ilustrada con un móvil que cuelga del techo a un lado del podio. La conferencista lo señala y explica todos nuestros roles con irritante exactitud.

Colgada al centro hay una figura de papel que representa al adicto. Muñecos más pequeños flotan alrededor de la figura central. Las figuras que cuelgan a un lado representan a los niños y a Karen, en la periferia, desprotegidos pero atados a los estados de ánimo, los caprichos y el consumo de drogas de la figura central. Otra figura cuelga de manera un tanto precaria entre ellos: yo. Soy un facilitador que impulsa a Nic hacia arriba, lo disculpo ante los demás, hago hasta lo imposible por cuidarlo, intento proteger a Karen, Jasper y Daisy de él y a la vez intento mantenerlos conectados entre sí.

—No es culpa suya —dice la conferencista—. Eso es lo primero que hay que comprender. Hay adictos que sufrieron abusos y adictos que, desde cualquier punto de vista, tuvieron infancias ideales. Sin embargo, muchos miembros de la familia se culpan a sí mismos. Otra cosa que intentan hacer es resolverlo. Esconden botellas de licor y medicamentos y buscan drogas entre la ropa y en el dormitorio de su ser amado, lo llevan a las reuniones de AA o NA. Intentan controlar a dónde va el adicto y con quién se junta. Es comprensible pero también es inútil. No pueden controlar a un adicto.

Más tarde, la conferencista dice:

—Un adicto puede apoderarse de la familia o monopolizar toda la atención de uno de los padres, incluso a expensas de la pareja de éste y de los demás hijos. Los estados de ánimo de la familia dependen de cómo se encuentre el adicto. La gente se obsesiona. Es comprensible pero también es dañino. Se vuelve controladora de maneras que nunca antes lo fue porque tiene miedo. La gente pierde su identidad porque nada importa excepto su esposo, hijo o padre adicto, o quien quiera que sea. En su vida ya no hay espacio para el gozo.

Cuando nos reunimos con Nic para almorzar observo que

hay más color en su rostro y un poco más de vida en sus ojos. Sus movimientos son más libres, ya no están limitados por el dolor. Sin embargo, está jorobado y parece deprimido.

Conversamos sentados en las sillas del balcón de su habitación.

—No creo que esto me funcione mejor que la última vez —dice—. Todo ese rollo acerca de Dios... —Guarda silencio—. Todo ese rollo sobre Dios. No lo soporto.

—Ellos lo llaman "poder superior", no Dios —respondo—. Es distinto.

—"Poder superior" es otra manera de decir Dios. Tienes que creer y yo no creo. No puedes superar esto a menos que creas. —Nic explica su dilema—: No tengo problema con el primero de los doce pasos —dice—. Bueno, a veces sí, pero supongo que es obvio que estoy indefenso ante las drogas y el alcohol y que mi vida se ha vuelto un desastre. Pero después de eso, todo es pura mierda.

Nic lee los pasos dos y tres de un separador de libros:

—"Dos: Llegar a creer que un poder superior a nosotros puede devolvernos la salud. Tres: Tomar la decisión de entregar nuestra voluntad y nuestras vidas al cuidado de Dios tal como lo comprendamos."

—Es muy versátil esa frase de "tal como lo comprendamos" —señalo.

—Yo no comprendo que Dios sea algo.

Para algunas personas, el ateísmo de Nic, regalo de sus padres o, al menos, de mi parte, es suficiente para explicar su problema. No creo que ningún factor hubiera cambiado su destino, pero ¿quién sabe? Sin embargo, si la creencia en Dios o una crianza religiosa impiden la adicción, ¿cómo se explicaría entonces que toda esa gente con antecedentes y creencias religiosas se convierta en adicta? Los devotos tampoco se salvan.

Sin ser solícito o deshonesto intento ofrecerle opciones para que él conciba la idea de un poder superior. A pesar de que lo crié sin religión, su educación no estuvo exenta de ciertos valores morales. Intenté inculcarle la idea de que la moralidad es correcta en sí misma. Hace poco, el Dalai Lama en el *New York Times* explicó lo anterior de una forma que refleja mi manera de pensar: "principios éticos fundamentales que todos compartimos como seres humanos como la compasión, la tolerancia, un sentido de atención y consideración hacia los demás y el uso responsable del conocimiento y del poder; principios que trascienden las barreras entre creyentes y no creyentes, y entre seguidores de tal o cual religión". Para mí, esos principios son un poder superior, un poder accesible a cada uno de nosotros. Cierta vez, mi padre explicó su concepto de Dios: "la voz pequeña y constante" dentro de nosotros: nuestras conciencias. Yo no le llamo Dios, pero sí creo en la conciencia. Cuando escuchamos a esa voz, hacemos lo correcto. Cuando no la escuchamos, fallamos. A lo largo de mi vida no le he prestado suficiente atención porque no sabía cómo hacerlo, pero ahora lo intento. Cuando la escucho y actúo conforme a ella, soy más compasivo, menos egoísta y más amoroso. Ése, le digo a Nic, es mi poder superior.

Él permanece impasible.

—Racionalización —responde—. Más mierda. Es como una gran mentira.

Los consejeros de Ohlhoff, la gente que ha conocido y ahora el personal de St. Helena ha intentado convencer a Nic de que el poder superior de uno puede ser cualquier cosa que uno se imagine que es: una fuente de orientación que proviene de afuera de uno mismo cuando es peligroso confiar en la guía retorcida e influida por las drogas que proviene del cerebro de uno, el cerebro adicto.

—Para algunas personas es necesario un salto de fe —le dijo un consejero a Nic—. Tienes que confiar en que existe algo superior a nosotros allá afuera, algo que puede mostrarnos el camino que salvará nuestras vidas. El primer paso es la honestidad: mi vida está fuera de control. De manera que, ¿cuáles son tus opciones? Continuar o entregarte a un poder superior. Tienes que arriesgarte, ser lo bastante valiente para dar un salto de fe y confianza en que hay algo superior a nosotros que puede ayudarnos.

Una vez más comemos en la terraza, afuera de la cafetería donde Nic nos presenta a dos amigos que ha conocido aquí. Sentimos como si ya los conociéramos porque a estas alturas ya hemos participado en sesiones de grupo con sus esposas. James es un amistoso hombre de negocios, apuesto, pelirrojo y pecoso y con las confiadas maneras de uno de los decentes personajes de Jimmy Stewart. Es adicto al Vicodin. Le recetaron el medicamento después de una cirugía de espalda. Antes de internarse en el St. Helena llegó a tomarse cuarenta pastillas al día. El otro amigo de Nic es su compañero de cuarto, el chef, Stephen, quien ha recibido entrenamiento en algunos de los restaurantes más renombrados de la bahía. De acuerdo con Nic, el atlético hombre de cabellos color arena y ojos azules abusó de varias drogas, pero su adicción primaria es el alcohol, el cual casi destruyó su matrimonio y ha estado a punto de matarlo al menos en dos ocasiones. Apenas en los primeros años de su tercera década de vida, Stephen ya se ha sometido a una operación de hígado y páncreas debido a una intoxicación con alcohol. Es sorprendente saber su edad. Parece tener cincuenta años.

Tomamos asiento en mesas largas con ellos y sus esposas; ambas parecen ser amables, amorosas y estar terriblemente cansadas. Nic, James y Stephen comparten el mismo sentido del humor y algo más: el tipo de intimidad y afecto que se construye a través de meses o años, pero que ha fomentado la rehabilitación, donde las almas de la gente quedan expuestas.

De hecho, después Nic nos dice cuánto significa para él el hecho de haber conocido a Stephen y a James.

—Por las noches, cuando todos los demás duermen, nos escabullimos hasta la cocina del hospital —nos cuenta.

—¿Eso está permitido? —pregunta Karen.

—A nadie le importa —responde Nic en voz baja—. La otra noche, Stephen preparó *soufflé* de alcachofas y sopa de puerros. Anoche cenamos pollo a la *cordon blue*. Yo fui asistente de chef.

Hablamos con Nic acerca de las conferencias de la mañana y de la semana pasada. Yo le pregunto si está de acuerdo en que la adicción es una enfermedad y que él la padece. Él encoge los hombros.

—A veces sí y a veces no.

—Si se encendió un interruptor, ¿cuándo sucedió? —le pregunto—. ¿En Berkeley?

—No, por Dios —responde—. Antes. Mucho antes.

—¿Cuánto tiempo antes? ¿Cuándo te emborrachaste en Lake Tahoe? ¿Cuándo probaste la mota?

Después de un minuto, dice:

—Tal vez en París.

Yo asiento al recordar la úlcera y le pregunto:

—¿Qué sucedió en París?

Él admite que sus clases de idiomas en la universidad no competían con los demás atractivos de la ciudad, entre los cuales se incluyen abundante alcohol disponible y meseros franceses quienes no ofrecen reparo alguno a servirle vino a un chico de 16 años de edad. Como resultado, Nic invirtió gran parte de su tiempo en emular a sus héroes borrachos, pero olvidó la parte de la escritura y la pintura.

—Una noche —recuerda— estaba tan borracho que me deslicé al interior de un bote atado a la orilla del Sena y me quedé dormido. Dormí allí y desperté al día siguiente.

—Alguien pudo asesinarte.

Sus ojos me dan la razón.

—Lo sé —dice, sombrío—. Cuando volé de regreso a casa guardé algunas botellas de vino en mi maleta, pero duraron pocos días. Estaba jodido. En París, yo salía a bares y clubes cada noche y bebía un chingo, pero cuando regresé a casa tenía 16 años de edad, era estudiante de bachillerato y vivía con ustedes.

Nic baja la mirada.

—Fue demasiado bizarro. No podía conseguir alcohol, así que comencé a fumar mota a diario. No era lo mismo, pero era más fácil de conseguir.

—¿Y las drogas duras? —pregunto sin estar seguro de querer escuchar la respuesta—. ¿Cuándo comenzaste?

—¿Recuerdas cuando (nombres de los chicos y de su novia) y yo nos salimos de la barbacoa la noche en que me gradué de bachillerato? —Está sentado con los codos apoyados en la mesa—. Había éxtasis en la fiesta a la cual asistimos. Yo probé un poco. Volaba. Me sentí muy cercano a todos en esa despedida tan larga y significativa. Después de eso probé cualquier cosa que encontré: éxtasis, LSD, hongos y después... —Nic levanta la mirada—. Después cristal. Cuando la probé me sentí... me sentí mejor que nunca en mi vida.

Una vez más nos reunimos en la gran sala de conferencias, pacientes y familiares, para la sesión vespertina de grupo. Se sacan más sillas de un clóset para dar cabida a alrededor de cincuenta personas; el círculo se estira hasta formar un largo óvalo irregular a lo largo de las paredes.

Una consejera conduce la sesión, la cual comienza, como siempre, con presentaciones alrededor de la sala, una sala llena de resentimientos, tristeza y enojo.

—No puedo pensar en otra cosa que no sea mi hija. No puedo dejar de pensar en ella. Sueño con ella. ¿Qué puedo hacer? Se ha apoderado de mi vida. La gente me dice que la olvide pero, ¿cómo puede alguien olvidar a su hija? —la persona que habla llora y llora. Su hija está sentada a su lado con expresión pétrea.

Al llegar su turno, Nic habla.

—Soy Nic y soy drogadicto y alcohólico.

Yo ya lo había escuchado decir eso en otras sesiones, aquí, en San Francisco y en un par de reuniones de AA a las cuales asistí con él, y aún me sobrecoge. Mi hijo, el drogadicto y alcohólico. Me llena de cierto orgullo el hecho de escucharlo admitir algo que debe ser muy difícil de aceptar. Pero, ¿en verdad lo cree? Yo no. No en realidad.

Comparada con la que se reunía en la vieja mansión victoriana de San Francisco, esta multitud está mejor vestida; sin embargo, una mujer mayor aparece como si horas antes hubiera sido una vagabunda de las calles. La terapia grupal comienza con historias de pacientes y familiares, además de comentarios acerca de los progresos de algunos de los presentes. La mujer mayor me sorprende. Con voz grave, explica:

—Tengo una maestría. Soy profesora. Una buena profesora, creo —se interrumpe y mira al vacío durante un momento—. Fui una buena profesora, antes del *speed*.

Como yo, los familiares de los adictos parecen abatidos y esperanzados a la vez.

A veces el dolor en la sala resulta insoportable. Sin pausa, escuchamos, vemos y, sobre todo, sentimos, con lágrimas en los ojos, la lobreguez en las vidas de las personas cuyos seres queridos se han hecho adictos a las metanfetaminas, a pesar de que la "droga preferida" sea lo menos importante. Metanfetaminas, heroína, morfina, Klonopina, cocaína, *crack*, Valium, Vicodin, alcohol y, para la mayoría, una combinación de todas las anteriores. Las personas del círculo somos distintas y, no obstante, somos lo mismo. Todos los presentes tenemos heridas abiertas.

Stephen, el amigo de Nic, habla para describir su eterna "danza" con el alcohol. Tenía diez años de edad cuando se emborrachó por primera vez. Su esposa llora sin parar.

—Te amamos mucho —le dice a Stephen cuando llega su turno— pero ya he escuchado antes tu arrepentimiento. Ya he escuchado tus promesas. No puedo vivir así.

La esposa de James habla acerca de cómo él se desplomó de ser "la persona que más respeto en el mundo entero, mi alma gemela" a "alguien consumido por las píldoras a costa de cualquier otra cosa. Él cambió, de ser el hombre más amable, gentil…"

La consejera, en voz baja y apacible, la interrumpe.

—Intenta dirigirte a él —le dice—. Habla con tu esposo.

Con los ojos en los de su marido, temblorosa, la mujer continúa:

—Tú cambiaste, de ser el hombre más amable y gentil que he conocido en mi vida, a ser un extraño, a gritarme, indiferente, deprimido, grosero e incapaz de compartir ningún tipo de apertura e intimidad. Todavía me pregunto...

Comienza a llorar.

Después otro y otro cuentan sus historias, se dirigen a sus seres queridos, se disculpan, los atacan y lloran. Nuestras semejanzas son profundas. En varios grados, todos hemos pasado años intentando aceptar y racionalizar comportamientos de nuestros seres queridos que nunca toleraríamos en ninguna otra persona. Los hemos protegido y hemos ocultado su adicción. Sentimos rencor hacia ellos y culpabilidad por este mismo sentimiento. Hemos estado furiosos y nos hemos sentido culpables por ello. Hemos jurado no aceptar más su crueldad, sus traiciones, su egoísmo, sus trampas, su irresponsabilidad, y después los hemos perdonado. Peleamos con ellos, con frecuencia en nuestro interior. Nos culpamos. Nos preocupa de manera incesante que se maten.

Toda historia de adictos tiene temas semejantes también: remordimiento, furia descontrolada, por lo regular dirigida hacia ellos mismos, y una sensación de indefensión.

—¿Crees que quiero estar así? —un hombre le grita a su temblorosa esposa a la cara—. ¿Lo crees? ¿Lo crees? ME ODIO A MÍ MISMO.

Ambos lloran y lloran.

—Estoy muy orgullosa de él por estar aquí —dice una mujer con respecto de su marido, adicto a la heroína—. Pero, ¿qué ocurrirá después? Estoy aterrorizada.

Una anciana cuya hermana, una abogada, es adicta a las metanfetaminas, dice:

—Ya no le doy dinero pero le compro comida, la llevo al médico y compro sus medicamentos. —Después, agrega—: Es incapaz de atravesar el departamento para llegar al refrigerador.

La terapeuta, amable, la cuestiona:

—¿Es capaz de conseguir drogas, pero no puede caminar hasta el refrigerador?

Entonces otro padre interrumpe:

—Yo pensaba lo mismo acerca de mi hijo hasta que me di cuenta de que no podía llegar a la escuela, al trabajo o a una cita terapéutica, pero sí podía ir a casas de empeño, encontrar a sus vendedores, conseguir cualquier droga que quisiera, conseguir alcohol, irrumpir en las casas, obtener jeringas, cualquier cosa que necesitara. Es un proceso muy sofisticado preparar una dosis de metanfetaminas, pero yo me lamentaba mucho por él y pensaba: está deprimido, es frágil o es incapaz. Desde luego que debo pagar la cuenta si termina en un hospital. Desde luego que debo pagar su renta o, de lo contrario, vagará por las calles. De manera que, durante alrededor de un año, pagué para proporcionarle un lugar cómodo para que él se drogara.

Una guapa mujer de cabello corto y rojizo, vestida con blusa de seda, abrigo y pantalones de lana, dice ser médica. Muy triste admite que durante más de un año realizó cirugías intoxicada con metanfetaminas. La primera vez las probó en una fiesta.

—Me sentí mejor que nunca en mi vida —dice—. Sentí como si fuera capaz de hacer cualquier cosa. No quería perder esa sensación nunca.

Ella sacude la cabeza.

—Y ya conocen el resto de la historia. Me drogaba para poder trabajar durante la noche. Me drogaba cuando no trabajaba. Supe que estaba en problemas, pero —continuó— sólo estoy aquí porque un colega amenazó con reportarme si no atendía mi adicción de manera voluntaria.

Otro paciente la increpa.

—¡Realizaste cirugías intoxicada! Deberías ser reportada. Pudiste matar a alguien.

La consejera se dirige a dicho paciente y, sin elevar la voz, pregunta:

—¿No dijiste que condujiste el auto bajo en efecto de las drogas y te quedaste dormido al volante? Pudiste matar a alguien con facilidad también.

Algunas historias van más allá de mi comprensión. Una pequeña e inquieta mujer que casi desaparece dentro de su abultado suéter y sus pantalones deportivos hace referencia al último cumpleaños de su hijo.

—Me drogué con *crack* —recuerda—. Abandoné mi casa y a mi hijo. Lo dejé con mi esposo por el *crack*. Tiene tres años de edad.

Una mujer de piel pálida, cabello rubio y ojos dorados y sombríos le dice al grupo que un juez envió a su esposo a este programa como alternativa en lugar de la cárcel. Su marido, un militar de cabello tieso y camisa de manga corta abotonada hasta el cuello, está sentado con rigidez a la derecha de ella y mira hacia el frente sin expresión alguna en el rostro. Ella cuenta que, intoxicado con metanfetaminas, él la atacó y azotó su cabeza contra el suelo. Ella se las arregló para marcar el teléfono de emergencias antes de desmayarse. Más tarde, cuando es su turno para hablar, el hombre agradece a Dios que la corte le haya permitido probar la rehabilitación en lugar de encarcelarlo.

—Aún me resulta imposible creer que ataqué a mi esposa, a quien amo más que a mi vida —dice—. Pero ahora comprendo mi problema. Saldré de aquí la próxima semana y ya anhelo regresar a casa para comenzar una vida nueva.

Su esposa no hace contacto visual con él. Parece aterrorizada.

Nos dan un descanso.

Sentados en la cafetería, Nic, después de señalar con los ojos al marido de esa mujer, nos dice a Karen y a mí que la esposa estaría más segura si él fuera encarcelado.

—Él es un temible hijo de puta —nos dice Nic.

La reunión inicia de nuevo. Más historias conmovedoras, más lágrimas.

Antes de concluir cada sesión, la consejera siempre pregunta si alguien tiene algo que decir antes de que el grupo se despida hasta un nuevo encuentro. Con frecuencia los familiares expresan cuán orgullosos se sienten de su ser querido y su mejoría evidente. Algunas veces los pacientes felicitan a los asistentes a la sesión. Este día, en una sala con cincuenta personas o más, Nic toma la palabra y se dirige hacia el militar que atacó a su esposa.

—Lo lamento pero debo decirte algo a ti, Kevin, porque, como dices, se supone que saldrás de aquí la semana próxima —Nic lo mira de frente a través de la sala—. He estado en grupos contigo desde que llegué aquí y, a pesar de que ante los ojos de todos los demás parezcas sincero y abierto y que tu interés por sus adicciones es genuino, no ha habido señal alguna de que comprendas de qué se trata esto. El programa requiere de humildad y tú eres arrogante. No parece que en verdad entiendas y admitas que estás indefenso ante tu adicción. Con frecuencia interrumpes a la gente. Hablas mucho, pero escuchas poco.

Después Nic dirige la mirada hacia la esposa del hombre. Sus ojos muy abiertos se llenan de lágrimas y tiembla como un animal asustado. Nic le habla a ella.

—Lo digo por ti, porque me preocupa que Kevin necesite más tiempo antes de partir a casa. No quiero que te suceda nada.

Nadie, ni siquiera la consejera, dice una palabra. Parece que el hombre siente el impulso de atravesar la sala hacia Nic. Después él y el resto de los presentes miramos a su esposa, quien intenta jalar aire entre sollozos guturales. Después de prepararse, de erguirse en su silla y a través de sus lágrimas, la mujer por fin logra hablar y se dirige a Nic.

—Gracias. Lo sé. No confío en él.

Una mujer sentada a su lado coloca el brazo alrededor de su hombro. Entonces, la esposa se vuelve a su marido y le dice con tono cortante y salvaje:

—Si vuelves a atreverte a tocarme a mí o a los niños...

No puede terminar la frase. Sus sollozos interrumpen su gruñido.

El hombre mira a su esposa. La expresión de su rostro no es de arrepentimiento, amor o pena. Parece herido, avergonzado y furioso. El militar se yergue en su asiento y sus ojos recorren la sala con mirada hiriente.

Al fin habla la consejera y, para cerrar la sesión, agradece a todas las personas que compartieron sus experiencias y nos permite salir. La esposa de Kevin camina directo a través del círculo y, aún entre sollozos, abraza a Nic y le da las gracias.

Su marido, inmóvil en su silla, los mira con malevolencia desde el otro lado de la sala.

Al partir, Karen susurra al oído de Nic:

—Cuídate las espaldas.

14

En el programa, los pacientes escriben diarios y Nic nos comparte algunas notas: "¿Cómo diablos llegué aquí? Parece que no fue hace mucho tiempo cuando formé parte del maldito equipo de water-polo. Era editor del periódico de la escuela, actuaba en la obra de teatro de primavera, me obsesionaba acerca de cuáles chicas me gustaban y hablaba sobre Marx y Dostoievsky con mis compañeros de clase. Mis compañeros ya asisten a la universidad. Esto no es tan triste como frustrante. En aquel tiempo todo parecía tan positivo e inofensivo".

Es la tercera semana de Nic en el hospital y yo estoy aquí para otra visita familiar. Después de la sesión grupal matutina, Nic, con una licencia por un día, visitará el hotel donde nos hospedamos.

Nic está abierto y sensible; incluso expresa su gratitud por la oportunidad de participar en el programa. Parece sincero. Enseguida trae a colación un nuevo tema: quiere saber si la universidad aún es opción. Sabe que ha cometido errores enormes, pero haría cualquier cosa por inscribirse en Hampshire. Le emociona la perspectiva de volver a la escuela. Dado que comprende su problema con las drogas, promete acudir a las reuniones de AA con regularidad y trabajar con un padrino. Le han dicho que muchas universidades cuentan con dormitorios libres de sustancias y que solicitará vivir en uno de ellos. Nic comprende que la reincidencia significará que yo cumpliré mi amenaza de retirarle todo mi apoyo, que perderá la oportunidad de estudiar y que deberá arreglárselas solo.

Vamos en el auto a reunirnos con Karen, Jasper y Daisy, y Nic me cuenta la causa de su cambio de opinión. Otras personas de sus sesiones de terapia grupal escucharon que sus padres deseaban enviarlo a la universidad y se desecharon esa idea. El consenso general fue expresado por un hombre cuya adicción al alcohol y a las drogas lo apartaron de sus padres y de sus hermanos.

—¿Estás pendejo? —aulló hacia Nic—. ¿Tienes *padres*? ¿Te aman? ¿Aún desean enviarte a la universidad? Ve a la universidad. No seas idiota. Yo haría lo que fuera por tener la oportunidad de ir a la universidad.

Reflexiono acerca de la solicitud de Nic.

—Karen y yo hablaremos al respecto —le digo—. Hablaré con tu mamá. Tendremos que llegar a un acuerdo muy claro. Creo que funcionará si en verdad lo deseas y crees que puedes hacerlo.

Aún fantaseo con la idea de que todo puede marchar bien. *Nic permanecerá sobrio. Él comprende su problema. Gracias a Dios que no ha hecho más daño a su vida —a su cuerpo y a su mente— ni a sus opciones para el futuro. Aún puede ir a la universidad, obtener un título, un buen empleo, una relación amorosa... Todo estará bien.*

Conduzco hacia el hotel, una construcción descuidada con viñedos, una alberca deteriorada, canchas de tenis cuarteadas y viejos caballos que vagan por la propiedad. Nic se muestra nervioso cuando atravesamos el portón con el auto. Ésta será su primera visita a Jasper y Daisy desde que ingresó a Ohlhoff, hace casi tres meses.

Nic está encantado de ver a Jasper y a Daisy y, a pesar de su renuencia inicial, pues la última vez que vieron a Nic él venía de bajada de su estado alterado y estaba deprimido y furioso al partir hacia Ohlhoff; están felices de verlo. Nic juega con ellos en la alberca helada y después batean pelotas de tenis de ida y de vuelta. Me siento en una banca de pic-nic bajo una enramada de uvas y miro a Karen reunirse con ellos. Los cuatro juegan croquet. Mientras golpean las bolas por la cancha, Nic les pregunta a sus hermanos acerca de la escuela y sus amigos, y les cuenta historias sobre un gato que vive en los terrenos del hospital. Cuando llega el momento de llevar a Nic de regreso al hospital, Jasper y Daisy parecen perplejos. Con mucha frecuencia hacemos nuestro mejor esfuerzo por explicarles lo que le sucede a Nic pero, a sus ojos, él parece estar bien. No saben por qué no puede regresar a casa con nosotros.

De regreso a St. Helena, Nic me platica otros dos sucesos de la semana. El primero es descorazonador: Stephen abandonó el programa. Simple y llanamente se marchó una tarde por el camino que va del hospital a Calistoga. Más tarde, los pacientes se enteraron de que de inmediato recayó en un bar. Nic estaba triste pero no del todo sorprendido.

—En apariencia, él parecía comprometido con permanecer sobrio —dice—. Él sabía que se arriesgaba a perder a su esposa y a su hermosa bebita. Pero nunca lo tomó en serio. Él culpaba a su esposa por sus problemas. Culpaba a sus padres. Culpaba a todo el mundo menos a él mismo. Nunca lo entendió.

La otra noticia es aún más difícil de creer. Cada vez que alguien termina el programa de 28 días se celebra una ceremonia de despedida entre los pacientes. El graduado le pide a otro paciente que "se ponga de pie" y hable por él para enviarlo de regreso al mundo. Estas ceremonias están diseñadas para dar valor al graduado e inspirar a los recién llegados.

La mañana en que Kevin, el militar, se graduaría, se aproximó a Nic.

—Eres un cabrón valiente —le dijo—. Tengo que concedértelo.

Después, para sorpresa de Nic, el militar le pidió que se pusiera de pie en su ceremonia de despedida.

—Te respeto —dijo el hombre—. Te he observado y sé que, de todos nosotros, tú eres el único que lo logrará. Eres lo bastante joven como para no haber jodido demasiado tu vida. Tienes una familia amorosa y eres muy inteligente. Quiero lograrlo mucho más que cualquier otra cosa que jamás haya deseado. Probaré que te equivocaste. Lo lograré.

Nic aceptó.

—Así que me puse de pie por él —me cuenta—. Dije que esperaba y rezaba porque lo lograra, porque trabajara en su programa. Dije: "Eso espero por ti, por tu esposa y por tus hijos". Más tarde los miré partir, a él y a su mujer. Ambos me abrazaron. Iban tomados de la mano al caminar.

Me siento ansioso una semana más tarde cuando, después de la graduación de Nic, llego a recogerlo. Las ventanillas del auto están abiertas y el aire es tibio. Nic habla con esperanza acerca del futuro. Su optimismo se trasluce no sólo en su lucidez sino en su manera de moverse y en sus ojos, llenos de luz otra vez. Dice que está comprometido a mantenerse alejado de las drogas. Yo comparto su esperanza, pero sé que la sobriedad es mucho más fácil en el medio seguro y estructurado de un programa de rehabilitación, de manera que mi esperanza es tentativa. Necesito creer que todo estará bien y, al mismo tiempo, soy incapaz de aceptar que así será.

Las cosas son más sencillas en casa aunque, de manera ocasional, hay cierta tensión. Me preocupo cuando Nic sale de casa para sus reuniones de AA. Me preocupo cuando me parece que está distraído o deprimido. Me preocupo cuando, en agosto, es momento de comenzar la universidad, esta vez a 4 800 kilómetros de distancia.

Hampshire College está situada en lo que antes era un huerto de manzanas que aún conserva los aires de granja. El colegio ofrece un programa de artes liberales impresionante y estimulante, y cientos de especialidades y cursos. Como si eso no fuera suficiente, Hampshire es parte de un consorcio de cinco colegios que incluye a la Universidad de Massachusetts, Amherst College, Smith y Mount Holyoke. Nic puede elegir entre los cursos que ofrecen los demás campus. Un autobús de transporte los conecta a todos.

Karen y yo volamos hacia el este con Nic para ayudarle a instalarse y alistarse para la orientación para los alumnos de primer año. Comemos en el restaurante indio que Nic y yo descubrimos cuando vinimos a conocer el colegio, un año atrás.

—Gira hacia la derecha en el semáforo —grita Nic—. ¡Derecha, derecha, derecha!

Por la mañana vamos en auto al campus. El clima es cálido y soleado. Hay familias que llegan para dejar a sus hijos en sus respectivos dormitorios en camionetas, vagonetas y, en un caso, en una limusina cargada de maletas, paquetes, un sistema de audio, una batería y varias computadoras.

La habitación de Nic, en el dormitorio de vida sobria, es pequeña pero confortable. Después de dejar allí sus maletas seguimos las indicaciones hacia el centro del campus para una barbacoa de bienvenida. Karen y yo analizamos a los alumnos de nuevo ingreso para detectar entre ellos a potenciales traficantes de drogas.

Al final de la comida, varios deanes hablan a las familias reunidas. Después busco a la deán de los estudiantes para preguntarle acerca del consumo de drogas en el campus y le explico que mi hijo ha estado internado en dos programas recientes. Ella admite que la mariguana es abundante pero señala lo evidente:

—Las drogas están presentes en cualquier campus de Estados Unidos y en cada ciudad, de manera que un joven adulto debe aprender a vivir entre ellas.

Ella me conduce hacia la directora de los servicios de salud del colegio, quien escribe su nombre y número telefónico y dice que ayudará a Nic tanto como le sea posible, lo guiará a las reuniones de los doce pasos y lo presentará con otros estudiantes en recuperación.

—No es el único —me dice—. Hay mucho apoyo para las personas que lo deseen.

❧

—¡Hola, papá! —saluda Nic por el teléfono después de que Karen y yo regresamos a California—. Soy yo, Nic.

Me llama desde su dormitorio. Mientras habla lo imagino con su camiseta desgastada, sus pantalones enormes y sucios, con un cinturón negro y remaches de metal que lo sujetan a la altura de sus caderas, tenis Converse y su cabello largo y rizado apartado de sus ojos. Parece emocionado con su escuela. Esperanzado esta vez, esperanzado como antes, continúo con mi fantasía académica después de que colgamos; lo veo caminar por el campus hacia sus clases con su mochila al hombro. Puedo escuchar su voz al participar en discusiones acerca del imperialismo dialéctico, Nietzsche, Kant y Proust.

Un mes después suena bien, pero detecto cierto nerviosismo en su respiración. Antes de colgar lo escucho suspirar. Sé que no es fácil. Nic hace su mejor esfuerzo.

Además de las clases, Nic tiene sesiones regulares con un consejero especializado en alcohol y drogas recomendado por la escuela. Según acordamos, acude a las sesiones de AA y encuentra un padrino, un estudiante graduado de la Universidad de Massachusetts, quien recibe a un grupo de alumnos en su casa cada domingo por la mañana y encabeza las reuniones aderezadas con *muffins* y café.

Nic se reporta a casa con regularidad y la opresión en mi pecho comienza a desvanecerse. Mientras las cosas regresan a la semi-normalidad, él me cuenta más acerca de sus profesores. Habla de amigos nuevos y me comenta sobre las reuniones de AA y NA a las cuales asiste a lo largo de la semana.

Un mes después, Nic de pronto deja de devolverme las llamadas. Yo asumo que ha recaído a pesar de sus protestas y, tal vez, de sus buenas intenciones (no estoy seguro), y a pesar de su habitación en el dormitorio libre de sustancias, que no era tal, según declaró Nic, furioso (me contó que el ruido los viernes y sábados por la noche eran borracheras, caídas, tropiezos y vómitos). Nic no tuvo muchas opciones.

Fue un volado mandarlo a la universidad tan poco tiempo después de salir de rehabilitación, pero todo el mundo, incluso sus consejeros en St. Helena, aprobaron la idea porque parecía muy convincente el entusiasmo de Nic por realizarla.

Le pido a un amigo, quien viaja a Amherst, que vaya a verlo. Éste encuentra a Nic refugiado en su habitación del dormitorio. Es evidente que está drogado.

Me preparo para cumplir mi amenaza y retirarle mi apoyo, pero primero llamo a la consejera de salud de Hampshire para discutirlo con ella. La imagino en su escritorio, con el zumbido característico del calentador y nieve acumulada en la parte exterior de las ventanas.

Le informo de la reincidencia de Nic y, al hacerlo, ella me sorprende pues me aconseja tener paciencia y me asegura que, con frecuencia, "la reincidencia es parte de la recuperación".

Éste es un concepto que desafía la intuición. Es como decir que un accidente aéreo es conveniente para el entrenamiento de un piloto. En Ohlhoff y en St. Helena escuché que puede ser más difícil para los adictos recuperarse de las reincidencias subsecuentes a causa de la naturaleza progresiva de la enfermedad. Sin embargo, y con frecuencia así sucede, puede hacer falta tiempo y errores para que la persona comprenda el pernicioso poder de la adicción y, más que todo, comprenda lo fácil que es recaer. Tal vez ya lo había escuchado antes, pero aún no he digerido la naturaleza terrible de la enfermedad ni su permanencia. Tampoco logro comprender por completo que las fallas, incluso las fallas en serie, puedan conducir al éxito.

"Aunque es verdad que, entre los consumidores duros, algunos se someten a tratamiento una sola vez y permanecen sobrios de allí en adelante, la mayoría atraviesa por ciclos repetitivos, tal como algunos fumadores necesitan múltiples intentos para dejar el cigarro o las personas a dieta necesitan intentarlo una y otra vez para adelgazar", dice el doctor Rawson. "El tratamiento avanza contigo", le dijo Douglas Anglin, coordinador del centro de investigación sobre abuso de drogas de la UCLA, a Peggy Ornstein cuando ella lo entrevistó para un artículo de la *New York Times Magazine* acerca de la rehabilitación. "Para consumidores de heroína con una historia de cinco años de adicción, tan vez sean necesarios diez o quince años para ayudarles a salir de ella pero, si comienzan cuando tienen 25 años de edad, al llegar a los cuarenta años ya están bastante rehabilitados. De lo contrario, la mayoría de ellos estará consumido al llegar a los cuarenta años de edad."

Esto no es reconfortante. Sin embargo, si el tratamiento es concebido como un proceso continuo en lugar de como una cura, entonces emerge una noción mucho más optimista y realista de éxito. De acuerdo con el Estudio Nacional de Evaluación de Mejora en Tratamientos, a pesar de que los adictos pueden reincidir, un año después del tratamiento su consumo de drogas disminuye en 50 por ciento y su actividad ilegal desciende hasta en 80 por ciento. También es menos probable que practiquen actividades sexuales de alto riesgo, o que requieran atención en salas de emergencia. Otros estudios han demostrado que también es menos probable que dependan de la beneficencia y su salud mental general muestra mejorías.

No obstante, cada reincidencia es mortal en potencia. Es poco satisfactorio el hecho de que, sí, un adicto puede alcanzar y conservar la sobriedad, incluso después de reincidir, si es que no muere.

Alentado por mi amigo, Nic me llama. Admite que "la regó" y promete que dejará de drogarse.

—Nic... —escucho el tono de mi voz, ese solemne, punitivo y decepcionado tono paterno, y siento de inmediato que Nic se pone a la defensiva.

—No me lo digas, lo sé —dice—. Tenía que vivirlo para aprender.

La espera es difícil, en especial a un país de distancia, pero éste será un paso significativo si es que Nic puede salir de una reincidencia sin que yo tenga que arrastrarlo de regreso a la rehabilitación.

Con frecuencia la reincidencia es parte de la recuperación. Me lo digo una y otra vez, le doy vueltas en la cabeza, y espero.

Nic se mantiene en contacto constante y viene a casa para las vacaciones de invierno. Es una visita fácil. Parece estar mucho, mucho mejor. Tuvo un resbalón, eso fue todo. Es frecuente que la reincidencia sea parte de la recuperación. Se aclara el cabello con Clorox y se quema el cuero cabelludo en el proceso, pero parece estar bien.

Nic regresa a Hampshire para el semestre de primavera y, al llamar a casa cierta tarde, me dice lo emocionado que está con una clase de escritura que imparte un notable autor y admirado maestro.

—Es casi imposible que los de primero y segundo año entren a su clase, pero lo intentaré —me dice—. Escribí un cuento (me desvelé anoche) y se lo envié. En la puerta de su oficina, el profesor pegará una lista de los alumnos aceptados el viernes.

La tarde del viernes, Nic llama fascinado porque su nombre estaba en la lista mecanografiada. Sin embargo, su nombre era el único acompañado por un asterisco que correspondía a una nota en la parte inferior de la página. La nota decía: "Ven a verme".

De inmediato Nic entró a la oficina del profesor. Estaba nervioso —"con el estómago lleno de mariposas"— cuando se sentó frente al profesor, quien le preguntó, sin la charla ligera previa, si era adicto. Lo sospechó con base en el tema del cuento enviado por Nic. Mi hijo escribió relatos ficticios acerca de los personajes más memorables a quienes conoció en los centros Ohlhoff y St. Helena.

Nic respondió que sí, que era adicto en recuperación.

—Ésta es la cuestión —dijo el maestro—: si te mantienes sobrio, trabajaré contigo y te ayudaré a convertirte en un mejor escritor; si no, estás fuera. Es tu decisión.

El lunes Nic se presenta a clase y saluda de mano al maestro.

Por sus llamadas telefónicas, parece que Nic está muy comprometido con éste y con su demás cursos. Parece estable, acude con regularidad a las reuniones de los doce pasos y trabaja con su padrino. Me suena como si aún se esforzara mucho en sus clases y hace poco se ha enamorado de una chica que lo lleva en auto a sus reuniones.

Visito Boston a finales del invierno. Nic y Julia, su novia, vienen de Amherst para reunirnos a cenar. Es una noche nevada cuando ambos llegan a mi hotel en Cambridge, cubiertos con gruesos abrigos y bufandas.

Caminamos a través de Harvard Square para encontrar un bar de sushi. Ellos se rodean uno al otro con apretados abrazos; ambos entrelazados caminan al mismo paso. Los tres cenamos y después caminamos un poco más. Nic y Julia hablan con entusiasmo sobre libros —Hegel, Marx, Thomas Mann—, política y películas. Nic nos introduce en el juego de los seis grados hasta Kevin Bacon, pero Julia casi lo derrota con, entre toda la gente, Hulk Hogan. A Nic le toman cinco de los seis grados.

—Muy bien —dice Nic como calentamiento para el desafío—. Estuvo en *Rocky IV* con Sylvester Stallone, quien estuvo en *Cop Land* con Ray Liotta, quien estuvo en *Narc* con Jason Patrick, quien estuvo en *Lost Boys* con Kiefer Sutherland —Nic esboza una sonrisa de satisfacción—. Y Kiefer Sutherland estuvo *en Flatliners* con Kevin Bacon.

Viajé a Boston con un amigo cercano de la familia, protagonista de un libro que ahora escribo y quien vive y trabaja en Shanghai. Los tres nos reunimos con él para tomar un café. Nic y Julia causan buena impresión a mi amigo y, antes de que la pareja regrese a Amherst, éste les pregunta si les interesaría viajar a China durante el verano. Él puede ayudarlos a conseguir empleo como maestros de inglés y pueden realizar trabajo voluntario, tal vez en un centro preescolar. Incluso cuenta con un sitio donde pueden hospedarse. Ellos celebran la idea con gratitud y entusiasmo. De regreso a casa me siento feliz. Nic ha retomado su vida y ha dejado atrás su problema con las drogas.

El año escolar vuela y planeamos el viaje a China. Después de trabajar seis semanas en Shanghai, la pareja viajará a Yunnan y el Tibet. Antes, Nic vendrá a casa a finales de mayo para trabajar y ahorrar algún dinero para el viaje. Después llegará Julia y ambos partirán hacia China. Nic parece emocionado con todo esto y con venir a casa, en especial por ver a Jasper y Daisy. Ellos también están encantados. Su bienvenida está marcada con algo de inquietud pero también promesa, razón por la cual es tan devastador cuando Nic confiesa la verdad: ha consumido drogas durante todo el tiempo que ha estado aquí y a lo largo de todo el semestre.

Él se marcha tras azotar la puerta. Yo estoy aturdido. No, pienso. No, no, no. Cuando, después de la escuela, Jasper y Daisy irrumpen en la casa y no encuentran a su hermano, preguntan:

—¿Dónde está Nic?

—No lo sé —respondo. No puedo controlar mis lágrimas.

Sin Nic en casa, yo me hundo en una enfermiza e intranquila depresión que me resulta familiar, alternada con un pánico debilitante. Siento su ausencia a cada minuto.

Por la mañana, los marcos en forma de cruz de las ventanas bajo la luz del cielo trazan líneas y barras a lo largo de las superficies de los muebles. Tomo asiento en un sillón junto a la ventana a leer y releer el párrafo principal de un artículo cuando Jasper, con el cabello alborotado por el sueño, llega a la sala con una caja forrada de satín en donde guarda sus ahorros de ocho dólares. Parece perplejo.

—Creo que Nic tomó mi dinero —me dice.

Miro a Jas, su fuerte cuerpo en crecimiento y sus ojos que no comprenden, y estiro los brazos para que él pueda subirse a mi regazo. ¿Cómo le explicas a un niño de ocho años que su amado hermano mayor le ha robado?

PARTE IV

Si tan sólo

La embriaguez, esa furia rabiosa del veneno puro y lento
que supera cualquier otra consideración; que hace a un
lado esposa, hijos, amigos, felicidad y estabilidad; y que
apura a sus víctimas a la degradación y la muerte.

CHARLES DICKENS, *SKETCHES BY BOZ (BOCETOS POR BOZ)*

15

Un miércoles por la noche, a finales de mayo, Karen y yo contratamos a una niñera. Vamos a salir. Otra cita dedicada a la
adicción de Nic.

Renuentes, partimos en el auto hacia Novato, un pueblo rural
en la frontera norte de Marin, a una reunión de Al-Anón. Esas
reuniones nocturnas son el último lugar donde pensé encontrarme. Como las reuniones de AA, éstas llenan los sótanos de
las iglesias, las librerías y los centros comunitarios a lo largo y
ancho del país. Yo no soy muy adepto a ellas. Cada vez que puedo
evito asistir a eventos donde a los participantes se les implora
compartir sus sentimientos. Sin embargo, heme aquí.

Mantuve en secreto nuestro problema familiar durante mucho tiempo. No es que me avergonzara. Quería proteger a Nic y
conservar la buena impresión que de él tenían nuestros amigos y
otras personas, pero ya aprendí que el adagio de AA es cierto: estás tan enfermo como tus secretos. He aprendido cuánto ayuda
hablar acerca de la adicción de mi hijo, reflexionar al respecto y

leer las historias de otras personas. La mayoría de los consejeros en las sesiones a las cuales acudimos Karen y yo recomiendan Al-Anón. Sin embargo nos toma un poco de tiempo asistir a una de ellas.

La reunión tiene lugar en una sala sombría con una docena de personas sentadas en sillas de plástico dispuestas en círculo. Otro círculo. Sirven café de Folgers y donas espolvoreadas con azúcar. Sobre nosotros, los tubos de neón emiten luz intermitente y sisean, y un tambaleante ventilador vibra en la esquina. Se abre la sesión. Los clichés, algunos más desagradables que otros, toman la palabra. Al-Anón, como AA, parece depender de ellos. Dicen: "Déjalo ir y déjaselo a Dios" y esas tres Cs que ayudan aunque no siempre pueda creer en ellas: "Ustedes no la Causaron, no pueden Controlarla, no pueden Curarla." Sin importar lo que digan, una parte de mí cree que es mi culpa. Fue fácil para mí dejar de consumir drogas, pero Nic no pudo. Tal vez yo lo inicié al darle, junto con mis hipócritas advertencias acerca de las drogas, el permiso tácito de consumirlas. Ahora recuerdo con horror cuando fumé mota con él. Los adictos desean culpar a alguien y muchos de ellos cuentan con varias personas dispuestas a aceptar dicha culpa. Todo lo que hice fue ingenuo, estúpido y ocasionado por mi inmadurez, pero eso no importa. Yo me culpo. La gente puede envilecerme y criticarme. La gente puede culparme. Nic puede hacerlo. Pero nada de lo que la gente haga o diga es peor que lo que yo me hago a mí mismo cada día. "Tú no lo causaste". Yo no lo creo.

Mi primer impulso en la reunión es la condescendencia. Miro alrededor con un sentimiento cercano a la renuencia y pienso: ¿Qué hago aquí con estas mujeres de cabellos teñidos y ropa deportiva y enormes hombres barrigones vestidos con camisas abotonadas de manga corta y chinos? No obstante, para cuando nos marchamos siento afinidad con todos los presentes: los padres, hijos, esposos, esposas, amantes, hermanos y hermanas de un drogadicto. Mi corazón llora por ellos.

Yo soy uno de ellos.

No tengo intención alguna de hablar, pero lo hago.

—Mi hijo se ha marchado —digo—. No sé dónde está.

Lágrimas. No puedo pronunciar otra palabra. Me mortifica mi exhibición pública, pero también siento un gran alivio.

Al finalizar la reunión, juntos repetimos la Oración de la Serenidad: "Señor, dame serenidad para aceptar las cosas que no puedo cambiar, valor para cambiar lo que sí puedo cambiar y sabiduría para reconocer la diferencia".

Por favor, por favor, por favor dame serenidad para aceptar las cosas que no puedo cambiar, valor para cambiar lo que sí puedo cambiar y sabiduría para reconocer la diferencia.

Lo repito en silencio.

Después nos dicen: "Regresen".

Yo regreso, esta vez a un vecindario más elegante. El café es mejor; es de Peet's. Por fin escuchamos una historia divertida. Un hombre cubierto con un rompevientos color durazno dice que, con el fin de ocultar sus medicamentos (Zoloft, beta-bloqueadores, píldoras para controlar la hipertensión, píldoras para dormir, Viagra) de las manos de su hijo, las juntó todas en un solo frasco. Los demás en la sala asentimos de manera apreciativa: todos sabemos eso de esconder medicamentos y licor de nuestros familiares adictos.

El hombre dice que cierto día tuvo que salir deprisa antes de una presentación y tomó un beta-bloqueador del frasco. Al menos ésa era su idea. Resultó que en vez de eso se tomó una tableta de Viagra. El medicamento funcionó justo cuando estaba a punto de ponerse de pie frente a un grupo de personas para hablar. No había un podio detrás del cual esconderse.

Las carcajadas se esfuman cuando una mujer de timidez extrema menciona su "práctica", lo cual hace pensar que tal vez sea abogada o médica, y revela con voz quebrada que intentó suicidarse varios días atrás. Su piel es pálida y casi verdosa, no usa maquillaje, su cabello es tieso y sus ojos acusan un prolongado insomnio. Dice que condujo hasta el puente Golden Gate y se estacionó. Después caminó desde su auto al puente.

—El viento me cortaba, las lágrimas empapaban mi cara y miré las aguas hacia abajo —dice—. Hubiera tenido que treparme a la barda pero hay una red al otro lado. Hubiera tenido que treparla también. Decidí que era más fácil conseguir una pistola. Mi padre tiene una. La guarda bajo llave en un cajón cerca de su cama, en la casa de mis padres. Yo tengo llaves de la casa y del cajón. Una pistola sería más rápida y no tan fría.

Regresó por el puente hacia donde dejó su auto estacionado, pero no pudo encontrarlo de inmediato. Pensó que tal vez olvidó dónde lo había estacionado. Buscó alrededor del lote pero su auto no estaba. Después miró un señalamiento: se había estacionado en un lugar prohibido y la grúa se había llevado su auto.

—Estaba tan trastornada que comencé a reír —dice—. Lloré y reí al mismo tiempo. En ese momento me di cuenta de que no podía quitarme la vida mientras aún pudiera reír.

Las lágrimas ruedan por sus mejillas y el resto de nosotros llora con ella.

Estoy de regreso en Novato para otra reunión en la iglesia. Ahora reconozco a muchas de las personas que están aquí. Nos abrazamos. En todas partes, todos me preguntan cómo estoy. Aquí, ellos lo saben.

Una madre se balancea ligeramente mientras habla. Yo sostengo fija la mirada en el piso de mosaicos blancos y mi postura es encorvada sobre la silla de metal gris. Mis manos dobladas se apoyan en mi regazo. La mujer, con un vestido sencillo de oficina, sorbe su café de un vaso de papel. Su largo cabello está peinado con esmero. Su maquillaje es un discreto tono durazno en las mejillas y delineador negro en los ojos. Con voz temblorosa nos dice que su hija estará en prisión durante dos años por posesión de drogas. La mujer se contrae y parece empequeñecer sobre su silla mientras rompe en llanto.

Donde quiera que voy hay lágrimas.

Lágrimas por doquier.

Ella dice:

—Estoy feliz. Sé dónde está. Sé que está viva. El año pasado estábamos extasiados porque se había inscrito a Harvard. Ahora me siento aliviada porque está en la cárcel.

Una madre de cabellos blancos interrumpe para decir que sabe cómo se siente la otra mujer.

—Todos los días doy gracias a Dios porque mi hija está en la cárcel —dice—. Yo expreso mi gratitud a Dios. Mi hija fue sentenciada seis meses atrás por consumir y vender drogas, y por prostitución.

La mujer recupera el aliento para agregar, tanto para sí misma como para el grupo:

—En prisión está más segura.

Yo pienso: Así que esto es lo que obtenemos. No todos nosotros, desde luego, pero algunos llegamos a un punto en el cual la buena noticia es que nuestros hijos están en la cárcel.

No puedo controlarla, no puedo curarla y, sin embargo, aún creo que hay algo que yo pueda hacer. "En un momento brilla un destello de esperanza; al siguiente nos inunda un mar de derrota y siempre el dolor, el dolor, siempre la angustia, lo mismo una y otra vez", escribió Tolstoi.

No sé nada sobre Nic y cada hora, cada día, cada semana es una tortura silente, como un dolor físico. Gran parte del tiempo siento como si me quemara. Tal vez sea verdad que el sufrimiento construye el carácter, pero también daña a la gente. Los asistentes a las reuniones de Al-Anón están lastimados, algunos de ellos físicamente pero todas psíquicamente. Al mismo tiempo, también son las personas más abiertas, vivaces y generosas que he conocido jamás.

Según aconsejan en Al-Anón, yo trato de "desapegarme", de dejarlo ir y dejárselo a Dios. ¿Cómo deja ir un padre? No puedo. No sé cómo hacerlo.

¿Cómo pude no darme cuenta de que Nic consumió drogas a lo largo de los meses anteriores, incluso cuando estaba en casa? He estado tan traumatizado por su adicción que lo surrealista y lo real se han convertido en uno y en lo mismo. Ya no puedo distinguir lo normal de lo monstruoso. Soy tan bueno para la racionalización y la negación que no puedo distinguir dónde termina uno y comienza el otro. O tal vez sólo es que, con la práctica, los adictos se convierten en mentirosos impecables y talentosos y este hecho coincide con la susceptibilidad en aumento de los padres ante sus mentiras. Yo creí en Nic porque quise creerle. Estaba desesperado por creerle.

¿Qué le sucedió a mi hijo? ¿En qué me equivoqué? De acuerdo con Al-Anón no es culpa mía, pero me siento responsable. Repito la letanía: si tan sólo hubiera establecido límites más estrictos; si tan sólo hubiera sido más consistente; si tan sólo lo hubiera protegido más de mi vida adulta; si tan sólo no hubiera consumido drogas; si tan sólo su madre y yo hubiéramos permanecido juntos; si tan sólo ella y yo hubiéramos vivido en la misma ciudad después del divorcio.

Sé que el divorcio y el acuerdo de custodia compartida fueron los aspectos más difíciles de su infancia. Los hijos del divorcio consumen drogas y alcohol antes de los catorce años de edad con más frecuencia que los hijos de las familias integradas. En un estudio, 85 por ciento de los hijos del divorcio eran consumidores de drogas duras en bachillerato, en comparación con 24 por ciento de los hijos de familias intactas. Las niñas cuyos padres se divorcian tienen experiencias sexuales a edad más temprana y los chicos de ambos sexos sufren un nivel más alto de depresión. Dado que más de la mitad de los primeros matrimonios y 65 por ciento de los segundos terminan en divorcio, pocos de nosotros deseamos enfrentar el hecho de que, con frecuencia, el divorcio es un desastre para los hijos y puede conducir al abuso de drogas y a otros problemas muy serios. Pero tal vez resulte risible especular en vista de que muchos chicos que viven el divorcio de sus padres —algunos mucho más complicados que el mío— no recurren a las drogas. Y muchos adictos que conozco provienen de familias intactas. No hay manera definitiva de saberlo. ¿Estábamos más locos que la mayoría de las familias? No mucho más. Quizá.

¿Qué más puedo culpar? A veces pienso que los chicos privilegiados son candidatos principales para la adicción a las drogas por muchas razones obvias pero, ¿qué hay de las legiones de adictos que crecieron en la miseria? Sería sencillo culpar a su pobreza si no encontráramos chicos de todas clases socioeconómicas en centros de rehabilitación y en reuniones de AA. Podría culpar a las escuelas privadas si los alumnos de las escuelas públicas tuvieran menos problemas con las drogas. Por el contrario, las investigaciones lo confirman. La adicción es una aflicción de oportunidades iguales: afecta a la gente sin importar sus circunstancias económicas, su educación, su raza, su geografía, su coeficiente intelectual o cualquier otro factor. Tal vez una confluencia de factores, una potente pero desconocida combinación entre naturaleza y crianza, puede o no conducir a la adicción.

A veces sé que nada ni nadie tiene la culpa. Después retrocedo y me siento aún más culpable. A veces sé que lo único que podemos saber es que Nic padece una enfermedad terrible.

Aún me resulta difícil aceptarlo y repaso los argumentos de ambas partes. Las personas que padecen cáncer, enfisema o enfermedades cardiacas no mienten ni roban. Algunos moribundos a causa de esas enfermedades harían lo que estuviera en su poder por vivir. Pero existe el tema de la adicción. Por su naturaleza, la gente afectada es incapaz de hacer lo que, desde afuera, resultaría una solución sencilla: no bebas, no consumas drogas. A cambio de ese pequeño sacrificio recibirás un regalo que otras personas con enfermedades terminales darían todo por obtener: vida.

Pero el doctor Rawson dice: "Un síntoma de esa enfermedad es drogarse. Un síntoma es perder el control. Un síntoma es la necesidad de satisfacer el apremio". Es una fuerza tan poderosa que un adicto en una reunión la comparó con "la necesidad de un bebé de succionar el pecho de su madre. Consumir drogas o alcohol es como si aquélla fuera una opción".

Existe una razón práctica para que la gente comprenda que la adicción es una enfermedad: las compañías de seguros cubren enfermedades y pagan los tratamientos. Es bueno que así sea porque si esperas a que la enfermedad progrese, que así será, terminarías por pagar por trasplantes de hígado, corazón y riñones, por no hablar de las enfermedades mentales de los adictos que caen en psicosis y demencia, por no hablar de los costos de las familias destruidas que no pueden trabajar y por no hablar de los crímenes relacionados con la adicción.

Algunas personas aún no se convencen. Para ellas, la adicción es una falla moral. Los consumidores quieren drogarse, eso es todo. Nadie los obliga a hacerlo. "No discuto el hecho de que ciertas áreas del cerebro se encienden cuando un adicto piensa en consumir cocaína o la consume", dijo Sally Satel, psiquiatra de la Clínica Oasis de Tratamiento contra Drogas en Washington, D.C. y socia del Instituto Estadounidense de Empresa. "Pero implica el mensaje de que la adicción es una condición tan biológica como la esclerosis múltiple. Las enfermedades cerebrales verdaderas no tienen un componente volitivo."

Sin embargo, yo me recuerdo a mí mismo: Nic no es Nic cuando está drogado. A través de este calvario me esfuerzo por comprender a esa fuerza que ha secuestrado el cerebro de mi hijo y a veces me pregunto si su tendencia a la destrucción es una falla moral o un defecto de carácter. A veces también culpo a los programas de tratamiento. Y después me culpo. Voy y regreso, pero siempre caigo en esto:

Si Nic no estuviera enfermo, no mentiría.

Si Nic no estuviera enfermo, no robaría.

Si Nic no estuviera enfermo, no aterrorizaría a su familia.

Él no abandonaría a sus amigos, a su madre, a Karen, Jasper y Daisy, y no me abandonaría a mí. No lo haría. Nic tiene una enfermedad, pero la adicción es la más frustrante de todas las enfermedades, única en la culpa, vergüenza y humillación que la acompañan.

No es culpa de Nic estar enfermo, pero sí es su culpa reincidir porque él es el único que puede hacer el trabajo necesario para impedir la reincidencia. Tanto si es o no su culpa, él debería ser digno de confianza. Mientras este ruido constante y repulsivo da vueltas en mi mente, comprendo cuando, en St. Helena, Nic admitió que a veces desearía padecer cualquier otra enfermedad porque nadie lo culparía. Hasta los pacientes de cáncer, por ejemplo, podrían enojarse por estar enfermos y sería justificable. ¡Todo lo que drogadictos y alcohólicos tienen que hacer es dejar de beber, dejar de drogarse! No existe una opción similar para el cáncer.

Los padres de los adictos tenemos el mismo problema que nuestros hijos: debemos reconciliarnos con la irracionalidad de esta enfermedad. Nadie que no la haya confrontado puede comprender por completo sus paradojas. Dado que la mayoría de la gente no puede entenderla, no existe una comprensión verdadera; sólo un poco de lástima acompañada de una velada condescendencia.

Fuera de las reuniones de Al-Anón o lejos de los padres que han escuchado lo que vivimos y que han llamado para expresar su conmiseración, con frecuencia me siento separado, con la tarea casi imposible de detener los intentos de mi mente por comprender.

Sin embargo, el hecho de creer que la adicción es una enfermedad resulta útil. La doctora Nora Volkow, directora del Instituto Nacional de Abuso de Drogas, ha dicho: "He estudiado el alcohol, la cocaína, las metanfetaminas, la heroína, la mariguana y, recientemente, la obesidad. Existe un patrón de compulsión. Nunca he conocido a una sola persona adicta que desee serlo. Algo ha sucedido en su cerebro que ha generado este proceso".

Cierta vez, el abuelo de Nic vino a visitarnos. Fue hace años, cuando Vicki y yo vivimos en Los Ángeles durante un año. De camino a nuestro departamento desde el aeropuerto, él nos pidió detenernos en una tienda para comprar cigarros. Intentó ocultarlo, pero nos dimos cuenta de que también traía una botella de whisky en la bolsa de papel. Para cuando terminamos de cenar, la botella estaba vacía. Dos años después, estaba muerto. Él fue un granjero y hombre de familia gentil, amoroso y trabajador, cuya vida se deterioró de manera trágica pero, dado que consumía alcohol en lugar de *speed* o heroína, su debilitamiento tomó varias décadas. Tenía sesenta y tantos años al morir. "El alcohol causa el mismo daño durante un periodo más largo", alguien dijo en una reunión. "Las drogas lo hacen más rápido. Ésa es la única diferencia."

Además de la potencia y toxicidad de sus drogas preferidas, a fin de cuentas las diferencias entre alcohólicos y drogadictos activos son irrelevantes: terminan en el mismo lugar con debilidad y soledad similares. De manera similar, muertos.

Leo *Retorno a Brideshead* y me sorprendo ante el hecho de que, hace sesenta años, Waugh escribiera: "Con Sebastian es distinto". Julia habla acerca de su hermano. "Se convertirá en un ebrio si alguien no se lo impide... Está en la sangre... Lo veo en la *manera* de Sebastian de beber."

Brideshead: "No puedes impedir que la gente beba si desea hacerlo. Mi madre nunca pudo impedir que mi padre lo hiciera".

Sustituye algunas palabras y los personajes hablan acerca de mi hijo: "Con Nic es distinto. Se convertirá en un adicto si alguien no se lo impide... Está en la sangre... Lo veo en su *manera* de drogarse".

"No puedes impedir que la gente se drogue si desea hacerlo."

Después de haber pasado algún tiempo en programas de recuperación, nunca percibes igual a un borracho o a un drogado, tanto en una fiesta como en un libro o en películas. La glotonería de Hunter Thompson en cuanto al alcohol y las drogas ya no me resulta divertida. Es patética. No es nada divertido ver a Nick

Charles beber litros de martinis en el desayuno, en el almuerzo, en la cena; entre, antes y después de cada comida, en las películas de *Thin Man (Las cenas de los acusados)*. ("Vamos, querido, comamos algo." Nick dice: "Tengo sed".) En una de esas películas, Nora, a manera de broma, dice que su esposo es dipsómano. Lo es. A mucha gente le encantó la película *Sideways* del año 2005 acerca de un entusiasta del vino, pero a mí me pareció repulsiva. Para mí era la historia de un miserable alcohólico.

Existen alcohólicos funcionales tanto como existen drogadictos funcionales; al menos, hasta que dejan de serlo. Tal vez la única diferencia entre ellos y los borrachines y mariguanos de las calles es un poco de dinero, suficiente para pagar rentas, cosas, comida y el siguiente trago.

Algunas personas sostienen que el hecho de designar a la adicción como una enfermedad cerebral en lugar de un desorden conductual da a los adictos una excusa para reincidir; no importa si consumen alcohol, *crack*, heroína, metanfetaminas o drogas por prescripción médica. Alan I. Leshner, exdirector de NIDA y ahora director ejecutivo de la Asociación Estadounidense para el Avance en la Ciencia, está de acuerdo en que los adictos no deben ser exonerados de toda responsabilidad. "El peligro de clasificar a la adicción como enfermedad cerebral es que la gente piensa que tú eres una víctima en desgracia", escribió el doctor Leshner en *Issues in Science and Technology (Asuntos de ciencia y tecnología)* en el año 2001. "Pero no es así. Para empezar, dado que comienza con un comportamiento voluntario, tú, de hecho, te la provocas."

La doctora Volkow no está de acuerdo. "Si decimos que una persona tiene un padecimiento cardiaco, ¿con ello eliminamos su responsabilidad? No. La ponemos a hacer ejercicio. Queremos que coma menos y que deje de fumar. El hecho de que los adictos tengan una enfermedad reconoce que existen cambios, en este caso, en el cerebro. Como con cualquier otra enfermedad, debes participar en tu propio tratamiento y recuperación. ¿Qué hay de la gente con colesterol alto que no deja de comer papas a la francesa? ¿Decimos que la enfermedad no es biológica porque está influida por una conducta? Nadie comienza con la esperanza de convertirse en adicto. Es sólo que le gustan las drogas. Nadie comienza con la esperanza de que le dé un infarto. Es sólo que le gusta el pollo frito. ¿Cuánta energía y enojo queremos desperdiciar en el hecho de que la gente se lo provoca a sí misma? Puede ser una enfermedad cerebral, puedes habértela provocado y tienes que hacer algo para atenderla."

Intento no culpar a Nic.

No lo culpo.

A veces lo hago.

16

En esta soleada mañana de junio, a pesar de su promesa a Jasper y Daisy, Nic no forma parte de la audiencia en su ceremonia de ascenso de fin de cursos.

El director de la escuela, con una chaqueta deportiva color camello y brillante corbata, tiene una sonrisa cálida, unos ojos que evidencian su profundo afecto por su trabajo y una voz tranquilizadora. El hombre se mezcla entre los niños y sus padres. De pie frente a un micrófono, el director conduce la ceremonia y llama a los alumnos grado por grado. Según sus instrucciones, los niños se levantan de sus asientos y suben en masa a sentarse a la siguiente fila, más alta. Jasper, vestido con una camisa blanca de cuello y con el cabello marrón peinado con fleco sobre la frente, luce radiante entre sus amigos. Ahora es alumno de tercer grado.

El director dice:

—Los alumnos de primer grado de este año, favor de ponerse de pie.

Los alumnos obedecen. Después, el director dice:

—Los alumnos de segundo grado del próximo año, favor de pasar al frente.

Ahora es el turno del grado de Daisy.

—Los alumnos de preescolar, favor de ponerse de pie.

Daisy, con un vestido azul claro con holanes que fue de Nancy cuando era niña, se levanta junto con sus compañeros.

—Los alumnos de primer grado para el siguiente año escolar, favor pasar al frente.

La multitud prorrumpe en aplausos y entre los chicos escuchamos algunos tropezones. Ésta es la tradición de la escuela. Daisy y los demás niños de preescolar, al subir a primer grado, son vitoreados con gritos ensordecedores. Es un momento conmovedor cuando el nivel más bajo queda vacío, excepto por los profesores de preescolar quienes están solos y esperan un nuevo grupo de niños de cinco años que llegará en otoño.

Dentro de mí siento un ardiente vacío. La contradicción entre la inocencia de los niños presentes y mi hijo ausente es demasiada como para ser contenida en un solo cerebro a la vez.

A la ceremonia de ascenso siguen discursos y la despedida de los chicos de octavo grado, quienes comenzarán el bachillerato en el otoño próximo. No soy el único padre con lágrimas en los ojos, pero no puedo evitar pensar que las mias son únicas. Contemplo a Jasper y a Daisy con vestimentas elegantes: Jasper con la blanca camisa tipo Oxford y cuello que le causa comezón, Daisy con el vestido de su abuela, calcetas blancas y zapatillas sin tacón, de pie entre sus compañeros, inmaculados, nerviosos y emocionados, y recuerdo a Nic resplandeciente también, erguido, con la vida por delante. ¿Dónde puede estar?

En el exterior el cielo muestra algunos manchones azules, pero la señal de que la tormenta ha pasado y de que el verano está por llegar no mejora mi estado de ánimo. Estoy en la cocina y hiervo agua para el té. El teléfono suena. Mi reacción ansiosa es identificable. ¿Quién más podría llamar tan temprano por la mañana? Debe ser Nic. Sin embargo, mientras me acerco al teléfono, me digo "No, no es Nic" con el fin de evitar la amarga decepción cuando no es él.

No es él.

—Habla Sylvia Robertson —dice una mujer de voz animada—. Soy la mamá de Jonathan. Soy una de las madres del equipo Atún Furioso.

La mamá del equipo de natación de Jasper pregunta si podemos trabajar en la fuente de sodas en la competencia de la próxima semana.

—Desde luego. Nos encantará.

Comienzo a despedirme.

—Vamos, Atún Furioso —exclama ella con entusiasmo.

—Vamos, Atún Furioso.

La cocina queda en silencio.

Junto con los platos, las tazas y los vasos, una fotografía domina los estantes abiertos sobre el fregadero. Mi padre, con lentes oscuros y sombrero de pescador, saluda con la mano y sonríe. Daisy, en el regazo de Karen, es bebé aún. Su rostro está oculto debajo de un sombrero de alas anchas. Los chicos están en primer plano y sonríen a la cámara. Jasper estrena corte de cabello de manera que el fleco castaño enmarca su cara excitada, y Nic, con el cabello muy corto y frenillos dentales. Mis chicos. La fotografía tiene un sello en la parte trasera: 12 de octubre de 1996, lo cual indica que Nic tenía catorce años de edad.

¿Dónde está?

Mientras tanto, en la colina, en la casa junto al cañón de los padres de Karen, Don apenas ha salido de su guarida y se acomoda en su acostumbrada esquina soleada en la sala. Con viejas botas, pantalones cortos y una vieja camiseta, Don está sentado en una silla de ratán y lee algo acerca del almirante Lord Nelson. Nancy está ocupada en el jardín del serpenteante camino de entrada cuando se da cuenta de que tal vez ya terminó el ciclo de la lavadora. Con las tijeras de podar guardadas en su funda de piel sujeta al cinturón, Nancy se dirige hacia a su casa.

La mujer entra por la puerta baja y, después de quitarse los guantes para jardinería, desciende por las escaleras hasta el atiborrado sótano con su distintivo olor a humedad y jabón para ropa. Después de la lavadora y la secadora de ropa hay un cuarto de costura y una pequeña habitación que fue de su hijo cuando era adolescente. Hay arcos colgados en las paredes que fueron regalos de amigos, miembros de la tribu india de los Pies Negros, para sus padres. La habitación ahora es cuarto de huéspedes para que duerman ahí los nietos cuando se quedan a pasar la noche.

Antes de poder cambiar la carga de sábanas y fundas lavadas a la secadora, Nancy tiene que descargar la secadora de ropa limpia así que la apila, para doblarla después, sobre la cama.

Y respinga. Hay un cuerpo debajo de las cobijas de lana. Nancy reúne valor, se acerca a mirar y se da cuenta de que se trata de Nic, un vibrante esqueleto dormido, imperturbable a su grito.

—Nic —exclama—. ¿Qué haces...?

Sobresaltado, con las pupilas dilatadas, vestido con pantalones de mezclilla y una camisa de mangas largas, Nic la mira y se incorpora.

—¿Qué? Nan...

Ambos están pasmados.

—¿Qué haces?

—Nancy —comienza él—. Yo...

—¿Estás bien?

Él se levanta, toma su bolsa, tartamudea y se disculpa.

—Nic, no —dice Nancy—. Está bien. Es sólo que me diste un susto de muerte.

—Yo... lo siento.

—Nic, ¿estás drogado?

Él no responde.

—Puedes quedarte aquí cuando quieras. Está bien. Sólo dímelo. No te escondas. Casi me causas un ataque cardiaco.

Él sale de la habitación y sube por las escaleras. Ella lo sigue.

—¿Ya comiste? ¿Puedo prepararte algo?

—No, gracias. Tal vez un plátano, si no hay problema.

—Nic... ¿qué puedo hacer para ayudarte? —Hay lágrimas en sus ojos. Parpadea—. Sólo dime qué puedo hacer.

Nic murmura algo incoherente, una disculpa, y toma un plátano del frutero de la cocina. Da las gracias, murmura que lo lamenta y después se escurre por la puerta principal hacia el camino de entrada.

—¡Nic!

Ella corre detrás de él y le grita, pero él no se detiene.

Para cuando Nancy llega a la calle, él ya se ha marchado.

Nancy me llama para contarme lo que ha sucedido. Don merodea cerca de ella y escucha las noticias. Nancy tiene todo el derecho de estar furiosa, pero se disculpa *conmigo*.

—Lo siento —me dice—. No supe qué hacer.

Le aseguro que no había nada por hacer.

—Lamento que te haya asustado —digo—. Lamento que hayas tenido que verlo así.

Nancy no me escucha.

—Intenté convencerlo de quedarse —me dice—. Se veía... —se interrumpe y se sofoca—. ¡Me siento tan mal!

Una tarde fresca, pocos días después de la ceremonia de ascenso, estoy en un parque donde el grupo de Daisy celebra una fiesta de fin de año escolar. Un amigo, profesor y padre de un amigo de Daisy, instruye a los niños acerca de un juego de su invención inspirado por J.K. Rowling. Su versión del *quidditch* incluye cuatro pelotas de varios tamaños, sustitutas de los *bludgers* y los *quaffles*, y un *frisbee* es el *snitch* de oro.

Estoy presente pero ausente. Los padres pueden ser tan felices como el más infeliz de sus hijos, de acuerdo con un viejo refrán. Me temo que es verdad.

Sin aliento, Daisy corre hacia mí.

—Te necesitamos en nuestro equipo —ordena—. Vamos —mi hija toma mi mano y me jala al juego.

No hay noticias durante otra semana más y después Nic llama a su padrino, quien lo invita a su casa cerca de Twin Peaks. Aterrado ante el aspecto de Nic ("parece como si pudiera elevarse con un viento fuerte"), le prepara un estofado y Nic lo devora. Después le suplica a Nic que busque ayuda.

—Estaré bien, ya no consumo drogas —Nic miente—. Lo que necesito es estar solo durante un tiempo.

Después de que Nic se marcha, mi amigo me llama, me cuenta acerca de la visita y después guarda silencio.

—Al menos logré que comiera algo —dice.

No hay noticias durante dos semanas, nada salvo un estado perpetuo de ansiedad.

Una vez más pregunto en las cárceles si ha sido detenido. Una vez más llamo a las salas de emergencia de los hospitales. Después, el hermano de Karen lo ve, o cree haberlo visto, en Haight Street, reunido con otras personas en una esquina, evasivo, inquieto y sospechoso.

Me siento muy agitado. Nada en mi vida me preparó para la discapacitante preocupación de no saber dónde está. Imagino a Nic en las calles de San Francisco como un animal salvaje, herido y desesperado. Como un desquiciado anestesiólogo que preside su propia cirugía cerebral, imagino a Nic en el intento de administrar el flujo de drogas con el fin de alcanzar la excitación máxima, la cual, rápida y necesariamente, se hace menos eufórica y más cercana a una evitación del infierno de ir de bajada.

En el cajón del viejo escritorio de su habitación encuentro notas garrapateadas de un diario en un cuaderno de composición que enlista el menú de un día típico.

1 ½ gramos de *speed*
3 ½ gramos de hongos
2 clonazepam
3 codeínas

2 valium

2 éxtasis

En mi oficina intento escribir pero estoy catatónico. Karen entra y me mira, sentado con la mirada fija, y suspira. Tiene un papel pequeño en las manos.

—Mira —me dice al extenderme uno de sus cheques, cancelado. Está a nombre de Nic. La temblorosa firma es una evidente falsificación.

—Él no haría... —comienzo pero, al decirlo, sé que estoy en un error. Karen ama mucho a Nic y se siente perpleja, herida y enojada.

—Pobre Nic —exclamo—. No haría esto si estuviera en sus cabales.

—¿Pobre Nic? —Furiosa, Karen me da la espalda para salir de la habitación. Yo le grito:

—Pero éste no es Nic.

Ella me mira y mueve la cabeza. No quiere escucharlo. No podré disculparme por él mucho tiempo más.

Paso varias noches más de angustia y mortificación.

Cierta noche, los niños duermen después de que Karen les lee *Noches árabes*. Después ella lee el periódico en la cama y yo escribo en mi oficina cuando escucho ruidos.

¿La puerta frontal?

Con el corazón acelerado voy a investigar y me tropiezo con Nic en el vestíbulo.

Él gruñe un corto saludo y se apresura a pasar frente a mí para escabullirse a su habitación, aunque se detiene un poco cuando le pregunto:

—Nic, ¿dónde has estado?

Él finge sentirse ofendido y exclama con rabia:

—¿Cuál es tu problema?

—Te hice una pregunta. ¿Dónde has estado?

Él responde con toda la incrédula indignación que puede fingir, después me mira por encima de su hombro y murmura:

—En ninguna parte —y continúa su camino hacia su habitación.

—¡Nic! —lo sigo y entro a la roja caverna llena de humo donde Nic abre y azota sus cajones. Sus ojos revisan los estantes de libros en el clóset. Viste una camiseta roja desteñida y pantalones de mezclilla rasgados. Sus tenis Purcell rojos están desatados. No lleva calcetines. Sus movimientos son frenéticos. Es evidente que busca algo y yo asumo que es dinero o drogas.

—¿Qué haces?

Él me mira con rabia.

—No te preocupes —dice—. He estado sobrio durante cinco días.

Tomo su mochila, que él ha arrojado sobre la cama, abro el cierre, rebusco entre los bolsillos de sus pantalones de mezclilla, desenrollo los calcetines, sacudo las sábanas y desarmo una linterna (sólo contiene baterías). Mientras lo hago, Nic se apoya en el quicio de la puerta y me mira sin expresión con los brazos cruzados a la altura del pecho. Por fin, con una ácida sonrisa de satisfacción casi imperceptible, me indica:

—Puedes detenerte. Muy bien —Nic reúne una pila de ropa y la guarda en su mochila—. Me voy.

Le pido que tome asiento y hablemos.

—Si es sobre la rehabilitación no hay nada qué decir.

—Nic.

—Nada que decir.

—Tienes que intentarlo de nuevo. Nic, mírame. —No lo hace—. Estás desperdiciándolo todo.

—Es mi derecho desperdiciarlo porque es mío.

—No lo desperdicies.

—No hay nada que desperdiciar.

—¡Nic!

Él me empuja para hacerme a un lado y, sin levantar la vista, dice "lo siento" y corre por el pasillo.

Al pasar junto a Karen, Nic le dice "Hola, mamá" mientras ella lo mira sin comprender.

Karen se coloca junto a mí, aún con el periódico en la mano. Ambos miramos por la ventana mientras Nic desaparece por la calle desierta.

Incapaz de obstruirle el paso, ¿qué puedo hacer?

A pesar de que quiero retenerlo, de que temo a su constante ausencia y a la debilitante preocupación cuando no está, no hago nada.

Estoy despierto a las cuatro de la madrugada junto con otros padres de drogadictos, mismos que ignoramos dónde están nuestros hijos.

Es otra noche interminable de luna llena. De pronto pienso que hoy es cumpleaños de Nic. Hoy mi hijo cumple veinte años.

Combato la dolorosa urgencia de reprobar mi decisión. Tiene que haber algo que pude haber intentado.No debí dejarlo marchar. Debo encontrarlo.

A estas alturas ya hemos dicho cientos de veces que la adicción a las drogas es una enfermedad progresiva. En realidad todavía no lo comprendo del todo hasta la mañana siguiente, cuando suena el teléfono. Es Julia, la novia de Nic a quien conocí el invierno pasado en Boston. Ahora, con Nic desaparecido y sus planes de viajar a China arruinados, ella me llama desde el hogar de su familia en Virginia. Su voz se quiebra. Ha llorado.

—Nic robó agujas hipodérmicas de casa de mi mamá cuando la visitamos el mes pasado —me dice.

—¿Agujas?

—Eran para medicamentos contra el cáncer. También robó morfina —solloza.

—No sé qué decirte.

—Yo tampoco.

Después de una pausa, la chica agrega:

—Puedo decirle una cosa. No le ayude. No le dé dinero. Él intentará cualquier cosa con tal de que usted lo ayude. Después hará lo mismo con su mamá. Si le ayudan, sólo servirá para que se mate más pronto. Ésta es una de las pocas lecciones que aprendimos con la adicción de mi hermana.

—No lo sabía. Soy un idiota. Pensé que estaba mejor. Pensé que terminaría sobrio el año escolar.

—Usted quiso creer, como yo.

Está a punto de cortar la comunicación.

—Por la experiencia de mi familia con mi hermana, el mejor consejo que puedo darle es que se cuide mucho.

—Tú también cuídate mucho.

Incluso después de todo lo que hemos vivido, estoy perplejo. Nic se inyecta drogas, se las "arponea" en los brazos, mismos brazos que, no hace mucho tiempo, arrojaban pelotas de beisbol y construían castillos de Lego. Brazos que rodeaban mi cuello cuando cargaba su cuerpo dormido del auto hasta la casa por las noches.

Hemos prometido a los niños llevarlos al acuario de la bahía de Monterey al día siguiente. La disparidad entre nuestros dos mundos aún nos trastorna y nos agobia. A veces parece imposible la coexistencia entre ambos mundos.

No tiene sentido quedarse sentado en casa a la espera de un teléfono que nunca suena.

Todos luchamos por continuar con nuestras vidas.

Vamos en auto a Monterey y nos detenemos en el camino en Santa Cruz, donde caminamos por un acantilado y seguimos una serie de entarimados desiguales hasta una cueva, justo encima del espumoso y agitado Pacífico. Las rocas inferiores son resbalosas a causa del agua de mar. Los chicos nadan cerca de Cowles Beach. Mis hijos, los tres, parecen sentirse tan cómodos en el agua como en la tierra. Son como delfines.

En el acuario vemos una película sobre una lánguida bahía y cientos de cormoranes que se alimentan. Las aves parecen jugar y salpicarse en el agua. Entonces, de la nada, el agua se alborota, se torna grisácea y se transforma en una gran boca llena de dientes. Un enorme tiburón blanco engulle entero a un cormorán. La cola del tiburón se azota por todas partes como un látigo y desaparece.

Me siento como el cormorán. Un tiburón ha emergido de las profundidades. Lo contemplo indefenso y veo su ataque y, con él, la precariedad de la vida de Nic. Veo cuán cerca está de morir. Siento que la imagen me enferma físicamente y no puedo soportarla.

Después del acuario abordamos el auto y nos dirigimos hacia el sur por la autopista 1 hasta Carmel, donde los niños juegan en la playa y después, en un parque, se suben a un antiguo madroño de corteza descascarada como una vieja quemadura de sol. Al verlos me relajo durante un momento, pero la ansiedad es una residente permanente de mi cuerpo.

Regresamos a casa. No mencionamos a Nic y no es que no pensemos en él. Su adicción y su gemela, la expectativa de su muerte, permean el aire que respiramos. Karen y yo intentamos estar preparados en caso de que la siguiente llamada telefónica nos anuncie la peor noticia posible.

Nic aún no aparece. La vida no se detiene.

Karen trabaja hasta tarde en su estudio y yo llevo a Jasper y a Daisy a cenar a la ciudad en Pine Cone Diner. Después caminamos hacia la tienda de víveres. El Palace Market está casi desierto. Yo conduzco un carrito de compras de ida y vuelta por los pasillos. Jasper y Daisy arrojan cajas de cereales y de galletas al carrito y yo los saco hasta que por fin les grito que se detengan. Los envío a buscar productos que sí necesitamos en distintas direcciones: leche, mantequilla, pan. Estoy en un pasillo y reviso los anaqueles de pastas secas cuando el sistema de sonido local toca la canción de Eric Clapton dedicada a la muerte de su hijo.

Es más de lo que puedo tolerar y me deshago en lágrimas en medio de la tienda. Jasper y Daisy, ambos con los brazos llenos con los productos de su lista, corren al dar la vuelta a la esquina al mismo tiempo y me sorprenden bañado en llanto. Están consternados y asustados.

He aquí un consejo para los padres de adictos: elijan su música con atención. Eviten "What a Wonderful World" de Louis Armstrong, del anuncio de Kodak, de Polaroid o del que sea y las canciones "Turn Around" y "Sunrise, Sunset" y... hay miles más. Eviten "Time After Time" de Cindy Lauper y ésta, la canción de Eric Clapton sobre su hijo. El "Hallelujah" de Leonard Cohen me tomó por sorpresa en una ocasión. La música no tiene que ser sentimental. Springsteen puede ser peligroso. John y Yoko. Björk. Dylan. Me vuelvo loco cuando escucho a Nirvana. Quiero gritar como Kurt Cobain. Quiero gritarle a *él*. Y no es sólo la música. Hay millones de momentos traicioneros. Si conduzco por la autopista 1, veré una ola que revienta. O llego a la bifurcación de caminos, cerca de Rancho Nicasio, donde cambiábamos de rumbo para dejar a los chicos en mis turnos de llevarlos a la escuela. Una estrella brillante en una noche tranquila en la cima de la colina Olema. Con amigos, escucho una buena broma que a Nic le hubiera gustado. Los niños hacen algo divertido o atrevido. Una historia. Un suéter viejo. Una película. Sentir el viento y mirar hacia arriba al montar mi bicicleta. Un millón de momentos.

No sabemos nada de Nic durante dos semanas más y entonces me envía un mensaje por correo electrónico. Mi reacción inicial es alivio: está vivo, al menos semicoherente y se mueve, aunque sea lo suficiente como para acudir a una biblioteca pública para utilizar una computadora. Me pide ayuda, algo de dinero para no tener que vivir en la calle. Le respondo que le ayudaré a regresar al tratamiento, pero que eso es todo. No imito ningún guión de amor rudo de Al-Anón ni me he vuelto un tipo duro. He sido derrotado por las metanfetaminas y me he rendido. Pagar sus multas para sacarlo de la cárcel, pagar sus deudas, llevarlo a rastras a los loqueros y consejeros, y sacarlo de las calles ha sido inútil; las metanfetaminas son invulnerables. Siempre asumí que el cuidado y el amor garantizarían una vida decente para mis hijos, pero ya aprendí que no es suficiente.

Él rechaza mi oferta.

El profesor de escritura de Nic en Hampshire, aquél que aceptó a Nic en su clase después de darse la mano, se entera de que ha reincidido y me escribe: "Nic sobrio es resplandeciente. He enterrado demasiadas personas con el paso de los años como para no verme afectado por estas noticias".

Después de otra semana de angustia, Nic me llama por cobrar:

—Hola, pá, soy yo.

—Nic.

—¿Cómo estás?

—Ése no es el punto. ¿Cómo estás tú?

—Estoy bien.

—¿Dónde estás?

—En la ciudad.

—¿Tienes un lugar para vivir? ¿Dónde vives?

—Estoy bien.

—Escucha, Nic, ¿quieres que nos reunamos?

—No creo que sea buena idea.

—Sólo para vernos. No te culparé por nada. Sólo para almorzar.

—Supongo que sí.

—Por favor.

—De acuerdo.

¿Por qué quiero verlo? Sin importar lo poco realista que parezca, aún guardo una ligera esperanza de poder llegar hasta él. Eso no es muy preciso. Sé que no puedo, pero al menos podré poner mis dedos en su mejilla.

Para nuestra reunión Nic elige Steps of Rome, una cafetería en Columbus Avenue, en North Beach, el vecindario donde creció. Nic jugaba en Washington Square, frente a la iglesia de San Pedro y San Pablo. Curioseábamos en City Lights, la librería, y caminábamos de espaldas en las casi verticales calles del muelle donde nos sentábamos en la banqueta y veíamos al Hombre Rockola tocar su trompeta. Después comíamos banana splits en Ghirardelli Chocolate Factory. A través de Broadway, en Chinatown, escogíamos coles chinas y melones y, de camino a casa, nos deteníamos en el Caffe Trieste a tomar un café y un chocolate caliente. A veces merendábamos en un bar de sushi donde Nic ordenaba un tempura al gusto, sólo con vegetales anaranjados (zanahorias y camotes). O íbamos a Vanessi's, el restaurante italiano donde los meseros, con sacos color vino e impecables pantalones negros, levantaban a Nic, de cabello rubio y con un espacio entre los dos dientes frontales, y lo sentaban sobre varios directorios telefónicos en un banco cerca de la barra. Los ojos de Nic se desorbitaban al mirar la pirotecnia de la fila de cocineros que vertían brandy en las sartenes. El licor se encendía y Nic se emocionaba. Los cocineros se sabían su orden de memoria: ensalada césar para niño, ravioles *triangolo* y *zabaglione* batido en un maltrecho recipiente de cobre. De camino a casa pasábamos junto a las chicas que se reunían afuera de los clubes de nudistas de Broadway y a quienes conocía por sus disfraces: la Mujer Maravilla, She-Ra, Gatúbela y otras más. Nic estaba convencido de que eran súper heroínas que patrullaban la zona de North Beach. Cuando le daba sueño, yo lo cargaba hasta la casa con sus pequeños brazos alrededor de mi cuello.

En Steps of Rome tomo asiento en una mesa de la esquina y lo espero, nervioso. En vista de que la razón y el amor, las dos fuerzas en las cuales había confiado a lo largo de mi vida, me habían fallado, me encuentro en un territorio desconocido. Steps of Rome está vacío excepto por dos meseros que doblan servilletas en la barra. Pido un café mientras busco en mi cerebro el único recurso que podría quedar para llegar hasta él.

Espero hasta que han pasado más de treinta minutos después de nuestra hora acordada y reconozco la preocupación sofocante, así como también la amargura y la rabia.

Después de 45 minutos decido que Nic no llegará, ¿pues qué esperaba?, y me marcho. Sin embargo, no deseo darme por vencido y doy una vuelta por la cuadra, regreso, me asomo a la cafetería y camino alrededor de la cuadra una vez más. Otra media hora después estoy listo para irme a casa, en verdad, quizá, cuando lo veo. Camina hacia mí pero con la mirada en el suelo, sus brazos cuelgan inertes a los costados y, más que nunca, parece un fantasmal autorretrato de Egon Schiele, disoluto y consumido.

Él me mira, se detiene y se aproxima con cautela. Nos damos un abrazo tentativo, mis brazos alrededor de su vaporosa columna vertebral, y beso su mejilla. Su palidez es casi como la de la cal. Nos abrazamos así y después tomamos asiento en una mesa junto a la ventana. Nic no puede mirarme a los ojos. Tampoco se disculpa por llegar tarde. Dobla y desdobla un popote, se mueve inquieto sobre su silla, sus dedos tiemblan, su mandíbula gira y muestra los dientes. Ordenamos. Nic se adelanta a cualquier pregunta y afirma:

—Estoy muy bien. Hago lo que necesito hacer: ser responsable de mí mismo por primera vez en mi vida.

—Estoy muy preocupado por ti.

Silencio. Después:

—¿Cómo están Karen y los niños?

—Están bien pero todos estamos preocupados por ti.

—Sí, bueno.

—Nic, ¿estás listo para dejar eso?, ¿para volver al mundo de los vivos?

—No empieces.

—Jasper y Daisy te extrañan. Ellos no...

Él me interrumpe.

—No puedo con eso. No me chantajees.

Nic limpia su plato con el costado de su tenedor y bebe su café. Al peinarse el cabello hacia atrás noto una herida en su brazo que él toca con sus dedos, pero no me tomo la molestia de preguntarle al respecto.

Después de despedirnos lo veo levantarse y marcharse. Tiembla y se sujeta el estómago. A lo largo de la adicción de Nic he aprendido que los padres pueden soportarlo casi todo. Cada vez que llegamos a un punto donde sentimos que no podemos soportar más, resulta que sí podemos. Me sorprende mi habilidad para racionalizar y tolerar cosas que alguna vez consideré impensables. Las racionalizaciones aumentan. Sólo experimenta. Es sólo una etapa. Sólo es mariguana. Sólo se droga los fines de semana. Al menos no consume drogas duras. Al menos no es heroína. Nunca se inyectaría. Al menos está vivo. También he aprendido (de la manera dura, pues tal parece que no existe otra manera de aprender estas lecciones) que los padres somos más flexibles con nuestras esperanzas y sueños para nuestros hijos de lo que nunca imaginamos. Cuando Nic era un niño, yo pensaba que me sentiría conforme con cualesquiera decisiones que él tomara respecto de su vida, pero la verdad es que esperaba que asistiera a la universidad. Desde luego que lo haría. Nunca me lo cuestioné. Me lo imaginaba en un empleo satisfactorio, con una relación amorosa y, con el tiempo, con hijos propios. Sin embargo, al aumentar su consumo de drogas he revisado mis esperanzas y expectativas. Cuando la universidad se convirtió en una perspectiva improbable aprendí a vivir con la idea de que no obtendría un título y se dedicaría a trabajar. Después de todo, muchos chicos se toman su tiempo y dan algunos bandazos para encontrarse a sí mismos. Pero eso también comenzó a parecer poco realista y concluí que me conformaría si encontraba una sensación de paz. Ahora vivo con la certidumbre de que, sin importar la más modesta definición de una vida normal y saludable, tal vez mi hijo no llegue a cumplir los 21 años de edad.

Termina el verano.

Cada vez que suena el teléfono, mi estómago se contrae. Mucho tiempo después de que la euforia de las metanfetaminas ya no es alcanzable (Tennesee Williams describió su equivalente con el alcohol en *Un gato sobre un tejado caliente*: "Nunca más pude lograr el toque"), los adictos están agitados y confusos, y la mayoría deja de comer y de dormir. Los padres de los adictos tampoco duermen.

17

En algunas ciudades el mediodía se señala con las campanas de las iglesias o con las melodías de los relojes de las torres. En Point Reyes se anuncia con el canto de un gallo seguido por la armonía del mugido de las vacas del sistema público de altavoces del Western Saloon.

El canto y los mugidos nos detienen por un momento.

Estoy en el mercado de los granjeros en la granja de Toby con Daisy y Jasper y es como una escena de *¡Oklahoma!* Nuestros vecinos y amigos compran tomates, pepinos, vegetales para ensaladas y quesos de la cremería Cowgirl.

Nos encontramos a mi hermano y a mi cuñada con sus hijos junto a las canastas de tomatillos, albahaca y otras hierbas listas para ser sembradas, alineadas a lo largo de un mural que representa una escena de los personajes locales entre los cuales está Toby, con su gorro tejido y mi sobrina, cuando era bebé.

Para este momento, casi todas las personas que conocemos en la ciudad han escuchado acerca de Nic, así que la gente pregunta por él con no poco nerviosismo. Laurel, una madre que también vive una situación semejante —su hija, adicta a la heroína, sufrió un casi fatal accidente automovilístico—, me abraza y comienza a llorar. Me alegra que Jasper y Daisy estén lejos con sus primos y escuchan al dúo de violín y bajo que toca música *bluegrass*.

Mi teléfono celular suena y sé que es Nic quien llama. Busco un lugar tranquilo, lejos de la multitud, y encuentro uno cerca de un grupo de pollos, dentro de la granja de Toby.

Contesto el teléfono pero nadie responde.

Reviso los mensajes. Hay uno, de Nic. Su voz es arrogante y torpe.

"De acuerdo, de acuerdo... lo siento. Jesús, esto es muy difícil. Lo siento. Estoy dejando de drogarme, pero en parte me quedo dormido, o lo que sea, e intento concentrarme en el trabajo... he dormido mucho porque mi cuerpo no está muy contento conmigo. Me dormí el viernes... y desperté el sábado y no me di cuenta de que perdí un día completo. En cuanto al resto, no sé. Estoy confundido."

Después, nada.

Jasper, con camiseta y pantalones cortos caqui, se acerca a la carrera.

—¿Podemos comprar galletas de jengibre?

Él nota que algo sucede y se detiene.

—¿Qué pasa? —Mira el teléfono en mi mano con preocupación y pregunta—: ¿Es Nic?

Más o menos una semana después, Nic contacta a su madre para pedirle ayuda.

"Soy honesto al decirte que mi estilo de vida actual te consternaría y he recibido demasiada mierda dirigida hacia mí", escribe Nic en un mensaje de correo electrónico. "Estoy en problemas. Estos últimos dos meses han sido una locura y el resultado fue que me corrieron de la casa. No tenía dinero, nada... Estoy castigado a menos que regrese a la rehabilitación. Ésa no es opción. Ya tengo esa educación... AA y el poder superior no me funcionan. Sólo me dejaron un vacío más terrible que nunca..."

Ahí termina su mensaje.

Otro mensaje de correo electrónico para Vicki: "Estoy bastante jodido física y mentalmente, así que me perdonarás si mi elocuencia es poco menos que perfecta", escribe. "Te llamaré cuando sea lo bastante tarde, pero quería dejar algunas cosas por escrito sólo para prepararme." Explica que ha robado algunos cheques de la madre de un amigo. "Tal vez exista una orden de aprehensión en mi contra y necesito pagarlos o permaneceré oculto."

Vicki y yo no estamos de acuerdo en la mejor manera de proceder. Comprendo su temor, pero me enfurece el hecho de que le ayude a pagar su deuda. Es un instinto natural e incluso admirable, pero temo que su apoyo, mientras él se drogue, sólo pospondrá lo inevitable y le permitirá continuar en su peligroso camino. Al menos ella ha dicho que pagar su deuda es una cosa, pero que no le dará dinero en efectivo. Darle dinero en efectivo a un adicto activo es como darle una pistola cargada a una persona al borde del suicidio.

Cuando le comento a Karen acerca de los mensajes por correo electrónico y lo incomprensible que me resulta el hecho de que Nic haga cosas tan aberrantes y tan autodestructivas, ella reacciona con enojo.

—Estoy harta de todo esto.

—¿Qué se supone que debo hacer?

—Sólo estoy harta de todo esto —repite al salir de la habitación.

Nic desaparece otra vez, reaparece de nuevo y se mantiene en contacto esporádico con su madre, no conmigo.

Cuando unos viejos amigos de la familia visitan San Francisco desde Nueva York, Vicki organiza que Nic se reúna con ellos. Ella le suplica a nuestro hijo que los visite en su hotel.

Él accede. Desaliñado y drogado, lo cual resulta evidente, a Nic se le impide el paso al vestíbulo del hotel hasta que convence a un guardia de seguridad de que llame a nuestros amigos.

Cuando Nic, un esqueleto ceniciento y disperso de movimientos convulsivos, entra a la habitación, ellos se horrorizan tanto por su débil condición como por las marcas de arponazos en sus brazos. Nuestros amigos le suplican irse con ellos a Nueva York, donde puede hospedarse en su casa y desintoxicarse.

Tal vez su romance con las calles de San Francisco ha terminado; tal vez está cansado y atemorizado, o tal vez sólo es que mudarse a Nueva York lo intriga. El caso es que accede a ir, pero no sin antes escapar una vez más y drogarse. Su traficante le entrega un regalo de despedida: una pila obscena de metanfetaminas y Nic las consume todas antes de abordar un avión hasta el otro lado del país.

En Nueva York, nuestros amigos convencen a Nic de acudir a un psiquiatra especializado en adicciones. El médico le receta pastillas para dormir y Nic duerme durante la mayor parte de una semana. Soporta la abstinencia física acompañada de la tortura mental: "remordimiento, vergüenza, incredulidad, deseo de drogarme, deseo de morir", según me dice cuando me llama.

Además de asegurarle que lo amo y que lamento que todo esto sea tan difícil, no sé qué más debería decirle.

Ha pasado una semana. Contesto el teléfono. Un representante del banco en el cual yo solía tener una cuenta me llama. Alguien escribió un cheque por 500 dólares de la cuenta cancelada.

Cada nueva traición trae consigo una nueva erupción de emociones, muchas de las cuales chocan entre sí dentro de mi cráneo. Que te roben es una experiencia visceral y traumatizante, sin importar los pormenores. Que sea mi propio hijo... Primero Karen, ahora yo.

Después de un mes o algo así, cuando Nic llama, suena un poco menos desolado. Vicki le ayuda a mudarse a un departamento en Brooklyn y Nic consigue un empleo. Después de concluir que la opción de la universidad era estúpida, Nic ha decidido que trabajar por un salario mínimo es aún más estúpido, así que planea regresar a la escuela.

—Esta vez lo haré solo —dice—. Ya eché a perder mis anteriores oportunidades, pero no lo arruinaré esta vez.

Nic me dice que nunca más podrá consumir cristal, que lo sabe pero, según sus palabras, su médico le dijo que está bien que fume mota o que se tome una copa de vino porque le ayudan a "mantenerse estable". Así que, una vez más, me preparo. Tengo razones para preocuparme. Un estudio de la UCLA ha demostrado que un adicto es doce veces más proclive a reincidir en las metanfetaminas si fuma mota o bebe alcohol.

No obstante, no estoy preparado para la llamada a las cinco de la mañana de un domingo. Me incorporo y el corazón me golpea el pecho. Karen levanta la cabeza y me mira.

—¿Qué sucede?

Yo tomo el teléfono y saludo con voz débil.

Es el padrastro de Nic. ¿El padrastro de Nic? He hablado con él muy pocas veces en veinte años. ¿A esta hora? Dice que un médico acaba de llamarle desde Brooklyn. Nic está en la sala de emergencia de un hospital después de una sobredosis.

—Su condición es crítica y está conectado a aparatos para sobrevivir.

He esperado esta llamada y, sin embargo, no resulta más fácil por el hecho de haberla previsto con tanta frecuencia.

Cuelgo el teléfono y le cuento a Karen.

—¿Estará bien?

—No lo sé.

Comienzo a rezar, a suplicarle a un dios en el cual nunca he creído.

—Dios, no permitas que muera. Por favor, no permitas que muera.

Llamo al doctor, quien me explica que alguien, tal vez uno de los chicos que estaba con Nic anoche cuando sucedió, llamó al teléfono de emergencias porque Nic perdió la conciencia. Enviaron una ambulancia al departamento de Nic. Al ver el vehículo, el casero llamó a Vicki, quien aparece en el contrato de arrendamiento. El médico me explica que si el equipo de emergencias no hubiera respondido de inmediato, Nic ya estaría muerto. Ahora hay una posibilidad.

He aprendido a vivir con contradicciones tormentosas, tal como la certeza de que un adicto tal vez no sea responsable de su condición y, sin embargo, es el único responsable. También he aceptado que tengo un problema para el cual no existe cura alguna y tal vez no tenga solución. Sé que debo dibujar una línea sobre la arena para indicar lo que aceptaré, lo que haré, lo que no aceptaré y lo que no haré más, y también debo ser lo bastante flexible para borrarla y dibujar una nueva línea. Y ahora, con Nic en el hospital, me doy cuenta de que lo amo más y de una manera más compasiva que nunca.

Hago arreglos para viajar a Nueva York y guardo algunas cosas en una maleta.

El teléfono suena de nuevo y es el mismo médico. Su voz es seria pero empática. Me dice que Nic podría recuperarse, que sus signos vitales se normalizan.

—Es un chico muy, muy afortunado —dice el médico—. Tendrá otra oportunidad.

Mi hijo tendrá otra oportunidad. Por primera vez desde la llamada en la madrugada, puedo respirar.

Jasper y Daisy despiertan, entran a nuestra habitación y ven el estado en el cual me encuentro. Karen y yo les explicamos. Les decimos que sólo esperamos que Nic sobreviva.

Llamo al hospital y pregunto si puedo hablar con Nic. No. El médico dice que no, que Nic está dormido y que deberé llamar de nuevo un par de horas después. Doy vueltas. Camino en el jardín. Vicki y yo hablamos algunas veces para compartir nuestras penas. Nuestro hijo estuvo a punto de morir. Jasper y Daisy preguntan de nuevo si Nic estará bien.

Llamo al hospital después de una hora y me comunican a un teléfono cerca de la cama de Nic. Él no está del todo coherente para hablar, pero suena desesperado. Me pide ingresar a otro programa, dice que es su única oportunidad. Le digo que estoy de camino a Nueva York.

Después de otra hora parto al aeropuerto. Mientras conduzco el auto, llamo al hospital para saber cómo está.

La enfermera en turno me informa que se ha marchado.

—¿Qué quiere decir con eso de que se ha marchado?

—Se marchó en contra de la orden del médico.

Nic se arrancó el suero intravenoso y el catéter y se fue.

Cuelgo y orillo el auto en la autopista. Sé que si esta sobredosis no es suficiente para detenerlo, nada lo hará.

Tembloroso, regreso a casa.

Por la noche permanezco despierto en la cama, huelo los jazmines a través de la ventana abierta y contemplo la oscuridad.

—¿Estás despierta, Karen?

—¿Estás despierto tú? —pregunta.

Ninguno de los dos duerme.

Soy incapaz de comprender qué pudo haber sucedido, pero el escenario más probable es que la abstinencia, el prospecto de recuperarse o el dolor fueron demasiado para Nic y huyó del hospital para drogarse. Otro terror conocido da vueltas en mi mente. Nic, abrumado por los sucesos recientes, se sintió tan bien físicamente como mal psíquicamente y se marchó para suicidarse.

Nadie responde en su teléfono. Nada.

Nic llama por la mañana. Parece confuso y muy deprimido.

—Nic...

—Sí, lo sé.

—¿Dónde estás? —Responde que está en su departamento—. Pero, ¿qué sucedió? ¿Por qué te marchaste del hospital?

—Estaba asustado. No lo sé. Tenía que salir de allí.

Lo imagino en el departamento del sótano del edificio de granito en Brooklyn donde lo visité la última vez, sin decoración ni muebles excepto un colchón en el suelo y una cajonera que Nic encontró en la calle, con las cortinas cerradas para mantener fuera la luz del día. Además de quitarse las botas que extrajo del clóset de su habitación en el hospital, Nic no tiene dificultad alguna para desvestirse. Aún tiene restos de la cinta adhesiva que mantenía el suero en su sitio. Llegó a su departamento, entró y se dejó caer bocabajo sobre el colchón como si se hubiera arrojado de cabeza a una fosa sepulcral.

Pregunta si iré. ¿Iré?

—¿Qué vas a hacer?

Sin coerción esta vez, Nic elige regresar a la rehabilitación. Suplica.

¿Esto es tocar fondo? Todos los expertos dicen que un adicto toca fondo y después se compromete con la recuperación de manera distinta.

Vuelo a Nueva York para ayudarlo a registrarse en el centro Hazelden de Manhattan. Tomo un taxi en la lluvia bajo un sombrío cielo color lavanda y en el trayecto hacia la ciudad intento anticiparme a lo que sentiré cuando lo vea. Jubiloso por verlo vivo. Furioso por lo cerca que estuvo de perder la vida.

Lo espero en el vestíbulo de mi hotel, donde acordamos encontrarnos.

De pronto lo tengo de pie frente a mí.

—¡Hola, pá!

Siempre es un momento dramático cuando Nic llega.

A pesar de sus intentos por fingir ser valiente, Nic tiene la apariencia de una persona que ha sobrevivido a una hambruna. Su rostro es como de papel crepé y su palidez es mortífera. Viste una chamarra deportiva rota sobre una playera, pantalones de mezclilla rasgados y tenis muy maltratados. Nos abrazamos con cierta rigidez. Mi amor por él está templado por el miedo que me inspira.

Nic pasa la noche en mi hotel. Para matar el tiempo vamos a ver una película, *Punch-Drunk Love*, y comemos pasta en una cafetería. Él intenta explicarme lo que sucedió, pero en realidad perdemos el tiempo porque este viaje se refiere a la mañana siguiente, cuando ingresará a la rehabilitación. Otra vez.

Después de la cena, Nic y yo vemos la televisión. En un programa, algunos jóvenes filman a otros mientras éstos hacen cosas humillantes y ridículas. Han contratado lanzadores profesionales de beisbol para que arrojen pelotas, a una velocidad de 94 kilómetros por hora, a la entrepierna de los chicos de cabello engomado. Cuando la pelota golpea, el chico se dobla a causa del dolor. ¿Por qué existen programas televisivos como éstos? ¿Por qué los vemos?

Tenemos dos camas dobles con edredones blancos y gruesos, y nuestras cabezas descansan sobre almohadas gordas. Letterman está en la televisión. A mitad del programa, Nic dice que tiene que atender algunos negocios antes de poder ingresar en Hazelden. Lo miro como si estuviera demente, que lo está.

—¿Negocios? ¿Qué clase de negocios?

—No te preocupes. Me iré y regresaré pronto —responde.

—No —le digo—. Todos los negocios que tengas que atender ahora significan problemas.

Comienza a ponerse los tenis.

—Tengo que hacerlo —explica—. Debo hacerme cargo de algunas cosas.

Soy incapaz de disuadirlo, de manera que anuncio que iré con él.

Me calzo los zapatos y salimos a la noche helada. Tomamos el metro hasta East Village y nos detenemos ante edificios arruinados de departamentos. Tocamos timbres en los cuales (por fortuna) nadie contesta. Seguimos a una mujer india que carga comestibles hasta el interior de un edificio y subimos cinco pisos. Me quedo junto a Nic mientras él llama a una puerta. Dice que tiene que pagar una deuda.

Por fin se da por vencido. Me siento liberado cuando, cerca de las dos de la mañana, un taxi nos lleva de regreso al hotel. En el elevador contemplamos una pequeña pantalla de televisión que muestra una caricatura de Piolín y Silvestre.

Por la mañana caminamos hasta que llega la hora de su cita en Hazelden, un imponente edificio de granito sobre el parque Stuyvesant Square. Mientras Nic está en su entrevista, yo espero sentado en una banca del parque y observo a un grupo de chicos reunidos en una esquina del mismo, cerca de una puerta de metal. Una venta de drogas tiene lugar.

Es probable que Hazelden sea el centro de rehabilitación de alcohol y drogas más reconocido de la nación. Su casa matriz está en Minnesota, pero existen programas en Nueva York, Oregon y Chicago. Éste no es un programa primario. Nic ya ha intentado dos de ese tipo. Éste es un programa continuo de seis meses, tal vez más, según los progresos de Nic. En lugar de un curso emergente de Rehabilitación 101 de cuatro semanas, se solicita que los pacientes trabajen o acudan a la escuela. La idea es que aprendan a integrar la recuperación a sus vidas. Hay reuniones regulares con un terapeuta, terapia grupal y reuniones de AA obligatorias. También hay quehaceres. La institución cuenta con una larga lista de normas pero, a diferencia de los demás programas, los pacientes pueden ir y venir a su gusto siempre y cuando se presenten a cenar, y a las reuniones y citas obligatorias, además de regresar antes de la hora indicada.

Nic me hace señales desde la puerta abierta del edificio. Llegó el momento. Subo las escaleras y nos sentamos en un largo vestíbulo delimitado por libreros de madera de cerezo. No hay mucho por decir, pero nos quedamos allí sentados en sofás tapizados de cuero. Cuando una recepcionista llama a Nic y anuncia que es hora de ingresar y de despedirnos, nos ponemos de pie y nos miramos.

Nos abrazamos. Su cuerpo parece frágil, como si pudiera romperse en pedazos.

18

Miro pasar las semanas y después los meses de su recuperación desde la distancia. Aprovecho el tiempo en continuar con mi investigación acerca de las metanfetaminas; esta vez localizo a los investigadores más importantes y les formulo la pregunta que es fundamental para mí: ¿Qué haría usted si un miembro de su familia fuera adicto a estas drogas?

Todos ellos están de acuerdo en que la asesoría debe ser el primer paso. Si un adicto entra en psicosis de metanfetaminas, deben administrársele sedantes y otros medicamentos. ("A veces,

los adictos se vuelven locos por completo y eso debe atenderse",
dijo el doctor Ling de la UCLA.) A pesar de que los adictos a las
metanfetaminas tienen tres o cuatro veces más probabilidades
que los demás de presentar condiciones psiquiátricas, además
de la adicción misma, es difícil distinguir los síntomas de la
abstinencia de las drogas. Como rutina, algunos médicos tratan
a los adictos por depresión. Ésta es una propuesta ambiciosa y
algunos investigadores sugieren que los pacientes deben estar
alejados de las metanfetaminas al menos un mes antes de que
se les diagnostique y atienda alguna enfermedad secundaria.

Los expertos están divididos respecto de si los pacientes internados o los externos tienen más probabilidades de éxito. La
primera opción es costosa, pero proporciona un ambiente seguro
y controlado donde el paciente puede ser monitoreado de cerca.
Sin embargo, puede resultar complicado transferir la rehabilitación al mundo real y los pacientes dados de alta reinciden con
frecuencia. Los programas para pacientes externos integran el
trabajo de recuperación a la vida del adicto, pero hay muchas
oportunidades de recaer. La mayoría de los expertos dijo que, en
términos ideales, elegiría un programa interno tan largo como
fuera posible, seguido por una transición gradual y manejable
hacia un programa externo que continuara durante un año o
más tiempo. Éste comenzaría con cuatro o cinco sesiones diur-
nas o nocturnas a la semana, después con sesiones menos frecuentes y hasta una sesión por semana.

Estos expertos concuerdan en que, tanto en la opción de
paciente interno como en la de externo, tiene poco sentido comenzar con terapias cognitivas o conductuales durante el periodo inicial de abstinencia. Los paliativos como los masajes, la
acupuntura y las rutinas de ejercicio, junto con sedantes muy
supervisados, pueden resultar de mucha utilidad para ayudar a
los pacientes a superar las peores etapas de la abstinencia. Los
adictos en programas externos parecen beneficiarse cuando se
les ayuda a establecer un itinerario que puedan cumplir hasta la
siguiente sesión. Los exámenes de drogas, con castigos severos

por reincidencia, son esenciales, según la opinión de los expertos. Las terapias cognitivas y conductuales deben agregarse poco a poco. Cuando éstas se incorporen al tratamiento, deben ser monitoreadas según reflejen la capacidad del adicto para participar en ellas. Algunos médicos recomiendan la psicoterapia, pero muchos opinan lo contrario. "Es probable que tengan poco efecto", dice el doctor Rawson de la UCLA. "El hecho de hablar no permite penetrar en los problemas cruciales." El doctor Ling agrega: "La comprensión de sus problemas no cambia la vida de un adicto. Hacer las cosas de diferente manera sí lo hará". Los médicos sí prescriben psicoterapia y psicofarmacología cuando se sospecha un diagnóstico dual, como depresión, desorden bipolar, ansiedad aguda u otras condiciones.

La primera meta es mantener a los adictos en tratamiento el tiempo suficiente para que participen en terapias cognitivas y conductuales que los entrenan o los reentrenan. Un rango de estas terapias ha sido aplicado y probado en Matrix, los centros de rehabilitación para drogadictos fundados por Rawson y sus colegas de la UCLA. El programa Matrix, desarrollado para adictos a la cocaína, ha sido adaptado para metanfetaminas e incluye terapias que enseñan a los adictos a evitar, si es posible, o "reencuadrar", si no, las situaciones que en momentos anteriores los hubieran conducido a reincidir. En teoría, las nuevas conductas se convierten en hábitos con el tiempo. En los programas basados en Matrix, los adictos reciben entrenamiento para interrumpir sus reacciones normales de enojo, decepción y otras emociones. También aprenden sobre los componentes de la adicción, tales como la memoria implícita y la memoria explícita. La memoria implícita es un mecanismo que genera un consumo incidental o único de drogas que lleva a la reincidencia como tal. Dado que los adictos pueden recaer en ciertas etapas de su recuperación, el programa los entrena a reencuadrar en incidente. En lugar de responder a la memoria implícita, el adicto puede detener el proceso en un "punto de elección". Ese momento puede percibirse como una oportunidad para intentar realizar una actividad alterna. La memoria explícita conduce al consumo de drogas cuando el adicto encuentra un disparador que comienza un ciclo de deseo intenso que con frecuencia lo lleva a drogarse. Pude comprender cómo funciona la memoria explícita cuando pensé sobre las diferentes reacciones que tuvimos Nic y yo hacia la película *Requiem por un sueño*. A Nic le encantó la cruda y depresiva historia de un chico y su madre, una adicta a la heroína y al *speed*. Para mí fue insoportable. Hasta la gente que conozco y a la cual le gustó la película se deprimió por su crudeza y depravación, pero Nic estaba fascinado con ella. Después me confesó que las escenas de drogas, acompañadas de la música violenta y vibrante del Kronos Quartet, que es violenta y casi repulsiva para la mayoría de la gente, hicieron que Nic deseara drogarse.

Algunos estudios han demostrado que la memoria explícita cambia los signos vitales de un adicto de manera dramática. No tiene que ser algo tan evidente como una jeringa. Una memoria explícita puede ser cualquier cosa, desde el olor del desecho químico de las metanfetaminas que se queman en una pipa, "la gente, lugares y cosas" asociadas con la droga y hasta, para algunos adictos, el día de pago, una esquina, una canción o un sonido, sutil y oculto para el resto de las personas, excepto para el adicto mismo. Muchos adictos a las metanfetaminas asocian las drogas con el sexo. Como dijo el Casanova de preparatoria en el programa *Six Feet Under*, las metanfetaminas "hacen que todo luzca un poco más brillante y hacen que el sexo sea de vital importancia". A pesar de que, con el paso del tiempo, muchos consumidores no pueden realizar el acto sexual, la excitación, que puede ser desde la pornografía hasta el contacto sexual, puede ser un poderoso disparador. "El intento por interrumpir el consumo de drogas en ese momento es como ponerse frente a un tren en marcha", dijo el doctor Rawson. Sin embargo, el doctor Shoptaw de la UCLA ha trabajado en terapias específicas diseñadas para ayudar a homosexuales adictos que asocian las metanfetaminas con el sexo a reencuadrar sus respuestas a la excitación. La idea es que cualquier comportamiento, incluso aquéllos que parecen automáticos o compulsivos, puede hacerse consciente y puede ser interrumpido. Un consumidor puede aprender a detener el tren en movimiento y llamar a un padrino de AA o consejero de drogas, acudir a una reunión de recuperación, ejercitarse en un gimnasio o tomar cualquier otra decisión constructiva. Una vez más, y con el fin de obtener cambios, por lo regular se requiere de cierto tiempo en tratamiento; tiempo medido en muchos meses, si no es que en años. En el proceso es probable que el cerebro del adicto se regenere y los niveles de dopamina se normalicen. Un ciclo de abstinencia remplaza a un ciclo de adicción.

Las pruebas clínicas recientes han demostrado que los adictos a las metanfetaminas responden a la terapia skinneriana de recompensar las pruebas limpias de orina (es decir, libres de drogas) con pequeños pagos en efectivo o recibos de pago que cubren desde la inmunización para un niño adicto, un pase para una pista de patinaje o un certificado para la reparación de una podadora de césped descompuesta. En un estudio de la UCLA, estas estrategias de manejo de contingencias, cuando se agregan a un programa terapéutico cognitivo y conductual, produjeron de dos a tres veces más abstinencia que los programas terapéuticos cognitivos y conductuales solos.

Los medicamentos también pueden ayudar. En la actualidad no se les administra metadona a los adictos a las metanfetaminas ni existen medicamentos para neutralizarlas en caso de sobredosis, contraatacar la mayoría de los síntomas, tratar su neurotoxicidad o interrumpir el estado de alteración máxima, todos los cuales serían útiles en diferentes etapas del tratamiento. Parte de la razón podría ser que no se ha realizado tanta investigación sobre metanfetaminas como sobre cocaína y heroína, que han invadido durante mucho tiempo la Costa Este y en particular desde Nueva York hasta Washington. Las metanfetaminas no están frente a los legisladores que consiguen dinero para investigaciones, aunque esto ha cambiado dado que las metanfetaminas ya permean la zona hacia el este. Otro factor puede ser la estructura molecular de la heroína comparada con la de las metanfetaminas. "Las metanfetaminas son más sucias" explicó un investigador. Sin importar la razón y dado el grado único de daño que causan estas drogas, incluso comparadas con la cocaína y la heroína, además del deprimente resultado de los tratamientos actuales, los clínicos están desesperados por medicamentos que incrementen las probabilidades de recuperación de los adictos, tanto si sustituyen la dopamina como si ayudan a sanar el daño del sistema nervioso o controlan los síntomas. No obstante, los investigadores más sobresalientes del campo reconocen que sus esfuerzos garantizan un optimismo moderado. Al iniciar las pruebas de un medicamento que podría ayudar con la abstinencia, el médico a cargo admitió: "El éxito para mí será un modesto efecto en una minoría de pacientes. Mis expectativas van de cero a mínimo, así que me sentiré muy feliz si obtengo el mínimo". Y él trabajaba con uno de los medicamentos más prometedores.

En vista de que la depresión es de importancia vital durante las primeras etapas de abstinencia, algunos investigadores sostienen que los antidepresivos pueden resultar útiles. Sin embargo, las pruebas preliminares con Prozac, Zoloft y otros inhibidores selectivos de reabsorción de serotonina sugieren que esos medicamentos tienen poco efecto. En la actualidad los expertos investigan otros antidepresivos, incluso el bupropión (Wellbutrin), el cual interactúa con subsistemas específicos de transmisores y receptores de serotonina y dopamina, y otro medicamento llamado ondansetron. Están planeadas otras numerosas pruebas. Investigadores a lo largo de toda Norteamérica me hablaron acerca de docenas de drogas que podrían funcionar. Una de ellas es la levodopa (L-dopa), la cual ha sido utilizada para revertir la degeneración del Mal de Parkinson. En esencia remplaza la dopamina faltante, aunque sus efectos parecen disminuir con el tiempo. Cuando se sometió a pruebas entre cocainómanos, el medicamento no provocó diferencia alguna. Sin embargo, los investigadores a cargo de una serie de pruebas afirman que el medicamento puede tener efectos mayores en adictos a las metanfetaminas porque sus niveles de dopamina son casi nulos, comparados con las ligeras reducciones en los consumidores de cocaína.

Incluso si los medicamentos resultan útiles para la abstinencia de metanfetaminas o en otras etapas de la recuperación, el investigador Gantt Galloway está convencido de que nunca desempeñarán un rol superior al periférico. "Nunca existirá un medicamento que te haga asomarte a la mirilla antes de abrir la puerta para que, si es tu traficante de drogas, no le abras", dice. "Incluso si los desintoxicas a la perfección, les administras una fabulosa farmacoterapia y dejas su cerebro tal como estaba antes de consumir metanfetaminas, el reloj comienza a avanzar de nuevo. Es el Día de la Marmota. Tienes que interceder en ese punto con terapias cognitivas y conductuales para enseñar a las personas una manera alternativa de vivir sus vidas."

Nic se reporta conmigo de vez en cuando, asiste a las reuniones de AA cada tarde con un grupo de pacientes de Hazelden y describe sus salidas con su típico humor irónico:

—Somos una visión que camina por la ciudad —dice—, una banda de desadaptados agradecidos.

Yo regreso a mis propias reuniones. Las juntas de Al-Anón no son una panacea pero, una vez más, ofrecen consuelo aunque siempre es muy triste escuchar las historias de los demás. Después de una reunión a la hora del almuerzo en la cual hablo un poco (comienzo con un tembloroso "mi hijo está en rehabilitación otra vez"), una mujer se acerca a mí y con timidez me entrega un folleto titulado "Tres perspectivas de Al-Anón".

—Me ayuda —dice.

Lo leo en casa. De "Carta de un adicto" en el folleto: "No aceptes mis promesas. Prometeré cualquier cosa con tal de salirme del aprieto. Pero la naturaleza de mi enfermedad me impide cum-

plir mis promesas, a pesar de que soy sincero en su momento...
No creas todo lo que te digo; pueden ser mentiras. La negación
de la realidad es un síntoma de mi enfermedad. Más aún, tiendo
a perder el respeto por las personas a quienes engaño con facilidad. No permitas que me aproveche de ti ni que te explote en
manera alguna. El amor no puede existir durante mucho tiempo
sin la dimensión de justicia".

Con Nic en recuperación de nuevo, Karen y yo sacamos libros sobre adicciones enfocado a niños de la biblioteca y se los
leemos a Jasper y a Daisy. Hacemos nuestro mejor esfuerzo por
motivar a los pequeños a hablar acerca de sus sentimientos, a
que los expresen, y nos reunimos con sus maestros para discutir cómo van. Hasta el momento nos han dicho que todo parece
marchar bien.

En diciembre, el programa de pacientes internos de Hazelden
en Nueva York cierra sus puertas. La organización, que continúa
con el programa de pacientes externos en Manhattan, culpa a la
economía: no pueden llenar las tres docenas de camas en el edificio de granito con pacientes que pagan. Nic teme al área de la
bahía porque la asocia con las metanfetaminas, así que decide,
ayudado por su asesor, mudarse a Los Ángeles para vivir cerca
de Vicki.

Herbert House, una casa de vida sobria en Culver City, es un
conjunto de *bungalows* rodeados de bugambilias y rosales, blancos y festivos, con pequeñas terrazas con sillones y mecedoras,
todas frente a un patio con muros de ladrillos y palmeras, mesas
para comidas campestres y mobiliario de jardín. Una especie de
Melrose Place para adictos.

Nic se instala allí y le gusta. Se hace buen amigo de otros
pacientes y en especial del director del programa, un compasivo hombre llamado Jace quien ha dedicado su vida a ayudar a
adictos y alcohólicos. Herbert House tiene reglas estrictas; entre
ellas, obliga a los pacientes a realizar quehaceres domésticos y
a asistir a reuniones nocturnas. Nic también participa en un
programa externo en las cercanías, se reúne con un nuevo psi-

quiatra y trabaja con otro padrino de AA, Randy, un hombre con quien Nic hace largos recorridos en bicicleta a lo largo de la autopista de la costa del Pacífico. Randy, de intensos ojos azules, ha permanecido sobrio durante más de quince años. Nic dice que Randy lo inspira, "me muestra lo buena que puede ser la vida".

Al teléfono suena como el viejo Nic, Nic en sus cabales. Es casi imposible conciliar a este Nic con la persona que era cuando estaba drogado. Pienso que, basado en prueba y error, y ayudado por los meses en Hazelden, el apoyo de la gente en Herbert House, las sesiones externas, AA, Randy y sus amigos en recuperación, Nic ha construido un programa funcional que, de acuerdo con lo que he aprendido de los investigadores, refleja lo que debería estar disponible para todos los adictos a las metanfetaminas.

Los amigos de AA de Nic le ayudan a encontrar un empleo técnico en Promises, otro renombrado programa de rehabilitación para alcohólicos y adictos, éste con base en Malibú. Nic lleva pacientes a sus reuniones y a sus citas con sus médicos, surte medicamentos y asiste a consejeros en una amplia variedad de sus obligaciones. Es un trabajo satisfactorio. Nic tiene algo que ofrecer y puede ayudar a otras personas mientras el trabajo le ayuda a él.

En julio, Nic cumple 21 años de edad. Para celebrar lo visito en Los Ángeles. Es una tibia tarde de verano cuando lo recojo frente a Herbert House. Nic sube al auto y nos abrazamos. Parece él mismo otra vez. Los 21 años son una edad importante para cualquier persona y para los padres también es importante cuando uno de sus hijos cumple 21 años. Yo siento como si fuera otro milagro.

Pasa cierto tiempo antes de que Karen me indique que está lista para verlo. Además, aún no le hemos permitido ver a Jasper y a Daisy. No queremos que los lastime otra vez. Todavía estamos divididos entre el temor y el amor. Queremos proteger a Jasper y a Daisy; sin embargo, él los ama y ellos lo aman. Una vez más nos preguntamos: ¿cómo sabremos cuándo podremos confiar en él?

Por fin, casi al final del verano, Karen y los pequeños me acompañan cuando conduzco a lo largo de la costa para cumplir con una asignación en Los Ángeles. La familia se reúne en la playa, donde Nic, Jasper y Daisy construyen castillos de arena y juegan entre las olas. Después de eso, venimos a visitarlo durante varios fines de semana. Lo visitamos en su trabajo y él nos presenta a sus colegas, quienes lo adoran y a quienes él parece adorar también. Nic nos lleva a otra playa, un punto recluido cerca de Malibú al cual llegamos después de una caminata por una senda escarpada. En otra ocasión caminamos a través de un cañón con los perros de su madre y su padrastro, Payson y Andrew (Nic los enseña a sentarse). Caminamos por una vereda hasta llegar a una elevación desde donde podemos ver todo el trayecto desde Hollywood hasta el océano. Rentamos bicicletas; él se reúne con nosotros en su bicicleta de carreras y juntos recorremos la acera de Venice. Nos detenemos a observar a los artistas del *graffiti* y a los levantadores de pesas. Como siempre, visitamos museos y galerías —el espectáculo del Royal Art Lodge en MOCA y una exhibición en la Galería Angles de miles de fotografías de Nick Taggart de su esposa y colaboradora, Laura Cooper, tomadas justo después de levantarse cada mañana durante treinta años—. Por lo regular comemos en los mismos restaurantes, un lugar coreano o un pequeño bar de sushi donde tocan música *reggae* a bajo volumen. Pasamos la mayor parte del tiempo en la playa pero, como es nuestra costumbre, también vemos películas. Nic ya vio *The Triplets of Belleville*, pero la ve de nuevo porque quiere que Jasper y Daisy también la vean. Después de la película, Jasper y Nic cantan, con acento indio, justo como el comercial de la película.

Nic llama a casa con frecuencia. Tenemos una relación telefónica muy cercana. A veces charlamos sobre cualquier cosa y a veces hablamos de su recuperación. Siempre comentamos acerca de libros y películas. En especial de películas. Apenas podemos esperar para hablarnos después de que uno de nosotros ve una nueva de alguno de nuestros directores favoritos: Spike Jonze, David O. Russell, Todd Solondz, los hermanos Cohen, P.T. Anderson, Wes Anderson, Pedro Almovódar o Robert Altman, así como cualquier guión escrito por Charlie Kaufman. Le recomiendo algunos filmes para que los rente —*Rivers and Tides*— o él me recomienda algunos para Karen y para mí —*8 Women*, de François Ozon, y su favorita actual, *Die Bitteren Tränen der Petra von Kant*, de Fassbinder.

—¿Ya leíste lo de Anthony Lane sobre la nueva película de *La guerra de las galaxias*? —me pregunta Nic cierto día y lee en voz alta—: "También, mientras estamos aquí [en Yoda], ¿qué ocurre con tu loca sintaxis? Eres la mente más profunda de la galaxia, en apariencia, y te expresas como un vacacionista de oído de perro con un libro de frases en otro idioma. 'Espero que bien estés'. Un maldito respiro dame".

A veces me cuenta sobre éxitos que para otras personas son insignificantes, pero que para él son hercúleos. Cosa pequeñas: tiene una cuenta bancaria y obtuvo una tarjeta de crédito. Ahorra un poco de dinero. Se compra un Mazda de cuarta mano por 400 dólares y, después, una bicicleta nueva. Se muda a un departamento y renta una habitación al padrino de Randy, un hombre muy amable de cabellos y barbas plateados que camina con bastón. Ted ha estado en recuperación durante treinta años y ha ayudado a muchos jóvenes adictos.

Sin embargo, algunos días son difíciles para Nic. Lo detecto en su tono de voz. Se siente solo. Tiene a Randy y a otros buenos amigos, pero querría a alguien especial en su vida. De pronto le abruma la preocupación acerca de su futuro. Su estado de ánimo es voluble y siente mucha tentación por las drogas. Nic me describe con estoica determinación estas subidas y bajadas, a veces con las lágrimas contenidas.

—En ocasiones sólo puedo pensar en drogarme —me dice—. A veces es muy difícil; siento como si no pudiera lograrlo, pero llamo a Randy. En realidad sí ayuda hacer lo que ellos dicen.

En septiembre, Nic celebra su primer año de sobriedad. Así como el cumpleaños de un hijo es importante para un padre, y así como sus 21 años de edad fueron importantes para mí, un año en recuperación significa mucho más.

Desde sus inicios, Nic nos cuenta acerca de un nuevo romance con una chica, Z., pero otro día nos llama casi a punto del llanto. Ella ha terminado la relación. Antes, Nic hubiera llamado a un traficante o a alguno de sus amigos drogadictos, hubiera bebido cerveza o hubiera conseguido un churro de mota. Ahora llama a Randy.

—Ven acá, Nic —le dice Randy—. Daremos un paseo en bicicleta.

Pasean durante tres horas y suben al cañón Temescal. Dos veces. Después, Nic nos llama y suena contento.

—Estaré bien.

Ha pasado un mes y Nic deja de devolverme las llamadas. Algo está mal.

En nuestra última conversación, Nic admitió que aún se sentía triste por la dolorosa separación.

—No puedo dejar de pensar en ella —me dijo.

Es la mañana del tercer día desde entonces. Después de comer pan tostado, Jasper y Daisy juegan en su habitación durante un rato y después, aunque llovizna, salen al jardín. Para cuando intento acorralarlos ya se nos ha hecho tarde. Los pequeños se bañan y se visten y yo les recuerdo que se cepillen los dientes. Daisy pregunta si puede utilizar un cepillo de dientes acústico.

—¿Un cepillo de dientes acústico?

—Uno normal. No el eléctrico.

Daisy toma con mucha seriedad su cepillado de dientes ahora que le han quitado los *brakets*. Sin embargo, tiene un freno al cual debe superar.

—No puedo dejar de frotarlo con la lengua —me dice.

—Intenta no hacerlo —respondo.

—Es demasiado tentador.

Los chicos corren por la casa, recolectan sus tareas y útiles escolares y los guardan en sus mochilas. Karen se encarga de trenzar el cabello de Daisy y después sale para llevarlos a la escuela. Cuando se marchan quedo libre para hundirme en la consternación. Otra vez.

¿Cómo sé que algo está mal? No es sólo que no haya respondido a mis llamadas. ¿Es intuición paterna? ¿Fueron las señales de advertencia que se deslizaron a mi conciencia? ¿Fueron las claves en lo que nos dijimos y que yo detecté subliminalmente? ¿O fueron las lacónicas pausas entre sus palabras?

¿Dónde está? No aceptaré la respuesta más probable: que ha reincidido.

Nic ha estado bien. No es perfecto, pero cuenta con un grupo de amigos que le brinda apoyo y tiene un buen empleo, monta en bicicleta y escribe, asiste a las reuniones de AA e incluso a algunas en Herbert House, donde ve a Jace y a sus amigos. Con Randy, tal vez su amigo más cercano en la vida, está muy dedicado a trabajar en los doce pasos de la autoevaluación, la expiación y lo que él llama "construcción de un nuevo carácter".

Sobre todo, parece entusiasmado con su vida. Sé que a veces se siente solo, pero ¿quién no? A veces está deprimido, pero ¿quién no? A veces se siente abrumado, pero ¿quién no?

Sin embargo, debe haber recaído. ¿De qué otra manera podría explicarse su desaparición? ¿Soy paranoico? Tengo razones para ser hipervigilante y alerta ante cualquier signo que a veces pudiera ser erróneo, pero debo permitirle superar esta etapa y vivir su vida. Tal vez tenga una nueva novia. Tal vez sólo esté deprimido y necesite estar alejado durante un tiempo; hubieron momentos durante los cuales yo también necesité alejarme de mis padres.

Llamo a Vicki, quien me comenta que lo vio un par de días atrás y que está bien. No obstante, le pido que vaya al departamento de Nic y se asegure de ello.

Cuando me llama de nuevo, una hora después, me dice que su compañero de habitación no lo ha visto y que su cama está intacta. Llamamos a Promises y uno de sus colegas nos dice que no se ha presentado a trabajar en dos días. Llamamos a sus amigos, quienes no saben nada sobre él. Ayer uno de ellos había acordado encontrarse con Nic para almorzar y pasear en bicicleta, pero él nunca llegó. Llamo a la policía para averiguar si ha habido algún accidente. Una vez más. Llamo a las salas de emergencias de los hospitales. Su madre va a la estación de policía de Santa Mónica y llena un reporte de persona desaparecida.

Él es:

Hombre.

Caucásico.

21 años de edad.

Su cabello de bebé ha cambiado al color castaño cobrizo. Sus ojos son castaños verdosos con forma de gota y piel olivácea, bronceada. Nic es de sonrisa fácil. Tiene una estatura de 1.80 metros, es delgado; la musculatura de sus brazos y su pecho es de nadador y los fuertes muslos y pantorrillas son los de un ciclista. Cuando no viste playeras y pantalones de ciclista, estos días por lo regular su vestimenta consiste en camisetas, pantalones de mezclilla y tenis Converse. Tiene una marca de nacimiento color fresa en el hombro derecho.

Procuro mantenerme ecuánime y aparentar que todo está bien frente a Jasper y Daisy.

Karen y yo no queremos decirles nada sobre Nic hasta no tener más información. No queremos preocuparlos más. Sólo tienen siete y diez años de edad, ¿qué les diríamos? "Su hermano ha desaparecido. Tal vez haya reincidido otra vez. No lo sabemos".

Pero pronto tendremos que decir algo. No podremos ocultar durante mucho más tiempo la angustia e histeria que, una vez más, se apodera de nuestro hogar. Se necesita un prodigioso esfuerzo para realizar las actividades de la vida diaria con el estómago contraído, el corazón acelerado y el inevitable video de alta definición de *CSI* que tengo dentro del cráneo: las más sórdidas y crueles escenas de las peores cosas que les suceden a los chicos en las calles por la noche.

Continuamente llamo al teléfono celular de Nic, pero cada vez sólo escucho su inexpresiva grabación: "Hola, soy Nic. Deja un mensaje". Una y otra vez llamo a su madre para averiguar si tiene noticias pero no hay nada. Por impulso llamo al número de asistencia de nuestra mutua compañía de telefonía celular para preguntar si tienen algún registro de llamadas recientes recibidas o realizadas desde el teléfono de Nic, pero la operadora me explica que no tiene acceso a esa información. Sin embargo, puede decirme si su teléfono celular está conectado a la red.

—Va contra las reglas —comenta—, pero soy madre de un adolescente. —Después de teclear en su computadora, me informa—: Sí, su teléfono está conectado y tiene acceso a una torre de señal en Sacramento.

¿Sacramento?

Llamo a su madre y a sus amigos. Nadie sabe por qué Nic estaría en Sacramento. Nadie sabe si tiene amigos allá.

Dos horas después, la operadora vuelve a llamar.

—Revisé una vez más —me dice—. El teléfono aún está conectado a la red. Ahora está en Reno.

¿Reno?

Un detective de la policía me dice que Reno es una capital de las metanfetaminas, lo cual sería una explicación aunque parece improbable porque Nic no tendría que ir hasta Reno para conseguir la droga.

No, Nic no puede haber reincidido. Sólo celebró su décimo séptimo mes sin metanfetaminas. No sólo eso. Nic trabaja en un centro de rehabilitación y presta ayuda a los adictos.

Intento trabajar pero no puedo. No hay noticias a lo largo del día. Después de la escuela, Karen y yo llevamos a Jasper y Daisy en el *ferry* a sus prácticas de natación en dos albercas distintas. Después de las prácticas, una cena preparada por todos, tareas, baños y cuentos para dormir, los niños duermen.

Llamo de nuevo a la operadora, quien me ha dado su número

de teléfono celular privado. Dice que me llamará por la mañana desde su oficina, así que espero durante las interminables horas de otra noche. Por fin me llama y me dice que el teléfono de Nic sigue conectado, pero que ahora está en Billings, Montana.

Me devano los sesos en busca de una explicación plausible. ¿Ha sido secuestrado? ¿Está muerto en la cajuela del auto de un loco que huye hacia el este del país? Llamo a la policía de Billings y al FBI.

19

Llueve. Los niños aún están en la escuela. Karen y yo nos sentamos en el suelo de concreto de la cocina con Moondog. La veterinaria también está sentada en el suelo. La cabeza del perro descansa en el regazo de Karen, quien acaricia sus orejas aterciopeladas.

El cáncer de Moondog lo ha vencido y éste apenas puede sostenerse en pie. El dolor lo hace llorar y aullar. Ha llegado el momento de poner fin a su miseria, pero estamos devastados. Karen llora y se estremece. La veterinaria ha venido para hacerlo en casa. Mientras ella le inyecta a Moondog algo que lo sumerge en un sueño profundo, yo también lloro. Mi perro respira con dificultad. Con una segunda inyección ya no hay más respiración. La veterinaria se sienta con nosotros durante un rato y después se marcha. Karen y yo luchamos por cargar el pesado cuerpo de Moondog, envuelto en una cobija, hasta un hoyo que hemos cavado debajo de un árbol en nuestro jardín. Allí lo enterramos.

Cuando Jasper y Daisy llegan de la escuela, ambos trabajan con Karen para hacer un altar para Moondog. Juntos lloramos por nuestro perro y por todas las tristezas de nuestro hogar. A la hora de los cuentos para dormir les leemos a los chicos un libro ilustrado llamado *El paraíso de los perros:* "A veces un ángel lleva a pasear al perro a la Tierra para que haga una corta visita y en silencio, invisible, el perro olisqueará su viejo patio, investigará al gato del vecino, seguirá a los niños a la escuela...".

¿Dónde está Nic? Es media mañana del cuarto día desde que desapareció. Continúo llamando a su teléfono celular y, por fin, alguien responde: una voz masculina que no es Nic.

—¿Bue-no?

—¿Nic? ¿Eres Nic?

—Nic no está aquí.

—¿Quién habla?

—¿*Quién* habla?

—El padre de Nic. ¿Dónde está Nic?

—Él me dio su teléfono.

—¿Él te lo dio? ¿Dónde está Nic?

—¿Cómo chingados lo sabría?

—¿Dónde estaba cuando te dio su teléfono?

—Ni siquiera lo conozco. Él estaba en la estación de autobuses en Los Ángeles. En el centro. Me dio su teléfono y no lo he visto desde entonces.

—¿Él te dio su teléfono? ¿Por qué te lo dio?

Silencio. Después, cuelga.

Llamo a la operadora de la compañía de telefonía celular y le pido que desconecte el teléfono después de explicarle que tal parece que ha sido robado. También agradezco mucho su ayuda y su compasión.

Vicki y yo estamos frenéticos otra vez y hacemos llamadas telefónicas con la esperanza de enterarnos de algo, lo que sea. Por fin Vicki llama a Z. y sí, Z. tiene noticias recientes de él. Nic le llamó desde San Francisco. Allá vamos otra vez. Dice que, cuando Nic le llamó, estaba drogado. Desde luego.

Quiero que esto termine. No puedo soportarlo. Desearía extirpar a Nic de mi cerebro. Anhelo un procedimiento como el que inventa Charlie Kaufman en una película que creó, *Eterno resplandor de una mente sin recuerdos*. Un médico ofrece un servicio a la gente que sufre la pena causada por una relación traumática y borra cualquier recuerdo de la persona en cuestión. Fantaseo con la idea de que yo podría someterme a ese procedimiento y que me borren a Nic de los sesos. A veces parece que nada menos que una lobotomía podría ayudarme. ¿Dónde está Nic? No puedo soportar más esta situación. No obstante, cada vez que pienso que he llegado a mi límite, siempre puedo aguantar más.

A la profunda depresión sigue un ansioso impulso por hacer algo, cualquier cosa. Podría ser más razonable pero estoy desesperado por encontrarlo. Cuando escucha mi plan, Karen mueve la cabeza.

—No servirá de nada encontrarlo si él no desea que lo encuentres —me dice y me mira con preocupación y, ¿qué más? Exasperación. Dolor—. Sólo te decepcionarás.

Le respondo que lo sé y no digo nada más a pesar de que mi cerebro calcula: no servirá de nada encontrarlo si él no desea que lo encuentres, pero podría morir y entonces sí sería demasiado tarde. La espera es terrible.

Karen, consciente de mi angustia, por fin cede.

—Adelante —me dice—. Búscalo. No hará daño.

Sé que ella realiza un gran esfuerzo por no juzgarnos a mí o a Nic, pero cada vez está más enojada y frustrada por mi descuido hacia ella y le duele el impacto de todo esto en Jasper y Daisy. En nosotros. En mí. Está dolida porque me ha perdido en manos de la preocupación.

—Ve a buscarlo —repite—. Tal vez te sientas mejor si lo intentas.

De manera que estoy otra vez en la ciudad y conduzco el auto a lo largo de Mission Street. Me asomo por las puertas abiertas de las tiendas, taquerías y bares. Examino cada rostro y con frecuencia creo ver a Nic. Cualquier persona se parece a él. Enseguida estaciono el auto en Ashbury y camino despacio por Haight Street en zigzag de una banqueta a otra, reviso las tiendas principales, una pizzería, un café y Amoeba. Regreso al parque Golden Gate y llego al claro donde conocí a la chica de Ohio adicta a las metanfetaminas. A excepción de dos mujeres, cuyos bebés juegan sobre una cobija, el sitio está desierto.

De regreso en casa llamo a Randy. Él escucha con paciencia la angustia en mi voz y después me reconforta:

—Nic no desaparecerá por mucho tiempo. No se está divirtiendo.

Espero que tenga razón, pero no estoy menos preocupado por el hecho de que sufra una sobredosis o por la posibilidad de un daño irreparable.

Ha pasado una semana desde que Nic desapareció. Y luego otra. Días y noches interminables. Yo intento mantenerme ocupado, intento trabajar y hacemos planes con amigos, los mismos que iban a ir a la playa con Karen y los chicos cuando Nic fue arrestado. Con las bicicletas montadas en las parrillas que cuelgan de la parte trasera de nuestros autos, una mañana de sábado nos encontramos con ellos en el estacionamiento de Bear Valley. Entre las dos familias juntamos ocho bicicletas, que van desde el moderno vehículo de catorce velocidades hasta la diminuta y sonora Schwinn de la niña más pequeña.

Bear Valley es dorado y verde, y el cielo, que se filtra entre las ramas, es un domo blanco y azul. Pedaleamos a lo largo de un sendero sucio hasta un prado y, desde allí, tomamos una vereda rocosa hacia Arch Rock. Para llegar al sitio debemos dejar las bicicletas y caminar el último kilómetro y medio.

El camino del bosque, que sigue la ruta de una corriente de agua, está flanqueado por abetos, pinos, castaños, y nudosos y retorcidos robles. Al final escalamos la ladera de un acantilado que ofrece un sorprendente panorama del mar donde las focas levantan sus cabezas junto a una enorme roca que emerge como un glaciar del océano.

Ahora seguimos otra vereda en cuyos bordes se alínean olorosas mimulus, mirtos e iris. Musgos de colores otoñales crecen en las rocas de granito. Jasper dice que es como estar en *El señor de los anillos*, en la misión de Frodo. En el fondo, debajo de Arch Rock, debemos sincronizarnos para cruzar cuando se retira al océano la ola que recién ha reventado, atravesamos un sitio rocoso y trepamos hasta una playa muy pequeña. El suelo es de cuarzo pulido y esponjosas algas marinas.

La vereda conduce de regreso al camino principal. Jasper y yo somos los primeros en llegar así que montamos nuestras bicicletas y seguimos adelante. El plan es reunirnos de nuevo en los prados.

Al llegar, apoyamos las bicicletas contra el tronco de un árbol y descansamos en un tronco caído debajo de un roble. Jasper señala hacia el prado.

—¡Mira!

Hay una sorprendente isla de flores rosadas, exótica reminiscencia de un jardín abandonado tiempo atrás: damas rosas, rosas como un algodón de azúcar.

En silencio escuchamos los cantos de los pájaros y el aire entre las hojas. De pronto me inunda una sensación de *déjà vu*. Ya he estado aquí antes, sentado sobre el mismo tronco pero con Nic, hace más de una década. Mi corazón late y mis ojos se llenan de agua. Nic se trepó a este árbol y, desde arriba, me gritó:

—¡Papá, mírame! ¡Estoy aquí arriba!

Distraído, Nic cantaba los versos sin sentido de un poema de Lewis Carroll.

Nic trepó más arriba y comenzó a gritar montado en una gruesa rama desde donde veía todo el prado.

—¡Mírame, papá, mírame!

—Te veo.

—Estoy en el cielo.

—Fantástico.

—Estoy más alto que las nubes.

Se deslizó más arriba de la nudosa rama.

—Cortar hierbas y escoger rocas —cantaba Nic—, estamos hechos de sueños y huesos.

Una ráfaga de viento sacudió el árbol; sus hojas temblaron y las ramas se balancearon.

—Quiero bajar de aquí —exclamó Nic de pronto.

—Tranquilo, Nic. Todo está bien. Sólo hazlo despacio.

—No puedo —gritó—. Estoy atorado.

—Sí puedes —le dije—. Sí puedes hacerlo.

—No puedo bajar —comenzó a llorar.

—Tómate tu tiempo —le dije—. Encuentra un sitio para apoyar un pie a la vez. Despacio.

—No puedo.

—Sí puedes.

Nic aferró con más fuerza sus largos brazos y piernas alrededor del tronco.

—Me caeré.

—No te caerás.

—Sí me caeré.

Me paré justo debajo de él y le grité hacia arriba.

—Estás bien. Tómate tu tiempo.

Lo dije, pero en realidad pensaba: "Te cacharé si te caes".

Sentado aquí con Jasper y absorto en mis recuerdos, las lágrimas escurren de mis ojos. De inmediato, Jasper se da cuenta.

—Piensas en Nic —me dice. Yo muevo la cabeza en señal afirmativa.

—Lo siento. Me acordé de él. Recordé que estuvimos aquí cuando él tenía tu edad.

—Yo también pienso mucho en él —asiente Jasper.

Nos sentamos juntos debajo del viejo árbol sin decir nada hasta que Karen, Daisy y nuestros amigos nos llaman.

Una mañana, la semana siguiente, Karen nota que hay algo fuera de lugar en nuestra casa. Sólo algunas cosas fuera de su lugar habitual. Un cepillo para el cabello está en el piso. Algunos libros y revistas arrojados al descuido sobre el sofá. Falta un suéter.

Yo trabajo en mi oficina, pero me reúno con ella en la sala.

—¿A qué te refieres? —pregunto. De inmediato adopto una actitud protectora. Mi estúpida reacción es que Karen exagera, está paranoica y siempre lista para culpar a Nic.

—No. Alguien... —se interrumpe—. Ven a ver.

La sigo y mi mente cambia de la actitud defensiva a la aceptación. Nic ha estado aquí. Se metió en la casa. Juntos revisamos todas las habitaciones y encontramos, en nuestra recámara, la cerradura rota de una puerta con vidriera. La moldura de madera de la puerta está arruinada y será imposible repararla. Sólo hasta entonces me doy cuenta de que los cajones de mi escritorio fueron saqueados.

Cada vez que Karen y yo descubrimos otra violación, nos sacude de nuevo una mezcla entre tristeza y furia. ¿Cómo pudo hacer esto? Cancelamos nuestras cuentas de banco cuando falsificó nuestras firmas en nuestros cheques; cancelamos nuestras tarjetas de crédito cuando las robó. Tendrá que hacerlo otra vez. Ahora llamo a un cerrajero y a una compañía de alarmas contra robo.

También llamo al alguacil para reportar el saqueo de mi casa. Si alguien me hubiera dicho antes de enfrentarme a la adicción que yo llamaría al alguacil para denunciar a mi hijo, yo hubiera pensado que esa persona era quien estaba drogada. Yo no quiero que arresten a Nic. El hecho de imaginarlo en la cárcel me enferma. ¿Qué beneficio podría aportar? De pronto comparto en sentimiento de los padres que conocí en algunas de las reuniones de Al-Anón, cuyos hijos estaban en la cárcel, que decían: "Al menos sé dónde está" y "Es más seguro". La triste ironía es que, con lo violenta, desesperante y sombría que pueda ser la cárcel, tal vez sea más segura para Nic que las calles.

El cerrajero que llega es un hombre fuerte con pantalones de mezclilla y camisa de trabajo. Le muestro las cerraduras de las puertas y ventanas que quiero que cambie. Es una experiencia dura y humillante porque soy honesto ante su pregunta:

—¿Es sólo por precaución o ha tenido algún problema?

Mi voz tiembla cuando replico:

—Mi hijo.

Al día siguiente recibimos noticias de unos amigos que viven en Inverness, debajo de Manka's, que fuera coto de caza y que ahora es un conocido restaurante. Un trabajador llegó esa mañana, se reunió con sus compañeros de trabajo y juntos vieron a dos chicos que se asomaban por una de las ventanas de la casa de nuestros amigos. Los chicos se escabulleron por los costados y se marcharon en un Mazda rojo desteñido por el sol. Los fugitivos huyeron rápido pero ese hombre, a quien conocemos bien, reconoció a Nic. Voy a la casa. Las huellas de la noche de Nic allí están intactas: él y su amigo durmieron en el piso de la sala. Nada más está en desorden, pero hay bolas de algodón, paquetes forrados de papel plateado y otros adminículos para fumar e inyectarse metanfetaminas.

¿Dónde más se meterá Nic? Nunca es fácil imaginar con exactitud qué motiva a un adicto a las drogas, pero estoy convencido de que Nic es atraído por los sitios donde es amado: nuestra casa, la casa de nuestros amigos, la casa de sus abuelos. Tal vez se trate de pura conveniencia porque no sabe a dónde más ir, pero ¿podría ser un deseo inconsciente de regresar a casa para sentirse seguro? Sin importar la razón, cuando él inflige su locura sobre nosotros se hace cada vez más difícil sentir compasión y comenzamos a temerle.

A la mañana siguiente, Karen está fuera de casa cuando, de manera surrealista, ve pasar a Nic al volante de su Mazda. Escapa humo del tallo de su pipa. Ambos hacen contacto visual. Él se detiene en la gasolinera, carga el tanque del auto y después lo aborda para ascender por la colina a lo largo del camino que pasa frente a nuestra casa.

Karen, perpleja, vuelve a mirarlo. Sí, es Nic. Entonces me llama.

Yo salto al asiento de mi auto y lo persigo. ¿Qué haré? Supongo que sólo le diré lo tristes que estamos y le advertiré que ya hemos dado aviso a la policía. Es mejor que se detenga, que busque ayuda, que llame a Randy.

Conduzco por las sinuosas calles de la ladera de la colina sobre nuestra casa. Hubo un grave incendio diez años atrás. Cuarenta y cinco casas y más de doce mil acres de tierra se quemaron. Los nuevos robles, pinos y abetos están ahora del tamaño de los árboles de Navidad. Recorro calles que rodean cañones y del lado de los riscos, pero no puedo encontrarlo.

Después tomo el camino que baja por la colina, estaciono el auto en el camino de entrada a nuestra casa y me doy cuenta de que nuestro otro auto no está allí. Corro al interior y Jasper y Daisy me dicen que Karen vio a Nic descender por la colina (de alguna manera no lo vi) y que ella se ha marchado en el auto que falta. Ella sigue el viejo auto de él en nuestra vieja, golpeada y maltrecha camioneta Volvo que con trabajo alcanza los 65 kilómetros por hora.

Llamo al teléfono celular de Karen, pero éste vibra y suena en nuestra habitación, a unos cuantos metros de mí. Los niños parecen estar preocupados, así que los tranquilizo. Ahora ya saben que Nic ha recaído, pero ¿cómo pueden entender lo que significa que su madre se suba al auto, los deje solos en casa y se lance a la persecución de su hermano?

Karen no regresa a casa hasta después de casi una hora, cuando yo estoy a punto de volverme loco por la preocupación pero, por el bien de los niños, finjo que todo es normal y los tranquilizo. Esperamos en la sala. Cuando Karen llega al camino de entrada, corremos a recibirla. Dice que siguió a Nic por la autopista 1 y por el camino montañoso de Stinson Beach. Por fin se dio cuenta de que era ridículo, que qué hubiera hecho si lo hubiera alcanzado, de manera que se detuvo.

—¿Qué *hubieras* hecho si lo hubieras alcanzado? —pregunta Jasper.

—No estoy segura —responde ella. Luce abrumada y ha llorado.

Más tarde, a solas, me confiesa:

—Quería decirle que buscara ayuda, pero más que todo lo perseguía para ahuyentarlo de nuestra casa, de Jasper y Daisy.

No es que necesitemos un recordatorio, pero esa absurda mañana nos indica cuán fuera de control están nuestras vidas. Fue tonto intentar perseguirlo, pero hemos sucumbido a la irracionalidad que acompaña a la adicción.

Tres días después, una mañana de domingo, el teléfono suena, pero nadie responde al otro lado de la línea. Después, sucede de nuevo. En el identificador de llamadas aparece un número que no reconozco.

Gracias a la aplicación de búsqueda de anywho.com averiguo que el teléfono pertenece a un nombre familiar. Me toma algo de tiempo ubicarla. Son los padres de una chica a quien Nic conoció en el bachillerato. Llamo pero me responde una grabadora en la cual dejo un mensaje: "Estoy buscando a mi hijo. Su nombre es Nic Sheff. Él llamó de este número".

La madrastra de la chica me devuelve la llamada y me sorprende lo que escucho.

—¿Usted es el padre de Nic? Qué gusto hablar con usted —me dice—. Tiene un hijo maravilloso. Es un placer tenerlo por aquí. Estábamos muy preocupados por April y él ha significado una muy buena influencia para ella.

—¿Muy buena influencia para ella?

Suspiro y le comento acerca de la recaída de Nic y su desaparición. Ella está pasmada. Me explica que su hijastra ha entrado y salido de rehabilitación por adicción a las drogas y Nic parece ser un gran apoyo para su recuperación.

Por la tarde, Nic llama y me lo cuenta todo: que ha recaído y que ha consumido metanfetaminas y heroína. Ya he ensayado mi respuesta. Tembloroso, le digo que no hay nada que yo pueda hacer y que todo depende de él. Le digo que la policía lo busca, que su madre lo reportó como desaparecido con la policía de

Santa Mónica y que los alguaciles de Marin patrullan nuestra casa y la de nuestros amigos donde él se metió.

—¿Quieres terminar en la cárcel? Para allá vas.

—Dios —dice Nic—. Por favor, ayúdame. ¿Qué hago?

—Todo lo que puedo decirte es lo que ya sabes. ¿Qué te dicen en el programa? Que llames a tu padrino. Llama a Randy. No sé qué más decirte.

Nic llora y yo no digo nada. Ésta no es la respuesta que quería darle. Quiero ir a la ciudad por él, pero repito: "Llama a Randy". Le digo que lo amo y que espero que ordene su vida. Tal vez parezco resuelto o resignado, pero no me siento de ninguna de las dos maneras.

Cuelgo el teléfono. Me palpitan las sienes. Quiero llamarle de nuevo y decirle que voy por él, pero no lo hago.

Randy llama después de alrededor de media hora. Dice que Nic le habló y que él le pidió que volviera a Los Ángeles.

—Le dije que lo extraño —dice Randy—. Así es. Le dije que trajera su trasero de regreso aquí y lo estoy esperando. Parecía listo para volver.

Respiro. Cuando le doy las gracias a Randy, me dice:

—No necesitas agradecérmelo. Esto es lo que me mantiene vivo. —Después, agrega—: Y es verdad que extraño a ese imbécil.

Cuando hablamos al respecto, Vicki y yo sentimos alivio de saber que Nic está de acuerdo en volver a Los Ángeles, con Randy y al programa. Sin embargo, ambos estamos demasiado conmocionados, no deseosos o incapaces de aceptar que todo pueda estar bien de nuevo. Es demasiado inseguro.

Por la tarde, Vicki llama. Nic, quien tenía suficiente dinero para pagar un taxi al aeropuerto y un boleto de avión, regresó a Los Ángeles. Ella lo recogió en el aeropuerto y lo llevó a su departamento, donde su compañero de habitación le dio la bienvenida con una palmada en la espalda.

De inmediato Nic se refugió en su habitación y se acostó a dormir. Cuando llamo, Ted me informa que Nic sigue dormido.

—La desintoxicación no es nada divertida pero tiene que superarla —me dice—. No hay nada que usted pueda hacer. Sólo rezar.

Nic llama por la mañana. Tiene la voz ronca. Cuando le pregunto cómo se siente, me responde con brusquedad.

—¿Cómo crees que me siento? —Me cuenta su partida de San Francisco—. Hice lo que Randy me indicó que hiciera. Recé. Repetí: 'por favor, ayúdame'. Lo repetí muchas veces. Cuando ya estaba listo para marcharme, April me vio y enloqueció. Se aferró a mi pierna, lloraba y gritaba que no podía marcharme. Pero, si me quedaba, ambos hubiéramos muerto. Se lo dije pero no sirvió de nada —exclama Nic—. Lo jodí todo.

Con el paso de los siguientes días intento ser optimista, pero en realidad estoy en un frenesí confuso. Aún finjo que todo está bien con Jasper y Daisy pero me derrumbo con Karen.

Asisto a una reunión de Al-Anón en una iglesia en Corte Madera. Tiemblo y soy incapaz de contenerme. Cuando llega mi turno para hablar escupo una reconstrucción de las dos últimas semanas. Mientras hablo, bañado en llanto e invadido por el pánico, pienso que alguien más es quien habla y que ésta no es mi vida.

—No sé cómo todos ustedes en esta sala han sobrevivido a esto —digo, desahogado por fin. Y lloro, como muchos de los presentes.

Después de la reunión, mientras ayudo a doblar y acomodar las sillas de metal, una mujer a quien no conocía se aproxima a mí y me abraza. Me siento horrorizado por llorar en sus brazos.

—No dejes de volver —me dice.

A veces me sorprende que la vida continúe pero así es, de manera inexorable. Jasper entra a mi oficina. Viste una piyama de franela con pantalones cortos y pantuflas de peluche. Daisy, con el cabello revuelto, viste una playera y pantalones con estampado de arco iris y trae a Uni, su unicornio de peluche. Después Karen, los niños y yo preparamos *waffles*. Terminado el desayuno, Jasper y Daisy juegan a las escondidillas. Jasper es quien busca, así que Daisy corre por el vestíbulo. Él dice que ya va, se apresura a buscarla y la encuentra enroscada como gato dentro de la misma canasta donde siempre se esconde. Jasper inclina la canasta y Daisy cae al concreto. Jasper se arroja sobre su cuerpo despatarrado. Ambos ríen como hienas. Daisy se incorpora de un salto y escapa con Jasper en su persecución. Pasan corriendo frente a nosotros y se dirigen hacia la habitación de Nic, designada como la base a pesar de los malos recuerdos que parecen inundar esas paredes de manera permanente.

Enseguida se visten y salen a arrojarse entre sí una pelota de *lacrosse*. En cuestión de minutos, como siempre, pierden la pelota. El jardín tiene un místico poder de atracción sobre las pelotas: pelotas de *lacrosse*, de tenis, de soccer, de futbol, de beisbol, y no sólo pelotas sino también aviones de papel, cohetes en miniatura, *frisbees*. Los niños buscan debajo de los arbustos y de la cerca de plantas durante un rato, pero la pelota ha desaparecido en el hoyo negro del jardín. Los niños se dan por vencidos y se sientan en el suelo de rocas, desde donde escuchamos su juego de manos: "Limonada, hielo crujiente. Pégale una vez, pégale dos". Después escuchamos decir a Jasper: "¿Crees que Nic se parece a Bob Dylan?". La otra noche vimos un video de la actuación de Dylan en Greenwich Village a los veintitantos años de edad.

Daisy no responde de manera directa pero pregunta:

—¿Sabes por qué ese tipo se droga?

—Él cree que la droga lo hace sentir mejor —responde Jasper.

—No es así. Las drogas lo hacen sentirse triste y mal.

—No creo que quiera drogarse pero no puede evitarlo. Es como en las caricaturas cuando algún personaje tiene un diablo sobre un hombro y un ángel sobre el otro. El diablo susurra al oído de Nicky y a veces lo hace demasiado alto, así que él tiene que escucharlo. El ángel también está —continúa Jasper—, pero él habla más bajo y Nic no puede escucharlo.

Por la tarde Nic reporta que Randy casi tuvo que arrastrarlo fuera de la cama y montarlo en una bicicleta.

—Sentí que quería morir —dice—, pero Randy no aceptó mi negativa. Dijo que iría por mí, así que me levanté. Randy ya estaba allí, de manera que monté mi bicicleta. Me sentía todo jodido. No pensaba que pudiera pedalear por la cuadra, ni hablemos de recorrer la costa, pero entonces sentí el viento, mi memoria corporal tomó el control y pedaleamos durante un rato.

Algo de vida ha regresado a la voz de Nic y me quedo con una imagen esperanzadora: mi hijo, montado en su bicicleta bajo la luz del sol de California, pedalea a lo largo de la costa.

El fin de semana, cuando llama de nuevo, Nic está ansioso por hablar y expresar su sorpresa ante su recaída.

—Estuve sobrio durante 18 meses —me dice—. Me puse soberbio. Es el truco de la adicción. Piensas: Mi vida no es incontrolable, estoy bien. Pierdes la humildad. Crees que eres lo bastante inteligente como para manejarlo.

Nic admite que está avergonzado —mortificado— por su recaída y asegura que ha redoblado sus esfuerzos.

—Asisto a dos reuniones al día —dice—. Tengo que comenzar de nuevo con los doce pasos.

Desde luego que siento alivio (otra vez) y esperanza (otra vez). Siempre evalúo: ¿Qué es distinto esta vez? ¿Es distinto? De hecho, él ha logrado algunos progresos del tipo que aprendes a medir día con día. Randy le ayuda a conseguir otro empleo y juntos comienzan de nuevo a trabajar sobre los doce pasos. Cada día, antes o después del trabajo, salen a dar largos paseos en bicicleta.

En nuestra casa en Inverness, Karen y yo trabajamos en una recuperación análoga. A través de Al-Anón y del terapeuta que visitamos de manera ocasional, comprendemos que nuestras vidas también se han salido de control. La mía, al menos. Mi bienestar ahora depende del de Nic. Cuando se droga, yo vivo en una tortura; cuando no, estoy bien pero el alivio es tenue. El terapeuta dice que los padres de chicos drogadictos con frecuencia sufren una forma de síndrome de estrés postraumático que empeora por la naturaleza recurrente de la adicción. Los soldados que regresan de la batalla tienen el fuego y las bombas dentro de su cabeza. Para los padres de un adicto, un nuevo ataque puede hacerse presente en cualquier momento y nosotros tratamos de protegernos contra él. Fingimos que todo está bien, pero vivimos con una bomba de tiempo. Es desgastante depender de los estados de ánimo, decisiones y acciones de otra persona. Me ofende escuchar la palabra codependiente porque es un cliché de los libros de autoayuda, pero me he vuelto codependiente de Nic. Codependiente en el sentido de que mi bienestar depende del suyo. ¿Cómo puede un padre no ser codependiente de la salud o ausencia de ésta en un hijo? Pero debe existir alguna alternativa porque esto no es vida. He aprendido que mi preocupación por Nic no le ayuda en nada a él y perjudica a Jasper, a Daisy, a Karen y a mí.

Pasa un mes. Dos. En junio voy a Los Ángeles para realizar una entrevista y le pregunto a Nic si quiere que cenemos juntos.

Lo recojo frente a su departamento y nos abrazamos al vernos. Doy un paso atrás para mirarlo e intentar detectar cómo está. Ahora he aprendido lo suficiente para saber que, en un momento dado, los adictos, en especial a las metanfetaminas, no se recuperan, al menos en mucho, mucho tiempo. Algunos no se recuperan nunca. La debilidad física, por no hablar de la mental, puede ser permanente. Pero los ojos de Nic son castaños llenos de luz y su cuerpo parece fuerte otra vez. Es lo bastante joven como para recuperar su magnífica condición física o al menos eso parece. Su risa aparenta ser fácil y honesta, pero yo ya he observado antes esta transformación.

Damos una caminata y comentamos naderías como las próximas elecciones y cosas así. Las películas siempre son un territorio seguro.

—Quiero disculparme —me dice, pero su voz vacila y guarda silencio. De momento parece imposible para él. Tal vez tenga demasiadas cosas por las cuales disculparse.

Nos reunimos de nuevo la siguiente tarde y lo acompaño a una reunión de AA. Mientras bebemos café tibio en vasos de papel, nos presentamos.

—Soy Nic, drogadicto y alcohólico.

Al llegar mi turno, digo:

—Soy David, padre de un drogadicto y alcohólico. Estoy aquí para apoyar a mi hijo.

El facilitador de la reunión dice que ha estado en recuperación durante un año y la gente aplaude. Después nos cuenta historias relacionadas con el impacto en su vida. La semana pasada, dice, se encontró a solas con la novia de un amigo y a quien se ha sentido atraído por años. Ella comenzó a coquetearle. En cualquier otro momento esto le hubiera fascinado y no lo hubiera pensado dos veces antes de acostarse con ella, pero empezó a besarla y después se detuvo. Se dijo: "No puedo hacer esto" y se marchó. Fuera del edificio de departamentos de ella, de camino a su casa, el hombre comenzó a llorar sin control. Dice: "De pronto me di cuenta de que había recuperado mis valores morales". Nic y yo nos miramos de una manera... ¿qué? Tentativa y, por primera vez en mucho tiempo, con ternura.

Constantemente me recuerdo que nada es fácil para Nic. Mi corazón está con él. Quiero hacer algo para ayudarlo, pero nada puedo hacer. Quiero que reconozca los traumáticos eventos pasados y que me prometa que nunca volverán a suceder. No puede hacerlo; de hecho, al hablar con él me doy cuenta de que Nic ha descubierto la amarga ironía de las primeras etapas de la sobriedad. Tu recompensa por tu arduo trabajo en la recuperación es que vuelves de cabeza al dolor del cual intentabas escapar con las drogas. Nic dice que a veces se siente optimista, pero que en otras ocasiones se siente deprimido y desolado.

—A veces no creo poder lograrlo —me dice. Está abrumado por su reincidencia—. ¿Cómo pude joderlo todo? —pregunta—. No puedo creer que lo hice. Estuve a punto de perderlo todo. No creo poder empezar de nuevo.

Nic admite que a veces fantasea con la posibilidad de reincidir. Sueña con ello. Una vez más. Siempre. Sus sueños son vívidos y crudos. Nic siente la aberración y la seducción de las drogas al mismo tiempo. Puede saborearlas. Saborea el cristal, lo huele, siente la punzada de la jeringa en su piel, siente que la droga entra y el sueño se convierte en pesadilla porque no puede parar. Entonces se despierta entre jadeos y bañado en sudor.

Sé que permanecer sobrio es mucho más difícil para Nic de lo que puedo comprender. Siento simpatía y orgullo por su esfuerzo. Cuando me enojo por el pasado —las mentiras, las intrusiones en casas, las traiciones— tengo que reprimirme para no decir nada y ni siquiera reaccionar. No es benéfico. Tengo que recordarme que, si la recaída de Nic me horroriza, es peor para él. Yo sufro, Vicki sufre, Karen sufre, Jasper y Daisy sufren, mis padres sufren, los padres de Karen sufren, otras personas que aman a Nic sufren, pero él sufre más.

Hoy ha sido un día muy difícil, dice Nic cuando me llama. De hecho, suena deprimido. Su auto se descompuso de camino a una entrevista para un empleo por el cual estaba muy emocionado. Como consecuencia, no llegó a la entrevista. Siempre me preocupa que esas frustraciones normales de la vida diaria sean demasiado para Nic, pero él y Randy fueron a montar en bicicleta. Pedalearon durante horas y hablaron acerca del programa, de AA, de los doce pasos y de lo complicado que les resulta abrirse al mundo aunque hay mucho por ganar cuando lo logran. La sobriedad sólo es el principio y es el único principio.

A pesar de que han hablado con Nic por teléfono, Karen, Jasper y Daisy no lo han visto desde que reincidió. Aún continuamos en el intento por explicarles el asunto a los niños. "Nic está enfermo" ha dejado de ser suficiente. Es una explicación insatisfactoria y confusa por completo. Desde su perspectiva, los síntomas de una enfermedad son cosas como tos, fiebre o ardor de garganta. La comprensión más cercana que pueden alcanzar es la imagen de Jasper del diablo y el ángel que compiten por el alma de Nic. De cualquier manera, Jasper y Daisy lo extrañan mucho. Karen y yo no deseamos que nos visite en Inverness. Necesitamos más tiempo. Nic parece entenderlo. No estamos listos para permitirle que vuelva a casa, no después de la última vez. No después de los cheques robados, la persecución en los autos, sus traumáticas invasiones a las casas de nuestros amigos y a la nuestra, los robos y el dolor de no saber, imaginarlo en la cajuela de un auto con destino hacia el este a través del país, Sacramento, Reno, Billings, Montana. Sin embargo, a finales del verano planeamos unas vacaciones en Molokai, Hawai, y hospedarnos en tiendas de campaña suspendidas por troncos y puntales sobre la playa, y Karen sugiere que aprovechemos algunas millas de viajero frecuente para invitar a Nic a venir con nosotros. Por fin está lista para verlo. Ambos pensamos que es más seguro reunirnos con él en territorio neutral y las vacaciones son un momento menos complicado para intentar el comienzo de nuestro reencuentro.

El día de la llegada de Nic, los cuatro vamos en auto al aeropuerto de una sola pista en Molokai para recibirlo. Como siempre, la reunión es una mezcla de excitación y un intenso nerviosismo.

—Daisy, tienes la naricita tapada, señoritinga —exclama Nic al verla. Después la levanta en un abrazo de oso y ambos giran en círculos—. Me da mucho gusto verte, pequeña *boinky*.

—Y a usted, señor —dice Nic al bajar la mirada para encontrarse con los ojos abiertos de Jasper—. Lo he extrañado más de lo que el sol extraña a la luna durante la noche. —También abraza a su hermano menor.

Durante el largo camino de regreso a las cabañas hay cierta tensión e incomodidad dentro del auto, pero entonces Jasper pide un cuento de PJ y así volvemos al territorio seguro.

—PJ Fumblemumble, el más grande detective de Londres, despertó —comienza Nic. Suele emplear acento británico con el tono y la cadencia del narrador de las caricaturas de Rocky y Bullwinkle—. Como todo el mundo sabe, PJ Fumblemumble es el más grande detective de todo Londres. Sin embargo, para aquéllos de ustedes que hayan pasado toda su vida en una cueva o en una choza sepultada por la nieve, sólo les diré que, si algo está fuera de lugar —un periquito australiano desaparecido, un ladrón en el dormitorio, no hay miel para los hot cakes— sólo necesitan tomarse la molestia de llamar a un hombre. Ese hombre, como es probable que ya hayan adivinado, es el único e inigualable inspector PJ Fumblemumble. Los niños quieren ser como él, los hombres sienten fieros celos hacia él y las mujeres se desmayan ante la sola mención de su nombre.

Nic ha contado varios episodios de historias acerca de PJ y de Lady Penélope durante años. A los niños les encantan.

—El hombre es alto, delgado y desgarbado —continúa Nic— como palo de paleta con piernas, y tiene un cuidado bigote en forma de barra. Su nariz, enorme y ganchuda, puede seguir el rastro de cualquier aroma como un perro cazador. Sus orejas son afiladas y grandes. Su cabello comienza a hacerse plateado y a desaparecer en la parte más alta de su cabeza, y sus ojos requieren de la ayuda de unos anteojos redondos con aros. Atrevido y valiente, el inspector envejece con distinción. Sus manos son alargadas con dedos de cuerda con nudos. Su manzana de Adán es redonda y protuberante.

La historia de PJ toma la mayor parte del camino de regreso al campamento. Después de la conclusión —PJ arresta al vil profesor Julián "Zapatos con caca" Pipsqueak— los niños actualizan a Nic acerca de su escuela y sus amigos.

—Tasha es más mala y siempre me copia —dice Daisy—. Ella ignora a Richard; él siempre la sigue y lo hace llorar.

—Esa pequeña arrogante y presumida —responde Nic, aún con acento británico a causa de PJ.

Continuamos en el camino y vemos el panorama de tierra roja. En un momento dado, Jasper susurra:

—Nic, ¿ya no vas a drogarte?

—De ninguna manera —responde Nic—. Sé que estás preocupado, pero estaré bien.

Los chicos guardan silencio mientras todos contemplamos la arcilla roja y después la primera vista de las olas rompientes.

En el campamento junto a la playa rentamos bicicletas, jugamos en la arena y nadamos juntos entre las olas. Karen lee en voz alta *La isla del tesoro* a la sombra de las palmeras.

Una tarde vamos al pueblo a comprar helados a una fuente de sodas que tiene sillas con respaldos y patas retorcidas. La variedad de sabores es hawaiana por completo: camote, té verde y nuez de macadamia.

Aún me sorprende cómo nuestras realidades duales se vuelven indistintas de nuevo. Tal vez se trate del vestigio de un mecanismo de supervivencia. Ahora, en lugar de recordar la abrumadora calamidad y el mal, me dejo envolver por el amor de los chicos juntos aquí y la belleza natural. Siento como a si todos nos purificaran el océano y la cálida brisa tropical. Esperanzado por el futuro de Nic, puedo hacer a un lado la oscuridad de su adicción. No es que la olvide pero la aparto y, mientras tanto, aprecio lo sublime. Una puesta de sol, la verde agua clara, la poesía de la música del cd que escuchamos en el auto —Lennon canta "Julia", Van Morrison interpreta "Astral Weeks"—. Por el momento, el mal está acorralado.

La noche se llena con los sonidos de los grillos y los ratones que se escabullen por el piso de madera. Desde su casa de campaña de tres camas individuales escuchamos que Nic lee en voz alta a Jasper y Daisy. Ha retomado *Las brujas* donde lo dejó más de dos años atrás.

Después de las despedidas en el aeropuerto, abordamos aviones separados: Nic hacia Los Ángeles y nosotros hacia San Francisco.

Una semana después voy con Jasper a Point Reyes Station a recoger la correspondencia. Hay una pila de facturas, cartas de su escuela con el horario para el siguiente año y una carta para Jasper, de Nic. Jasper abre el sobre con cuidado, desdobla la carta y la sostiene entre sus manos mientras la lee en voz alta. Con su delicada caligrafía en una hoja arrancada de un cuaderno, Nic escribe: "Busco la manera de decir que lo siento con mucho más que estas dos palabras sin sentido. También sé que este dinero nunca sustituirá todo lo que te he robado en términos del miedo y la locura que he provocado en tu corta existencia. La verdad es que no sé cómo decir que lo siento. Te amo, pero eso nunca ha cambiado. Te quiero, pero siempre lo he hecho. Estoy orgulloso de ti, pero eso no mejora las cosas. Supongo que lo que puedo ofrecerte es lo siguiente: Como ya has crecido, siempre que me necesites —para hablar o para lo que sea— seré capaz de estar allí para ti. Ésta es una promesa que no hubiera podido hacerte antes. Estaré aquí para ti. Viviré, me ganaré la vida y seré una persona con quien puedas contar. Espero que esto signifique más que esta estúpida carta y estos ocho dólares".

PARTE V

Sin que nadie lo supiera

20

Mi artículo "Mi hijo adicto" aparece en la *New York Times Magazine* en febrero. Nic y yo escuchamos los comentarios de amigos y extraños, y compartimos la retroalimentación. Ambos estamos motivados porque tal parece que nuestra historia familiar ha conmovido a muchas personas y, de acuerdo con algunas de ellas, les ha ayudado, en especial a aquéllas que han vivido su propia versión de ésta o que la viven en este momento.

Cuando a Nic le piden que escriba sus memorias, él se entusiasma con el proyecto y su reacción me inspira a escribir más al respecto, a profundizar. Pronto tengo una fecha límite para el libro aunque yo continuaría con su escritura incluso si no la tuviera. Escribir me resulta doloroso a un grado extremo, y a veces es una tortura escribir esta historia. Al escribir, cada día me sumerjo en las emociones que sentí en cada momento de la historia que ahora recuerdo. Vuelvo a vivir en infierno, pero también vuelvo a vivir los momentos de esperanza, milagro y amor.

A finales de febrero planeamos pasar un fin de semana de esquí en Lake Tahoe. Nic consigue algunos días de permiso en su trabajo para poder acompañarnos. Los chicos esquían juntos. Por la tarde, Nic les cuenta historias de PJ a los pequeños frente a la chimenea.

Cuando hablamos al respecto, Nic parece estar enfáticamente comprometido con su sobriedad. He aprendido a revisar mi optimismo; sin embargo, es bueno escuchar a Nic cuando discute acerca de la vida que está reconstruyendo y la vida nueva que tiene en Los Ángeles. Además de su libro, Nic escribe historias cortas y reseñas de películas para una revista en Internet. Parece muy apropiado que escriba reseñas de películas dado que son una parte muy importante de su vida. Nic monta en su bicicleta, nada o corre todos los días en Los Ángeles. A veces hace las tres cosas. Nic y Randy recorren la costa de ida y vuelta desde Santa Mónica, pasean por los cañones, suben a las colinas, atraviesan la ciudad o van a la playa en bicicleta.

Cuando lo llevo al aeropuerto después de su visita en las montañas, Nic me dice que ama su vida. De hecho, emplea esas palabras: "Amo mi vida".

Dice que sus paseos con Randy lo vivifican y le dan sustento.

—La excitación es mucho, mucho, mucho mejor que lo que nunca fueron las drogas —me dice—. Es la excitación de una vida plena. Cuando monto en mi bicicleta, lo siento a plenitud.

Sí, soy optimista. ¿Dejo de preocuparme? No.

Es 2 de junio, pocos días antes de la ceremonia de ascenso en la escuela de Jasper y Daisy. Ella pasará a cuarto grado y Jasper a sexto. Karen y yo estamos en casa en Inverness. De pronto, siento como si mi cabeza explotara.

La gente usa esta frase como una expresión, pero no esta vez. En verdad siento como si mi cabeza explotara.

—Karen, llama al número de emergencias.

Ella me mira durante un minuto. No parece comprender lo que le digo.

—¿Estás...?

Ella hace la llamada.

Pasan entre diez y quince minutos y llegan tres hombres con cajas, aparatos y una camilla y se acomodan junto a mí en la sala. Me hacen preguntas y realizan un examen preliminar mientras me colocan monitores de presión arterial y ritmo cardiaco. Después preguntan a cuál hospital quiero ser transportado.

Estoy en la parte trasera de una ambulancia.

Yazco en la ambulancia con dos hombres que flotan sobre mí. Me hablan, pero no puedo entender lo que dicen. Me siento enfermo y vomito varias veces en un recipiente de plástico mientras ofrezco disculpas.

Cuando la ambulancia llega al hospital, Karen me espera en la sala de emergencias con su padre. Una doctora o enfermera de admisiones discute opciones cuando escucho a Don decir algo en voz baja.

—¿Han considerado una hemorragia subaracnoidal? Tal vez deban practicarle una tomografía computarizada.

La doctora o enfermera le lanza una mirada dudosa pero dice:

—Sí, haremos una tomografía de inmediato.

Me llevan por un corredor hasta un elevador. No siento pánico ni temor de morir porque me confunde el hecho de que mis pensamientos sean tan claros. Siento una paz extraña.

Me cambian de mi camilla a una larga superficie de plástico y de allí a otra camilla que se mueve como una banda sinfín hasta que mi cabeza queda dentro de un pequeño túnel. Me dicen que no me mueva. Luz blanca, un ruido de golpeteos metálicos, luz azul.

Me conducen de nuevo a la sala de emergencias. Para entonces, no sé. No sé.

Mi condición empeora. Escucho la frase *hemorragia cerebral*. Al respecto sólo sé lo que he escuchado y con mucho esfuerzo puedo descifrar las palabras: *cerebral*, el cerebro; *hemorragia*, sangre.

Ya avanzada la noche, Karen se marcha a casa de sus padres donde Jasper y Daisy duermen. Por la mañana, temprano, el teléfono suena. Karen, quien no ha dormido mucho, contesta. Una enfermera —mi enfermera— es quien llama.

—Debo advertírselo. Él no puede hablar.

En el hospital, un neurocirujano se lleva a Karen aparte y le dice que quiere abrir un agujero en mi cráneo e insertar una válvula. "Esto aliviará la presión." Ella da su autorización.

La hermana de Karen es enfermera en el Centro Médico de la Universidad de California y es muy amiga de un neurooncólogo de allá. El médico me visita en el hospital y, después de consultarlo con mi cirujano, hace los trámites necesarios para llevarme al quirófano de la Universidad de California en San Francisco. Otro paseo en ambulancia, esta vez sobre el puente Golden Gate hacia la ciudad.

La unidad de terapia intensiva de neurología.

Quiero salirme de mi piel. Siento mucho calor, soy incapaz de mantenerme quieto con medicamentos para combatir medicamentos —antináuseas, antiinflamatorios, anticoagulantes, analgésicos, la presión arterial más alta a causa de la ansiedad, lo cual requiere de más medicamentos que causan más ansiedad—. Estoy lleno de cintas adhesivas, correas y agujas, y salen tubos de mi cuerpo —de mis brazos y mi pene hasta la parte superior de mi cabeza—, como Neo en *Matrix*. En un momento dado me rasuran el vello púbico para realizar un angiograma. La morfina me provoca comezón. Me alteran las luces brillantes, además de la sensación y el sonido incesante y agudo de los monitores.

Nic.

¿Dónde está Nic? ¿Dónde está Nic? ¿Dónde está Nic? ¿Dónde está Nic? Debo llamarle a Nic.

No recuerdo su número telefónico.

Tres, uno, cero.

¿Qué sigue?

En un reloj cúbico que está sobre la mesa, junto a la cama, números brillantes de color verde-azul radioactivo cambian de forma: el dos se convierte en tres; el nueve y el cinco se disuelven en un par de ceros cuadrados. Tres de la mañana.

Tres, uno, cero. Ése es el código de área de Nic.

Si sólo pudiera acallar el ruido intermitente de los monitores. Si sólo pudiera extinguir las vibrantes luces color blanco hielo. Si sólo pudiera recordar el número telefónico de Nic.

La enfermera me regaña por manosear la válvula que sale de la parte superior de mi cabeza.

Lo olvidé. Lo siento.

Cuando ella se marcha, levanto mi mano ingrávida y recorro el tubo de plástico desde donde se inserta como el tallo de una pera a la zona rasurada de mi cráneo.

La delgada manguera se enrosca como el rizo de un canal hasta un gancho en forma de S que cuelga de un soporte de metal. De allí gira hacia abajo y se conecta a una bolsa sellada de plástico.

Muevo la cabeza hacia la derecha. Sólo un poco. Al hacerlo, veo el tubo como una arteria errante que contiene una corriente de líquido claro con cierto tono rojizo. El líquido, que gotea lento en la bolsa, es fluido espinal y cerebral de desecho. El rojo es la sangre de la hemorragia. La enfermera explica de nuevo: mi cerebro sangra en las profundidades del espacio subaracnoidal. Cuando eso sucede, casi siempre es causado por un aneurisma, un punto débil en una arteria que gotea sangre. Infiero que, con frecuencia, la hemorragia es mortal; también puede causar daño cerebral temporal o permanente.

Una nueva enfermera oprime los botones de los monitores.

—Por favor, ¿podría ayudarme a llamarle a mi hijo? No recuerdo su número telefónico. Tengo que llamarle.

—Su esposa estará aquí en la mañana —responde—. Ella tendrá el número.

—Yo necesito el número ahora mismo.

Duerma un poco. De todos modos, es demasiado tarde para llamarle ahora.

Escucho voces desde la estación de enfermeras.

Tres, uno, cero.

El número telefónico comienza con tres, uno, cero, el código de área cerca de la playa en Los Ángeles.

La playa.

Arena blanca.

Nic corre y se convierte en un rastro de fuego que se dirige a la vegetación sobre el cañón, junto a una pequeña y desierta playa sobre Malibú. Veo su cuerpo esbelto y desgarbado. Sus fuertes piernas corren.

Trae una banda alrededor de la cabeza.

Grandes zapatos deportivos, pantalones cortos para correr. Una camiseta se ciñe a su musculoso pecho.

Sus ojos son claros, del color del té.

Recurro al recuerdo de su voz en el teléfono para calmar mi agonizante preocupación, a pesar de que sé que su voz es experta en causar decepción. Ya no sé la verdad y, sin embargo, elegiría tranquilizarme si pudiera escucharlo.

Hola, papá, soy yo. ¿Qué sucede? ¿Estás bien?

Estoy seguro de que él está bien. Nunca estoy seguro de que él está bien.

Tres, uno, cero y...

Algunas de las veces cuando Nic no estuvo bien fue tan desastroso que deseé limpiar, borrar y extirpar todo rasgo de él de mi cerebro de manera que ya no tuviera que preocuparme más por él, que ya no tuviera que sentirme decepcionado por él ni herido por él y que ya no tuviera que culparme y culparlo, y que ya no tuviera la incesante y acosadora sucesión de imágenes de mi adorado hijo, drogado, en las más sórdidas y horrorosas escenas imaginables. Una vez más: deseé en secreto una especie de lobotomía.

Estaba sumergido en una destructiva angustia y suplicaba un alivio.

Deseaba que alguien borrara todo resto de Nic de mi cerebro, que eliminara toda noción de lo que había perdido, que acabara con la preocupación y no sólo con mi angustia, sino con la de él y el incendio interior como si pudiera extraer las semillas y la jugosa pulpa de un melón demasiado maduro sin dejar rastro alguno de la carne podrida.

Sentía como si nada inferior a una lobotomía pudiera aliviar el dolor invencible.

De pronto, todo cae en su sitio: Estoy en la unidad de terapia intensiva de neurología después de una hemorragia cerebral; no es una lobotomía, pero sí es algo muy cercano.

Me encuentro en una habitación blanca en el Centro Médico de la Universidad de California, San Francisco, acosado por monitores sonoros y amables enfermeras que me preguntan si recuerdo mi nombre (no puedo) y el año (¿2015?).

Tengo una especie de borrado cerebral que es mortal en potencia; no puedo recordar mi nombre ni el año y, sin embargo, no me libero de la preocupación que sólo los padres de un drogadicto, supongo que cualquier padre de un hijo en peligro mortal puede comprender.

¿Está Nic en peligro mortal? Su hermoso cerebro envenenado, poseído por las metanfetaminas. Quería eliminarlo, borrarlo, expulsarlo de mi cerebro y ahí está, incluso después de esta hemorragia. Estamos conectados a nuestros hijos de manera irremediable. Están vinculados a cada célula y son inseparables de cada neurona nuestra. Superan nuestra conciencia, habitan en cada uno de nuestros resquicios, cavidades y rincones con nuestros instintos más primitivos, más profundos incluso que nuestras identidades, más profundos que nosotros mismos.

Mi hijo. Nada cercano a mi muerte puede borrarlo. Tal vez incluso ni siquiera mi muerte. ¿Cuál es el número telefónico?

Nic.

Un monitor, como un martillo, golpea mi cabeza.

—Duérmase.

—¿Qué?

—Duerma un poco.

Una enfermera me despierta.

—¿Nic?

—Cálmese, querido. Todo está bien. Su presión arterial ha aumentado.

Más píldoras y un vaso de papel con agua para tragarlas.

—Nic...

—Duerma un poco. Eso le ayudará más que cualquier otra cosa.

—¿Mi hijo?

—Duérmase.

—Por favor, ¿puede ayudarme a marcar...?

—Duérmase.

Estoy agitado y tal parece que la válvula gotea. La enfermera, quien luce fatigada y desmotivada, está aquí después de entrar de prisa. Dice que me pondrá otra inyección de analgésicos.

Los medicamentos no alivian mi terror. Quiero llamarle a Nic para asegurarme de que está bien. Necesito llamarle. No puedo recordar. ¿Cuál es su número telefónico? Comienza con tres, uno, oh.

—Por favor, querido, duérmase.

Por la mañana, Karen está aquí y entra un médico.

—¿Puede decirme su nombre?

Una vez más sacudo la cabeza con tristeza.

—¿Sabe dónde está?

Pondero la cuestión durante un largo rato y después pregunto:

—¿Es una pregunta metafísica?

El médico no responde de inmediato. Cuando lo hace ha decidido que no, que una respuesta directa será suficiente.

Karen llora.

—¿Quién es el presidente de Estados Unidos?

Lo miro sin responderle. Después, digo:

—¿Podría decirle a mi editor de la maleta? Está rota. Dígale que el seguro no funciona.

—¿La maleta?

—Sí, los seguros no sirven. La maleta está rota.

—De acuerdo. Se lo diré.

La maleta rota, mi cerebro. Lleno de todo lo que soy. No puedo recordar mi nombre, no sé dónde estoy, no puedo recordar el número telefónico de Nic, los números se han salido de la maleta con el ruido y el desorden de un ensamble torcido de Legos o la colección de Nic de conchas marinas cuando tenía... ¿tenía cuatro años de edad? Se salieron de la maleta porque el seguro se rompió.

Mi hijo está en peligro. No puedo olvidarlo; ni siquiera ahora con el cerebro ahogado en sangre tóxica.

Nic.

—¿Cuál es su nombre?

La enfermera otra vez.

—¿Puede llamarle a mi hijo?

—¿Cuál es su número telefónico?

—Tres, uno.

—¿Sí?

—No puedo.

La enfermera me inyecta un sedante y un analgésico, y una corriente cálida sube desde los dedos de mis pies y pantorrillas hasta mis piernas, y burbujea como alquitrán. Llena mi abdomen y mi pecho hasta mis hombros, baja por mis brazos y llega hasta la base de mi cuello, pasa por detrás, alcanza mi dañada cabeza y la tranquiliza. Un sueño semejante a la muerte se hace presente como el descenso de un hombre muerto con un bloque de concreto atado a los pies y que ha sido arrojado a un lago sin fondo. Caigo cada vez más abajo pero, incluso ahora, obligo a mi pulverizado cerebro: ¿Qué sigue después del tres, uno, cero?

Estoy en una habitación privada, pero no tengo privacidad. La puerta está abierta. Siempre hay luz. Una o dos veces pido a

Karen o a alguna enfermera que abra las ventanas para que entre el aire, pero entonces siento mucho frío. La hermana de Karen llega de visita cuando tiene algunos minutos libres entre sus rondas en otras zonas del hospital. Me siento mejor cuando ella está aquí.

Más que todo, me siento mejor cuando Karen está aquí. Ella descansa en mi cama bajo los tubos de neón cubiertos de plástico debajo de los paneles blancos y cuadrados del techo con una constelación de agujeros minúsculos. Ella descansa conmigo, lee para mí y yo duermo. Ella se encarga de los niños y de todo lo demás, de todo, de nuestras vidas, pero la quiero conmigo, la necesito conmigo. Cuando ella está aquí, todo lo demás desaparece: el miedo, la preocupación. Acostada conmigo, Karen toma mi mano y juntos miramos el único canal de televisión que puedo tolerar —la única vista que puedo seguir— que es la transmisión de la fotografía inmutable de una montaña.

Me pierdo la ceremonia de ascenso de los niños. Me pierdo el cumpleaños de Daisy.

Una sucesión de médicos pregunta: ¿Cuál es su nombre? ¿Qué día es hoy? ¿Dónde está usted? ¿Quién es el presidente? Después me indican que extienda los brazos con las palmas hacia arriba. ¿Cuántos dedos tengo aquí? Mueva los dedos de los pies. Haga presión contra mi brazo. Ahora con los pies.

Examen tras examen. Éstos revelan que no hay aneurisma. Diez por ciento de las personas que llegan con hemorragia subaracnoidal no tiene aneurisma.

Más exámenes.

Hoy puedo responder a las preguntas del médico.

David Sheff.

11 de junio del 2005.

San Francisco, en el Centro Médico.

Giro de adentro hacia afuera, desde sentirme desafortunado al extremo —¿cómo llegué aquí?— hasta sentirme la persona más afortunada del mundo. Si necesito alguna confirmación, ésta llega cuando me dicen que estoy listo para comenzar a mo-

verme un poco. Intento caminar. Estoy tembloroso. Con la ayuda
de una enfermera, salgo de mi habitación con paso vacilante
y avanzo por el pasillo iluminado con luz amarillenta de neón
hasta pasar junto al letrero de "su seguridad es nuestra meta".
Me asomo a las puertas abiertas de otros pacientes. Un hombre
yace inconsciente sobre una cama de hospital. Tiene cicatrices
como las costuras de un balón de futbol en su cráneo rasurado.
Otro hombre se sienta en la cama con dificultad. Una mujer des-
mayada y después otro hombre, y otro más con oscuras ojeras,
casi como si les hubieran arrancado los ojos.

En mis caminatas veo a los enfermos y mermados, a los
asustados y febriles que luchan por permanecer vivos. Hay una
ventana cerca de la unidad de terapia intensiva cuya vista es
San Francisco. Desde allí puede verse el garigoleado, cobrizo
y nuevo Museo De Young en el parque Golden Gate, filas de
casas victorianas y bloques de departamentos. Los contemplo
y después regreso la vista hacia los rostros que pasan junto a
mí en el corredor: un fantasma trémulo y encogido con cabello
amarillo y parálisis parcial sujeto a un caminador de metal con
sus garras pálidas y una arrugada mujer de ojos petrificados en
una camilla empujada por un empleado del hospital.

Jasper y Daisy vienen a verme. Su luz llena la habitación. Yo
los tranquilizo. Estaré bien. Ellos trepan a mi cama. No puedo
responder mucho y me preocupa que eso los asuste, pero no
puedo hacer otra cosa más que decirles que los amo. Pensé que
sería bueno que ellos vieran que estoy bien, pero tal vez mi juicio
no es el mejor en estos momentos.

Nic llama.

Nic llama.

Nic.

Está bien.

Nic ha hablado con Karen cada día desde que llegué al hospital y hace bromas acerca del agujero en mi cabeza. Dice que
vendrá a visitarme.

Nic está bien.

෯ ෯

Después de dos semanas, Karen me lleva en auto a casa. Desde
la cama veo el jardín a través de la puerta de vidrio de la habitación. Me maravilla el color, el verde de cada hoja, rama y aguja
de ciprés. Y el blanco suave. Hortensias. Amarillo sol. Rosas.
Lavandas. Violetas que crecen entre las cuarteadoras del camino de piedras de la terraza. Contemplo a un pequeño pájaro
con plumas color púrpura que se acicala y agita las alas en la
pileta para aves.

Como duraznos maduros. Es todo lo que quiero comer.

Duermo la mayor parte del tiempo, pero juego al Ocho Loco
y Nickels con Jasper. Daisy lee para mí. Todos los días. Nic y yo
hablamos por teléfono. Karen y yo nos acostamos juntos en la
cama, lado a lado; ella lee el *Times* y yo intento leer una frase en
una revista. Por fin logro leer una cápsula en *The New Yorker*.
Cuando consigo leer una parte de *Talk of the Town*, siento como
si me hubiera ganado un doctorado.

Karen y yo nos tomamos de las manos. Me pierdo en el sentimiento evasivo, puro y precioso que está con nosotros en la
cama.

Karen y yo caminamos juntos por el jardín.

—Llamó Nic. Pronto estará aquí. ¿Cómo te sientes de verlo?

—Impaciente.

Nic aparece en la puerta frontal y se topa con Brutus, seguido por Daisy y Jasper. Puedo escucharlos desde mi habitación.

—Hola, Nicky.

—Nic.

—¡Bop!

—¡Nickypoo!

—¡Dais!

—Hola.

—Auch.

—Nicky.

Ladridos.

—*Boinkers.*

—Niño de caca.

Después, Karen.

—¡Hola, mamacita!

—Sputnik.

—KB.

—Muy bien.

—Y tú.

—Verlos.

—¿Qué tal el?

—Rápido. Bien.

—Qué bueno.

—El camino.

—Tú también.

—Compré un futbol.

—¿Un futbolito?

—¿Quieres dibujar?

—Pero.

—Futbol.

—¿Para jugar?

—Sí, pero.

—Tengo un gis.

—¿Gis? En una.

—¿Nos cuentas una historia?

—Sí, sí, sí. Pero.

—¿Estás...?

—¿Dónde está el viejo?

Arrastrado por los chicos y Karen, Nic llega a mi habitación. Quiero saludarlo de manera apropiada, así que me incorporo, tembloroso, y nos abrazamos.

—Pues.

—Pues.

—Hola, pá.

—Hola, Nic.

—Me da mucho gusto verte.

—A mí también.

Duermo durante largos ratos a lo largo de cada día, pero Nic se sienta a mi lado y toma mi mano. Cuando duermo, él sale a pasear en bicicleta. Trajo la suya atada a la parte trasera del auto que le compró hace poco a un amigo de AA. Lo veo de pie con pantalones cortos para ciclista con relleno en la parte trasera, una camiseta con el logotipo de Motorola, calcetas largas hasta la pantorrilla y zapatos deportivos para ciclismo que se ajustan a los pedales. Sale de casa para dar un paseo por nuestra calle y después gira hacia el oeste, a lo largo de la bahía Tomales. Imagino que pedalea a lo largo de la bahía donde jugó, creció, remó en kayak, nadó y se drogó con sus amigos en las playas que rodean la península, por la larga bahía, después de los ranchos y en el estero, donde surfeamos juntos.

De regreso de su paseo, Nic viene a verme, se asoma y toma asiento a mi lado.

—Pensé que te perderíamos —dice.

Yo lo miro a los ojos.

—Nos intercambiamos.

Estoy a punto de dormir y Nic va a la habitación de los pequeños para jugar con ellos. Después, al día siguiente, demasiado pronto para todos, Nic debe volver al trabajo. Se marcha por la tarde y conduce el auto hacia el sur, de regreso a Los Ángeles.

Tal parece que cada día me siento un poco mejor durante más tiempo. "Muchos pacientes con hemorragia subaracnoidal no sobreviven el tiempo suficiente para llegar al hospital", de acuerdo con una página *web* de medicina que encuentro en Internet. "De aquéllos que lo logran, alrededor de 50 por ciento muere durante el primer mes de tratamiento."

Por las mañanas y también por las noches Karen insiste en que caminemos juntos en el jardín. Yo me quejo y llego hasta su estudio antes de regresar a la cama, exhausto.

Intento encontrarle sentido a lo que ha sucedido y a lo que sucederá. Ni siquiera sé qué es lo que quiero que suceda. De alguna manera quiero recuperarme y, al mismo tiempo, no quiero. No quiero que las cosas vuelvan a ser justo como eran. Es decir, no quiero regresar a la normalidad de preocuparme por Nic.

A veces siento pánico por el futuro. A veces me siento débil y dolido por el pasado. Pero, por hoy, Jasper y Daisy están bien. Él está en un campamento que durará esta semana. Ella va a nadar por la mañana y luego regresa a casa para leerme un libro: *Love, Ruby Lavender*. Nic se ha mudado de nuevo, esta vez a un departamento en Hollywood. Está emocionado de compartir su vivienda con amigos. Llamó esta mañana antes de salir a encontrarse con Randy para dar un paseo en bicicleta a lo largo de la costa.

Repaso mi estancia en el hospital una y otra vez con mi mente en recuperación. No puedo olvidar cuando fui incapaz de recordar el número telefónico de Nic y me sorprende que ni siquiera una hemorragia cerebral hubiera podido eliminar mi preocupación por él. Recuerdo las numerosas ocasiones cuando desapareció en las calles, sólo Dios sabe dónde, cuando fantaseaba con que podría borrármelo del cerebro si pudiera someterme a una lobotomía, el eterno resplandor de una mente sin recuerdos, y que ya no agonizaría por él, y agonizo por él. Ahora estoy agradecido por tenerlo todo, incluso la preocupación y el dolor. Ya no quiero una lobotomía, ya no quiero borrarlo. Aceptaré la preocupación con el fin de aceptar a la que se ha convertido en la emoción más importante después de mi hemorragia.

Algunas personas optan por eliminarlo. El hijo resulta ser cualquier cosa que para ellos es imposible de enfrentar: para algunos, la religión equivocada; para otros, la sexualidad equivocada; para otros más, un drogadicto, y les cierran la puerta. Click. Como en las películas de la mafia: "Yo no tengo hijo. Él está muerto para mí". Yo tengo un hijo y nunca estará muerto para mí.

No es que esté complacido, pero ya estoy acostumbrado a la angustia perpetua, a la ansiedad permanente y a la depresión intermitente que se derivan de la adicción de Nic. No recuerdo cómo era yo antes de todo eso. Estoy acostumbrado a la fugacidad del gozo y al hecho de caer en un agujero negro a veces. Sin embargo, al vivir este tiempo adicional, ahora tengo permiso —¿me doy permiso?— de arrastrarme fuera del agujero y levantar el velo que lo cubre para ser testigo, con vista, oído y tacto agudos, de un mundo ligeramente modificado, un poco más brillante, rico y vívido. Las lágrimas anegan mis ojos por eso. Por todo eso. Por una parte: el futuro incierto. La posibilidad de otra hemorragia. La probabilidad de que mis hijos mueran en un accidente automovilístico. La posibilidad de que Nic reincida. Un millón de posibles catástrofes. Por otra parte: compasión y amor. Por mis padres y mi familia. Por mis amigos. Por Karen. Por mis hijos. Tal vez me sienta más frágil y vulnerable, pero experimento más conciencia.

Las personas que superan experiencias que amenazaron sus vidas, como la mía, hablan acerca de que todo se les aclara y describen una comprensión más elevada de lo que es importante y de lo que no. Por lo regular dicen que aprecian más que nunca a sus seres queridos y a sus amigos. Estos sobrevivientes dicen que han aprendido a eliminar lo que no es esencial y a vivir el momento. Yo no siento que todo esté claro. De alguna manera, todo está menos claro. En lugar de tener menos cosas por considerar, yo tengo más a causa de un sentido aumentado de mi mortalidad. Sí, no tengo menos certeza de que mis seres queridos significan más que cualquier cosa. Ése nunca fue un problema para mí; yo los aprecié a todos desde el principio. Tampoco tengo menos certeza de que debo disfrutar el momento y agradecer lo que tengo. No estoy menos convencido de que soy afortunado por muchas razones y, más que ninguna, soy afortunado por estar vivo. He experimentado vistazos de la grandeza y el milagro, pero también siento el paso inexorable del tiempo. Los niños crecen, con la tristeza y la excitación que esto conlleva. Más que todo, su inevitabilidad. Lo siento todo.

Ahora ya salgo más. Doy largas caminatas en los solitarios y misteriosos bosques, tranquilos y silenciosos, y percibo los colores con más intensidad —más verdes, una infinita variedad, y los botones y los brotes de las ramas antes de florecer—. Veo un veloz conejo; sobre mi cabeza, grandes garzas azules, halcones de cola roja y un águila pescadora. Con Dios o sin él, este sistema de complejidad y belleza poco ponderable e imposible de comprender es lo bastante profundo como para sentirse como un milagro. Conscientemente se siente como un milagro. La constelación de esos impulsos que llamamos amor se siente como un milagro. Los milagros no contrarrestan el mal, pero acepto el mal con el fin de participar en lo milagroso. Nic, ¿sientes ahora a tu poder superior?

Nic ha estado sobrio durante más de un año. Otra vez. Un año y medio.

Esta mañana llamó antes de partir a dar un paseo en bicicleta con Randy a lo largo de la costa. Jasper y Daisy juegan afuera con sus primos en una resbaladilla hecha en casa. Sus risas se filtran a través de las hojas llenas de luz. Aún tengo un agujero en la cabeza, pero mi médico dice que se cerrará. También tengo un pensamiento acerca de la cabeza de Nic, un pensamiento de esperanza. Recuerdo a la doctora London y sus imágenes computarizadas. Ahora que Nic ha cumplido un año y medio desde su última experiencia con las metanfetaminas y con cualesquiera otras drogas, tengo en la mente las imágenes de tomografías computarizadas en su pantalla: el cerebro de su grupo de control con la química equilibrada y las fluctuaciones normales de neurotransmisores en proporción con los eventos cotidianos. Me pregunto si ésa es, una vez más, la imagen del cerebro de mi hijo.

21

Daisy está sentada junto a mí sobre una roca junto al río Big Sur, bajo la catedral que forman las ramas de los cipreses. El verano está por terminar y la tarde es fría. La superficie de la corteza de los árboles parece un mapa topográfico y sus olorosos capullos se elevan hacia el cielo como puntas de iglesias medievales. El día es gris y hay neblina. Estamos sentados afuera de nuestra casa de campaña, misma que Jasper y yo logramos levantar. No fue un mérito pequeño para nosotros.

Después de la odisea del hospital y el tiempo de recuperación en casa, después de perderme la mayor parte de junio y julio, intento exprimir cada gota restante del verano y me aferro a la temporada que termina, desesperado por detener su partida. Estoy más listo que nunca para volver al mundo de los vivos. Ya es tiempo. Los chicos regresarán a la escuela en una semana y me dicen que mi cabeza ha sanado. El seguro de la maleta ya está reparado, así que logré avanzar más allá del jardín y más allá de Inverness. Karen, Jasper, Daisy y yo pasamos unos días de caminatas y juegos en las playas de la costa de Big Sur. Sentados en nuestro campamento junto al río, bajo estos gloriosos árboles, Daisy decide que éste es un "día magnífico".

Planeamos dar una caminata, así que abordamos el auto y nos detenemos primero en una tienda para comprar sándwiches.

—Ésta es una tienda de conveniencia, pero no es tan conveniente —observa Jasper—. Está cerrada.

Continuamos con nuestro recorrido y jugamos una versión modificada del juego de las adivinanzas en la cual podemos hacer más de veinte preguntas. En el juego de los chicos, setenta o más preguntas están permitidas.

Jasper es una "cosa" que empieza con *h*. Nos lleva toda una vida adivinar qué es.

Intentamos en otra tienda. Está abierta. De regreso en el auto, Jasper nos recuerda:

—Mi nombre comienza con *h*.

—¿Te puedo comer?

—¿Eres más grande que Brutus?

—¿Eres hecho por el hombre?

—¿Eres un hoyo? —pregunta Daisy.

—¿Qué?

—Un hoyo.

—¿Cómo adivinaste?

—Me asomé.

—¿Te asomaste a mi cerebro?

Con una bolsa llena de bocadillos para el almuerzo tomamos la vereda y atravesamos un bosque de cipreses de Monterey. Damos vuelta y vemos, sobre una roca junto al camino, un cóndor de California. En 1982 habían menos de 25 de estas magníficas criaturas en libertad, pero ahora, gracias a los esfuerzos de grupos ambientales dedicados a su preservación, hay más de doscientos. Aquí hay uno: un sobreviviente, esperanza para su especie, que ladea la cabeza para mirarnos y después desdobla sus enormes alas con gesto dramático y se remonta en una corriente de viento sobre el Pacífico.

Justo cuando llegamos de regreso al auto suena mi teléfono celular.

—¡Hola! ¿Qué hay de nuevo?

Es Nic.

Charlamos durante un rato y después me pide saludar a los demás, así que les paso el teléfono. Nic nos relata historias acerca de las personas con quienes trabaja. Los chicos y Karen le cuentan nuestras aventuras en Big Sur. Él les desea un feliz comienzo de año escolar a los chicos.

Se ha hecho tarde y el sol se pone. Es hora de regresar a casa. Nuestras vacaciones han terminado y volvemos en el auto.

—Pausa —dice Daisy. A pesar de nuestros regaños, ella se saca y se mete el freno de la boca—. He estado pensando —continúa, a propósito de nada— que el último día de mi vida comeré montones de dulces porque no importará tener caries o que la comida me haga daño, ¿cierto? De hecho debe ser muy triste envejecer porque ustedes estarán muertos —nos señala a Karen y a mí—. Incluso Jasper porque yo soy la menor. Pero, ¿saben?, creo que no me dará tanto miedo morir. Creo que es como hoy: el final de las vacaciones, cuando estamos listos para regresar a casa.

❧ ❦

El martes por la mañana, Jasper y Daisy están ansiosos por su primer día en la escuela. No obstante, el mismo martes por la tarde están entusiasmados y nos platican sobre sus maestros y amigos. Jasper cursa ahora el sexto grado. Es el primer año en el que cambiará de salón para matemáticas, inglés, historia, ciencias y otras materias. Daisy adora a su nueva maestra, quien les ha pedido a sus alumnos que le escriban una carta donde le cuenten sus vidas para que ella pueda conocerlos mejor.

"Querida Laura", escribe Daisy, "en verdad estoy ansiosa por comenzar el cuarto año. Quiero mejorar en matemáticas. El español tampoco es fácil para mí, pero el señor León es divertido. Me gusta la ciencia. Me gusta mucho leer..." "Me pusieron un freno hace poco y me cuesta trabajo pronunciar la *G*, pero ya lo hago mejor. Es difícil no darle vueltas en mi boca."

Hay mucho más acerca de sus comidas preferidas y los perros. "Jasper le decía Moongoggy a Moondog", escribe. "Moondog murió de cáncer." La carta concluye: "Mi hermano era drogo, pero ya no lo es. No te preocupes, no es Jasper. Es Nic. Él vive en Los Ángeles. A mi papá David le dio una hemorragia cerebral, pero ya está mejor. Jasper se cayó de su bicicleta. No quiero darte muchas malas noticias, pero me lastimé el ojo con la cremallera de mi chamarra. Ahora ya estoy bien. Todo está perfecto ahora. Con amor, Daisy".

Después del verano, las mañanas son un desafío, pero hoy logramos llevar a los chicos a la escuela a tiempo.

Ya escribo otra vez. Escribo otra vez después de ser incapaz de escribir una palabra.

Esta tarde, Jasper tiene futbol (pertenece al equipo de futbol, a la banda y al equipo de natación) y Daisy y yo vamos a caminar. Después de recoger a Jas nos dirigimos hacia la casa de Nancy y Don para la cena semanal.

Los niños juegan en el columpio interior.

—Pónganse los zapatos —advierte Nancy—. Se enterrarán una astilla.

Después de un filete Yorkshire con pudín, chícharos y papas rebanadas, decidimos quedarnos allí a dormir para no tener que conducir el auto de regreso a Inverness. Los chicos hacen sus tareas escolares: Daisy practica las tablas de multiplicar y la ortografía de palabras como *cormorán* y Jasper escribe un reporte de lectura del libro *The Giver*; después, ambos leen. Más tarde nos reunimos en la habitación que está debajo de las escaleras, donde Karen lee en voz alta. Estamos en el nuevo libro de Harry Potter.

Dumblemore le dice a Harry: "Adormecer el dolor durante un tiempo sólo lo hará peor cuando por fin lo sientas".

Más adelante nos encontramos con lo siguiente:

Después de todo, la tentación de tomar otro sorbo de Felix Felicis se hacía cada vez más fuerte a lo largo del día, ¿así que era seguro que se trataba de un caso para, según palabras de Hermione: "torcer las circunstancias?"

Por fin, Harry consume la droga.

"¿Qué se siente?" susurró Hermione.

Harry no respondió durante un momento. Después, despacio pero con seguridad, un excitante sentido de oportunidades infinitas se apoderó de él; se sentía como si pudiera hacerlo todo, cualquier cosa...

Él se puso de pie y sonreía, radiante de confianza.

"Excelente", dijo. "En verdad excelente. Bien..."

Los niños duermen.

Karen y yo subimos por la estrecha escalera hasta la habitación de la esquina del tercer piso que está llena de corrientes de aire y queda sobre unos árboles que crujen como sillas mecedoras. Reviso mi máquina contestadora en Inverness y escucho la voz quebrada y derrotada de Nic.

Mi hijo llora.

No. Por qué.

—Por favor, llámame —dice.

Reviso el reloj. Nic llamó tres horas antes.

Mi hijo responde al segundo timbre del teléfono. Su voz es pastosa y pegajosa, la lengua se le traba.

—Quería decirte lo que sucede —dice—. Quería decirte la verdad. Hace tres días estábamos en una fiesta. Z. inhaló una línea de cocaína, me pidió que yo también lo hiciera y lo hice. Si ella iba a emprender el viaje yo no iba a permitir que lo hiciera sola.

Z. es la chica que le rompió el corazón después de su corta relación, antes de que él recayera la última vez. Están juntos de nuevo ahora y él se mudó al departamento de ella.

—Nic, no.

—Hemos estado drogados desde entonces. Bolas de *speed* y metanfetaminas —las bolas de *speed* son una combinación de heroína y cocaína—. Ahora me tomé una pastilla para dormir para tranquilizarme. Sé que lo jodí. Dejaré de hacerlo.

Le digo a Nic lo único que sé decirle y que sé que no está listo para escuchar.

—Ya sabes a quién llamar. Busca ayuda antes de que sea demasiado tarde. Tú y Z. Ambos necesitan ayuda. No pueden estar juntos hasta que estén bien y sobrios.

Él cuelga el teléfono.

No. No. No. No. No. No. No. No. No. No. No. No.

¿Qué fue esta vez? Casi al cumplir dos años. Los investigadores dicen que puede tomar dos años para que el cerebro de un adicto se recupere por completo. Nic nunca había logrado cumplir dos años de sobriedad desde que comenzó todo esto.

Brota una erupción de la misma vieja preocupación sobre todo lo que podría sucederle, pero entonces me abruma la fatiga y duermo. Mi preocupación se instala en el nuevo agujero de mi cerebro remodelado. Tal vez esto refleje algo más de lo que detectaron en el hospital: el carácter, si no es que el volumen, de la preocupación. En la cama de la unidad de terapia intensiva de neurología llegué a una sorprendente revelación cuando me di cuenta de que Nic, y no sólo él sino Jasper y Daisy también, podrían sobrevivir a mi muerte. No es que no se vieran afectados, pero sobrevivirían. Tal vez debido a que hay un momento en sus vidas cuando los niños son tan dependientes de sus padres tendemos a olvidar que pueden, y lo harán, sobrevivir sin nosotros. Yo lo hice. Sin embargo, ahora, a través de la adicción de Nic, he aprendido que soy todo menos insignificante para la supervivencia de Nic. No obstante, fue necesaria mi casi muerte para comprender que su destino, y el de Jasper y el de Daisy, están separados del mío. Puedo intentar proteger a mis hijos, ayudarlos y guiarlos, y también puedo amarlos, pero no puedo salvarlos. Nic, Jasper y Daisy vivirán y algún día morirán, conmigo o sin mí.

Por la mañana reflexiono si debo decirles o no a los chicos lo que ocurre con Nic. En la carta de Daisy a su maestra, escribió: "Mi hermano era un drogo". Me imagino que es su manera de resumir el asunto de las drogas. También escribió: "Todo está perfecto ahora". Quiero que todo siga perfecto para ella, al menos durante un poco más de tiempo.

Deseaba mucho finalizar mi libro con la carta de Nic a Jasper. Servía a la perfección como el moño para la caja, como final feliz. Quería que fuera el final feliz de la historia de nuestra familia con las metanfetaminas. Quería dejarlo atrás. Quería que ésta fuera la fase de nuestras vidas posterior a la adicción de Nic. Pero no. Aún resulta fácil olvidar que la adicción es incurable. Es una enfermedad de por vida que entra en fases de remisión, que es manejable si la única persona que la padece realiza un trabajo muy arduo, pero es incurable.

La última reincidencia de Nic es una medida innegable de la permanencia de esta enfermedad. No es una revelación nueva, pero sí es una repetición distinta. Todo marchaba bien en su vida. Tenía una novia, así que no podía culpar a su soledad. No podemos culpar a un empleo que lo aburre porque parece disfrutar de su trabajo y adorar a sus colegas. Él los considera sus buenos amigos. Tiene el proyecto de un libro y un empleo adicional como editor asistente en una revista. Sus reseñas de películas lo han llevado a realizar algunas entrevistas y una reseña en la revista *Wired*. Tal vez lo más significativo es que pertenece a un grupo de amigos que parecen quererse mucho entre sí.

Todo esto es irrelevante ahora.

A pesar de saber que la adicción no responde a lógica alguna, he concebido el vestigio de la idea de que los encantos de la vida —novia, trabajo, dinero, amistades sólidas, un deseo de bienestar de aquellos a quienes amas— pueden ser benéficos pero no siempre lo son.

Por favor, Dios, sana a Nic.

Cuando estuve en el hospital, muchas personas me dijeron que rezaron por mí y me siento muy agradecido con cada una de ellas. Yo nunca recé. Tal vez no puedo rezar porque nunca lo he hecho, no sé cómo hacerlo y no puedo concebir a un dios para rezarle. Pero, como dijo John Lennon: "Dios es un concepto con el cual medimos nuestro dolor". Heme aquí con Nic hundido en las drogas de nuevo y sé que no hay nada que yo pueda hacer. No puedo creer que estemos otra vez en lo mismo y que la siguiente llamada telefónica pueda ser a la que he temido durante la pasada media docena de años, y rezo.

Por favor, Dios, sana a Nic. Por favor, Dios, sana a Nic. Por favor, Dios, sana a Nic.

Es mi súplica para cualquier poder superior que exista, el mismo que todos —en los interminables programas de rehabilitación, en las interminables juntas— prometen que está allá afuera y que nos escucha. A veces repito esta frase dentro de mi cabeza incluso sin estar consciente de hacerlo: Por favor, Dios, sana a Nic.

Rezo incluso a pesar de que las noticias en los periódicos hacen que mi oración parezca insignificante a gran escala y egoísta por completo. Un devastador huracán, inundaciones, hombres-bomba suicidas, accidentes, tsunamis, terrorismo, cáncer, hambrunas, terremotos y adicciones por todas partes, y hoy los cielos deben estar saturados con el ruido de todas las plegarias.

Aquí va una más.

Por favor, Dios, sana a Nic. Por favor, Dios, sana a Nic.

El descenso es rápido. Nic se presenta drogado a trabajar y pierde el empleo. El teléfono está desconectado porque él no paga la cuenta. Se aparta de cada uno de sus verdaderos amigos. Lo más triste de todo es que abandona a su mejor amigo y padrino, Randy.

En un mensaje dice que él y su novia han vendido su ropa para comprar comida. No sé cómo han pagado su renta. No sé cómo pagarán la renta del próximo mes pero pronto, a menos que cuenten con un benefactor o vendan drogas, estarán sin hogar.

Hoy Vicki no puede contenerse y va en su auto desde el lado occidental de la ciudad hasta el departamento de él en Hollywood. Quiere verlo con sus propios ojos. Quiere saber si está vivo.

Yo finjo que no espero junto al aparato telefónico para recibir sus noticias.

Ella estaciona el auto, camina con aprensión hasta el edificio de departamentos, jala la pantalla con mosquitero y toca la puerta. Nadie responde. Las persianas de las ventanas están cerradas. Ella toca de nuevo. No hay respuesta. Toca una vez más y la puerta se abre un poco. Ahora un poco más. El lugar es muy sucio y ofrece un aspecto deplorable. Hay un charco de líquido oscuro en el piso y basura por todas partes. Nic, quien cubre su rostro de la luz con ambas manos, avanza vacilante ante su vista. Detrás de él, su novia también se aproxima. Es una escena familiar para mí pero nueva para su madre. Vicki nunca ha visto a Nic así: en los huesos, pálido, casi amarillo, con los miembros temblorosos y círculos hundidos alrededor de los ojos vacíos.

Las piernas de Z. sangran. Cuando ella se da cuenta de que tiene las piernas descubiertas y de que Vicki la observa, Z. balbucea:

—Se rompió un foco en el piso. Lo limpiábamos.

Nic dice sus mentiras habituales:

—Teníamos que pasar por esto. Ya terminamos. Volveremos a estar sobrios.

Nic le pide a su madre que se marche y no vuelva más.

Vicki me llama y me lo cuenta todo. Suena como yo me he sentido en muchas ocasiones: furiosa, horrorizada, consternada, emociones tan abrumadoras que aún no puede ni llorar.

ॐ ॐ

Pasa una semana.

Es domingo y llevo a Daisy a la ciudad a reunirse con una amiga y su madre en Washington Square. Nos encontramos con ellas y caminamos por el parque desde donde miramos el desfile del Día de la Raza. Una plataforma flotante está llena de una docena de niñas vestidas como la reina Isabel. Nic está aquí. Tiene seis años de edad. Las reinas Isabel flotan por allí. Éste es nuestro barrio. Nic es uno de los niños que corren hacia el pasamanos, que suben hasta arriba y contemplan el desfile desde esa alta estructura y saludan a las reinas con las manos en el aire.

Llevo a Daisy y a su alegre amiga a una fiesta de cumpleaños que se celebra en un estudio de cerámica. Las niñas, sentadas y sujetas con cinturones de seguridad en el asiento trasero del auto, juegan un juego inspirado en el libro ilustrado *Por fortuna*, de Remy Charlip.

El libro dice:

> Por fortuna Ned fue invitado a una fiesta sorpresa.
> Por desgracia era a mil kilómetros de distancia.
> Por fortuna un amigo le rentó un avión a Ned.

Por desgracia el motor explotó.

Por fortuna había un paracaídas en el avión.

Por desgracia había un agujero en el paracaídas.

—Por fortuna ella se comió un delicioso sándwich —dice la amiga de Daisy en el juego de las niñas. Llega el turno de Daisy.

—Por desgracia se le cayó en la calle sucia y llegó un perro hambriento y se lo comió.

—Por fortuna el perro vomitó el sándwich y estaba como nuevo.

Más risas.

—Por desgracia un pequeño hámster peludo apareció, lo tomó y se lo llevó; después desapareció en una grieta de la pared y nunca más lo volvieron a ver.

Mi propia versión da vueltas en mi mente.

Por fortuna tengo un hijo, mi chico hermoso.

Por desgracia es adicto a las drogas.

Por fortuna está en recuperación.

Por desgracia ha reincidido.

Por fortuna está en recuperación otra vez.

Por desgracia ha recaído.

Por fortuna está en recuperación una vez más.

Por desgracia reincide de nuevo.

Por fortuna no está muerto.

22

Otra semana.

Vicki, con quien hablo diario por teléfono, me dice que siente indiferencia. Yo también. No es que no me preocupe por Nic pues pienso en él todo el tiempo, pero por el momento soy incapaz de sentir algo.

¿Así es como los padres le ponen punto final a un asunto?

Al caminar paso junto a más personas en las calles, esta vez en San Rafael. Paso junto a ellas y las esquivo, gente sola y abandonada y, al hacerlo, pienso: ¿dónde están sus padres? Pero esta vez me pregunto: ¿es ésta la respuesta? ¿Me he convertido en uno de ellos, en un padre que ha aceptado la derrota? Mi agonía no ha ayudado a Nic en lo más mínimo.

No finjo que esto no sucede, hago todo lo que puedo.

Aguardo.

Una espiral descendente.

Es una enfermedad degenerativa. Imagino la espiral descendente.

No, no estoy indiferente. Ojalá lo estuviera. A veces me siento abrumado pero siempre recupero mis fuerzas.

Randy continúa llamando a Nic y deja mensajes en su teléfono celular muerto. Randy era el salvavidas de Nic.

Con el teléfono de Z., el cual aún funciona, Nic llama y deja más mensajes:

—Sólo quería que supieran que estamos a salvo. Asistimos a reuniones. Estoy sobrio.

Él asegura que la recaída fue de una sola dosis, un error de tres días y que está bien, pero, mientras más habla, más obvio resulta que su voz es la voz de Nic drogado.

Aguardo.

Es como mirar desde lejos, tal vez a través de binoculares con lentes defectuosas los momentos previos a que se destruya un tren. Todos los que lo amamos expresamos nuestras penas. Karen y yo. Vicki y yo. Randy. Todos sabemos. Y, sin embargo, no hay nada que podamos hacer. Le devuelvo la llamada a Nic.

—Nic, no olvides lo peligroso que es cuando no acudes a las reuniones —le digo—. No lo olvides cuando utilices la lógica de tu cerebro cuando estés bajo la influencia de las drogas.

Cuando estaba en recuperación y trabajaba con Randy, Nic fue quien me explicó este fenómeno:

—Un adicto drogado no puede confiar en su propio cerebro

que miente y dice: 'Puedes beberte una copa, fumarte un churro, inhalar una línea de cocaína, sólo una'.

Su cerebro le dice: "He superado a mi padrino". Le dice: "No necesito el programa de recuperación obsesivo y vigilante que necesité cuando me recuperé de una reincidencia". Le dice: "Me siento más feliz y más completo de lo que nunca estuve". Le dice: "Soy independiente, estoy vivo". Así dijo Nic que no podía confiar en su propio cerebro y necesitaba apoyarse en Randy, las reuniones, el programa y la oración —sí, la oración— para seguir adelante.

Nic, has llegado muy lejos.

Permíteme repetir *tus* palabras: "Todo lo que tengo desaparecerá si no me apego al programa".

Dos días después, un miércoles, Nic llama y entre varios disparates me pide dinero para pagar la renta. No. Dice que sabía que le diría que no. Se guardó la petición hasta el final de la conversación, después de "te quiero mucho. Estoy a salvo. Sí la jodimos, pero ahora estaremos bien. Sólo necesité un poco para eliminar el efecto de las metanfetaminas, la cocaína, la heroína y...".

Vicki también se niega.

Hoy es viernes. Nada el sábado. Nada el domingo. Nada hasta el lunes cuando llega un mensaje por correo electrónico.

"hola, pá, estamos en el desierto. Z. graba un comercial cerca de joshua tree... mi teléfono no tiene recepción aquí y le pedí prestada esta computadora por un segundo a un sujeto del estudio... lo siento... esto fue de último momento... en fin, te llamaré cuando encuentre un teléfono que funcione... hace mucho calor aquí y es aburrido... z está en el vestidor y yo escribo aquí en la sombra... no te preocupes... puede ser que también tenga buenas noticias... te quiero... nic"

Joshua Tree.

Un descanso. Un oasis. Tal vez Nic deje las drogas por sí mismo. Quizás esté bien.

Nada durante dos días más, pero Nic está en el desierto y escribe en la sombra. También hay drogas en el desierto.

Por la noche, Karen y yo les leemos a los niños por turnos. Estamos cerca del final del libro de Harry Potter. El profesor Dumblemore murió. Está muerto. Más de uno de los niños que conocemos lloró por horas cuando leyó esto. Albus Dumblemore, el protector de Harry y con quien crecieron estos niños, está muerto. El mal lleva la delantera y a mí me debilita esta batalla incesante.

El jueves, Jasper tiene un partido de futbol después de la escuela. Daisy tiene natación, de manera que Karen y yo nos dividimos para llevarlos a sus actividades.

He encontrado un lugar tranquilo en una esquina de la sala del club, cerca de la alberca, para escribir. Al levantar el rostro y ver a través de las persianas de la ventana, veo una figura oscura que se inclina y rompe la superficie del agua, seguida por un par de pies que patalean: es Daisy que da sus vueltas a la alberca. El entrenador, firme, bronceado y flexible, un exnadador del equipo nacional que ha entrenado a nuestros tres hijos, está en cuclillas al final del carril y motiva a Daisy y a los demás nadadores. Pierdo a Daisy de vista entre las filas de cuerpos en sus trajes de baño azules hasta que ella nada por su mismo carril en dirección opuesta; sus poderosos brazos empujan el agua al estilo libre. Recuerdo cuando su hermano mayor, Nic, estaba en el agua y su esbelto cuerpo de delfín atravesaba la alberca.

—Oiga, usted, señor, vayámonos de aquí.

Es Daisy, empapada después de tomar una ducha y envuelta en una toalla de playa.

No hay noticias.

Una parte del pánico en el que he vivido a lo largo de esta crisis parece haberse desvanecido. Me preocupo, pero no estoy enfermo de preocupación. Estoy mejorando. Dejo ir. Estoy en negación abyecta.

Debo ser como un soldado en una trinchera durante un bombardeo. He apagado cualquier emoción no esencial —preocupación, miedo— y concentro cada neurona de mi nuevo cerebro en el momento con el fin de conservar la vida.

Libro una guerra silenciosa contra un enemigo tan pernicioso y omnipresente como el mal. ¿El mal? No creo en el mal más de lo que creo en Dios pero, al mismo, tiempo, sé lo siguiente: sólo el mismo Satanás puede haber diseñado una enfermedad que tiene la autodecepción como síntoma, cuyas víctimas niegan que están afectadas y no buscan un tratamiento, y que, además, envilece a aquellas personas externas que presencian lo que sucede.

Después de la cena, Jasper me pide que le haga preguntas sobre matemáticas y sobre las palabras que debe aprender esta semana. Más tarde leemos juntos una revista *Mad*.

En la cama tomo una de las novelas de la pila de libros que tengo en el buró. Nunca terminaré de leer todos los libros. Estoy tan cansado por las noches que leo una página, tal vez dos, y me quedo dormido. Karen está conmigo.

Una página. Dos páginas. Duermo.

El teléfono suena. Lo ignoro. En mi conciencia a medias he decidido que es un albañil a quien le llamamos para que nos cotice algunas reparaciones. Pienso que el asunto deberá esperar hasta mañana.

El teléfono suena de nuevo. Ya escucharé el mensaje mañana.

No, dice Karen, es mejor que lo revises de una vez.

La primera llamada es del padrino de Nic. Mi hijo le llamó y le dejó un mensaje.

—Está en Oakland. —La voz de mi amigo tiene un tinte de alarma—. Dice que está en problemas y que necesita ayuda. No sé qué hacer.

Mi corazón se acelera.

El siguiente mensaje es de Vicki. Nic también le llamó y le dejó un mensaje similar. "Mentí sobre lo de Joshua Tree porque no quería que se preocuparan de que estoy en Oakland. Estoy sobrio. Por favor, estamos en problemas. Necesitamos boletos de avión a Los Ángeles." Nic explica una confusa historia acerca de cómo llegaron allí, pero el punto principal es que él y Z. están en la casa de un adicto al *crack* en Oakland, el tipo enloqueció y ellos tienen que salir de allí.

Nic está en Oakland.

Brutus me sigue al subir las escaleras y desliza las patas sobre el concreto. Lleno la tetera y la coloco sobre la flama de la estufa.

Le devuelvo la llamada a Vicki. Ella no está segura de lo que debe hacer, si pagar o no los boletos de avión. Yo la comprendo pero no, le digo. Si fuera yo, no le ayudaría a menos que esté dispuesto a regresar a la rehabilitación. Tal vez sólo así. Después cuelgo.

Llamo a mi amigo. Está más calmado que cuando dejó el mensaje.

—Escucha —me dice y pone el mensaje de su máquina contestadora en el teléfono. Ambos escuchamos la voz pastosa de Nic.

"Necesito ayuda. No puedo llamarle a mi papá. No sé qué hacer; por favor, llámame." Después dicta el número del teléfono celular de Z.

—Es muy triste —comenta mi amigo—. Una parte de mí desea ir en el auto por él a Oakland y otra parte desea torcerle el cuello.

Una vez más, Nic está presente y está drogado. Por alguna razón mi calma es aberrante mientras pienso: Si está cerca de aquí, ¿qué hará? ¿Vendrá a casa? ¿Qué debo hacer si lo hace? ¿Regresará a la casa de los padres de Karen como cuando Nancy lo encontró en la habitación que está debajo de las escaleras? ¿Se meterá a escondidas otra vez?

Karen sale de nuestra habitación y pregunta:

—¿Crees que regrese a la casa de Nancy y Don?

A ella le preocupa lo mismo que a mí. Tal vez no vaya o, ¿iría? Nos debatimos entre llamarles y no llamarles. Sólo los preocuparíamos, pero quizá sería peor no advertirles y que después Nic se aparezca por allá. Les llamamos.

¿Qué más podemos hacer?

Al día siguiente Nic deja otro mensaje para su padrino y uno para su madre; esta vez dice que la novia del adicto al *crack* con quienes estaban se presentó y les dio dinero a Nic y a Z. para regresar a casa.

Trabajo en la biblioteca de Corte Madera con una pila de libros a mi lado.

Traje mi computadora portátil y escribo y escribo en un intento por contener algo que gira rápido (una vez más) en espiral y fuera de control.

Tengo el teléfono celular con vibrador porque estoy en la biblioteca y éste comienza a sacudirse y a emitir vibraciones como si estuviera poseído. Lo levanto de la mesa para que el ruido no moleste a nadie. En la pantalla, con brillantes letras verdes, veo que se trata de una llamada del teléfono celular de Z.

No tengo ganas de escuchar más mentiras y apago el teléfono.

Más tarde, mientras conduzco el auto para recoger a los chicos de la escuela, escucho el mensaje. Nic dice que él y Z. vienen en auto de regreso de Joshua Tree y que por fin están en un área donde el teléfono celular sí recibe señal. Dice, palabra por palabra: "Hola, pá, vamos en auto de regreso de Joshua Tree y por fin estamos en un área donde el teléfono celular sí tiene señal..."

Estoy perplejo no sólo por la mentira sino por lo intrincada que es. Nic pudo haber dicho "Ya regresé a Los Ángeles". Pudo haberse reportado sin decir nada más que un hola, pero le dio vueltas a la mentira original y la adornó con detalles para que yo no le cuestionara nada. Y no lo hubiera hecho si no hubiera sabido que se trataba de una mentira. Ahora ya conozco la red de mentiras de los adictos. "Los consumidores de drogas mienten acerca de todo y por lo regular hacen muy buen trabajo", escribió Stephen King en alguna ocasión. "Es la Enfermedad del Mentiroso." Cierta vez, Nic me dijo, en referencia a una frase de AA: "Un alcohólico te robará la cartera y mentirá al respecto. Un drogadicto te robará la cartera y te ayudará a buscarla". Una parte de mí está convencida de que él en realidad cree que encontrará la cartera.

Escucho el mensaje varias veces. Quiero recordarlo.

¿Olvidó que llamó a su madre y a su padrino y que les dijo que estaba en peligro en Oakland? Después de todo, ¿asumiría Nic que mi querido amigo no me llamaría si estaba preocupado por él por estar desesperado y en peligro en la casa del *crack* en Oakland? ¿Es que todavía no sabe que su madre, con quien me he subido a esta montaña rusa infernal, por supuesto que me llamaría para discutir conmigo acerca de lo que podríamos hacer, si es que hay algo que podamos hacer? Y no sólo acerca de lo que podríamos hacer, sino simplemente para hablar con la otra persona que ama a Nic de la misma manera como ella lo ama.

El mensaje continúa. No balbucea. Suena bien. Nic dice que me extraña y que me ama.

23

—Hola, papá, soy Nic. Me acabo de enterar que tú ya conoces la verdad de lo que sucedió.

Reviso mis mensajes. Nic llamó. Otra vez. Hay cierta torpeza en su dicción. Ha hablado con Vicki y ya sabe que estoy enterado de que estuvo en Oakland y no en Joshua Tree, de manera que intenta encubrir sus fechorías.

—Fue sólo que no quería que te preocuparas —dice—. Tampoco quería que me presionaras a visitarte mientras estuve en el área de la bahía; no tenía idea de que este sujeto resultara ser un loco. Z. tampoco. Salimos de esta bronca como mejor pudimos... Ahora estoy a salvo... En fin, lamento haberte mentido.

Estoy en la sala, sentado en un sofá. Algo atrapa mi atención: una pila de periódicos sobre el piso. Hasta arriba está un *SF Weekly*. Me acerco a mirar. Hay también un *Bay Guardian* y un folleto de Amoeba Records, la tienda favorita de Nic. Los contemplo y de pronto me doy cuenta. No.

Le pregunto a Karen si son suyos. No, ¿no son tuyos?

Nic se metió a la casa otra vez. Estoy seguro de ello.

Karen también está segura.

Ambos estamos seguros.

No.

Nuestros corazones se aceleran y comenzamos a buscar por toda la casa. Karen se detiene y pregunta si tal vez los dejó aquí un amigo de Nueva York que nos visitó el pasado fin de semana. ¿Podrían ser de él? Le llamo. Los periódicos son suyos.

Estamos paranoicos y locos. No sólo el adicto se vuelve paranoico y loco.

No le he devuelto las llamadas a Nic porque simplemente no puedo hablar con él ahora; no hasta que esté sobrio. Libre de drogas. No "sólo consumo Klonopin para contrarrestar las metanfetaminas" o "sólo un Valium para que me ayude a tranquilizarme".

Lo amo y siempre lo amaré pero no puedo tratar con alguien que me miente. Sé que el Nic sobrio, con la mente despejada, cuerdo y en recuperación no me mentiría. De cierta manera, estoy agradecido por la ofensa porque ha eliminado una delgada capa de mi incertidumbre. Por lo regular estoy en un purgatorio infernal sin saber lo que es verdad y lo que no lo es, si se droga o no, pero ahora lo sé.

En los estantes que están sobre mi escritorio tengo fotografías recargadas contra los libros. Hay una fotografía reciente de Karen y otra de ella misma cuando era pequeña, una niña reflexiva, morena y de cabello corto con una camiseta marinera a rayas, en alguna playa. Se parece a Daisy o, mejor dicho, Daisy, con su mirada resplandeciente y sus oscuros ojos y cabello, se parece a ella. También hay fotografías de Daisy. En una de ellas, mi hija porta mocasines y ropa interior azul e inspecciona de cerca la tolerante cara de Moondog. Hay una fotografía de Jasper cuando era bebé y estaba en brazos de Karen. Jasper viste un abrigo rojo de lana, pantalones de seda púrpura de rajá, un gorro tejido color verde con tiras doradas y borlas esponjadas y, en sus pies, zapatos de genio con bordados de hijo dorado y puntas enroscadas. Hay fotografías de equipo de Daisy y Jasper en pose con sus *goggles* de natación. Hay fotografías de Nic. En una de ellas tiene como diez años de edad y viste pantalones de mezclilla, una chamarra azul con cremallera y zapatos tenis azules. Tiene las manos en los bolsillos y mira a la cámara con una sonrisa gentil. También hay una fotografía más reciente de Nic. Una amplia sonrisa, pantalones cortos deportivos y el pecho desnudo, de cuando se reunió con nosotros en Hawai. Es mi hijo y amigo Nic en recuperación, y él está bien.

No puedo soportar que esa fotografía me mire desde arriba así que la guardo en un cajón de mi escritorio.

Jasper se ha aficionado a Garage Band, un programa computacional de grabación y mezcla de música. Con él ha compuesto una conmovedora y hermosa canción.

—Es una canción triste —le digo al entrar a la habitación donde Jasper la toca.

—Sí —responde en voz baja.

—¿Estás triste?

—Sí.

—¿Por qué?

—Hoy hicimos una carrera de un kilómetro y medio en la escuela. No pude pensar en otra cosa que no fuera Nic.

Le digo a Jasper que existen lugares a donde acuden otros chicos con hermanos, hermanas y padres con problemas de adicción al alcohol o a las drogas.

—¿Qué hacen allí?

—No tienes que hacer nada. Puedes sólo escuchar lo que dicen otros chicos. Puede ayudarte. Si lo deseas, puedes decir algo.

—Oh.

—¿Quieres intentarlo?

—Creo que sí.

Jasper me da un abrazo más fuerte y más largo que nunca antes.

Por la mañana, el sol brilla a través de un agujero en el cielo gris oscuro. Es como si un reflector iluminara el jardín. Hay un círculo amarillo rodeado por todas partes por manchones difusos del oro, marrón y blanco marchito de las hortensias. Los colores agonizantes del otoño. Los álamos están deshojados casi por completo; la mayoría de las hojas se ha caído. Las ramas desnudas y blancas de los árboles se elevan hacia el cielo y penetran la brillante luz. Sólo la magnolia ha florecido. Tres flamas blancas.

Nos entregaron una carga de leña para la temporada invernal. Esta mañana, mi meta es apilarla con los niños. Mientras trabajo, pienso, en qué otra cosa, en Nic. No me siento pesimista ni optimista. No sé qué sucederá. Creo profundamente en su alma buena y en su cerebro y, al mismo tiempo, no me hago ilusiones acerca de la severidad de esta enfermedad. No; para ser honesto, en este momento no me siento nada optimista.

Todo se relaciona con el lugar donde está Nic. Soy optimista —no demasiado, sólo optimista— cuando está en recuperación; me siento desconsolado y pesimista cuando no lo está.

Resulta extraño que la idea de verme separado de Nic solía provocarme pánico pero ahora —hoy, al menos hoy, en este preciso momento— me siento bien con el concepto. Pero después pienso que Nic podría morir. Al apilar la leña pienso que Nic podría morir y me detengo un momento.

Extrañaría tener a Nic en mi vida. Extrañaría sus simpáticos mensajes telefónicos y su humor, las historias, nuestras conversaciones, nuestros paseos, ver películas con él, cenar juntos y el trascendente sentimiento entre nosotros que es el amor.

Lo extrañaría todo.

Lo extraño ahora mismo.

Y entonces me doy cuenta: no lo tengo ahora. No lo he tenido cada vez que Nic se ha drogado.

Nic está ausente y sólo permanece su caparazón. He sentido temor —terror— de perder a Nic, pero lo he perdido.

En el pasado intenté imaginar lo inimaginable e intenté imaginar que soportaba lo insoportable. Imaginé perder a Nic a causa de una sobredosis o de un accidente automovilístico, pero ahora comprendo que ya lo he perdido. Hoy, al menos, está perdido.

Me ha aterrorizado la idea de que podría morir. Si muriera, dejaría una cuarteadura permanente en mi corazón. Nunca podría recuperarme por completo. Pero también sé que, si él muriera o, para el caso, si continuara drogado, yo viviría con esa cuarteadura. Penaría. Penaría por siempre. Pero he penado por Nic desde que las drogas se apoderaron de él; he penado por la parte de él que me hace falta. Debe ser pena. Al menos se siente justo como Joan Didion la describe en *The Year of Magical Thinking (El año del pensamiento mágico)*: "La pena viene por olas, paroxismos, aprehensiones repentinas que debilitan las rodillas, ciegan los ojos y eliminan la cotidianidad de la vida". (Así que eso es. Qué alivio saberlo.)

Peno, pero también continúo celebrando la parte de él que es intocable para las metanfetaminas o para cualquier otra droga. Nunca permitiré que ninguna droga me arrebate eso.

"La locura es la insistencia del significado", escribió Frank Bidart en un poema. Sí, pero este cerebro humano mío requiere de significado o, al menos, de una aproximación del mismo. El significado al cual he llegado es que Nic drogado no es Nic sino una aparición. Nic drogado es un fantasma, un espectro, y cuando está drogado, mi adorable hijo está dormido, hecho a un lado y enterrado en alguna esquina inaccesible de su conciencia. Mi fe, tal como es, viene con una creencia en que Nic está allí y que él, su esencia, está entera, a salvo y protegida. Nic fuerte, claro y lleno de amor. Tal vez nunca más emerja ese Nic. Tal vez la droga gane la batalla por su cuerpo, pero puedo vivir con la certeza de que Nic está allí en algún lugar y que la droga no puede tocarlo en ese lugar en donde se encuentra.

Sin importar lo que suceda, yo amaré a Nic. En ese lugar en donde está, él lo sabe. Y yo lo sé.

Miro por encima de los leños sin apilar. Apenas hemos avanzado un poco. Los chicos se quejan y no quieren trabajar. Jasper y Daisy parecen estar de mal humor y a disgusto. La cabeza de Jasper cae hacia atrás, cierra los ojos y exhala con fuerza. De mal talante arroja un leño a la imperfecta pila. Mi cabeza retumba. Escucho a una camioneta subir por la colina.

En la actualidad no existe un grupo de Al-Anón para niños tan pequeños como Jasper y Daisy, (el grupo para adolescentes es para individuos mayores que ellos), de manera que realizo algunas llamadas para solicitar recomendaciones sobre algunos otros lugares donde pedir ayuda. Quiero que mis hijos sepan que no están solos, que no es su culpa y que, a pesar de que las drogas les han robado a Nic, ellos aún pueden amar a su adorado y adorable hermano. Quiero que Jasper comprenda que Nic fue sincero en todo lo que le escribió en su carta, pero que su enfermedad es más grande que sus mejores intenciones, como la de hacer lo correcto para sí mismo y para los demás. El Nic que escribió esa carta se ha marchado, al menos por ahora. Necesitamos descubrir una manera para que los pequeños vivan la pena de la pérdida de su hermano.

Los devotos bibliotecarios de su escuela envían una solicitud para formar una red de bibliotecas en escuelas alrededor del país. La respuesta es avasallante y yo recibo una lista de libros acerca de niños que viven una situación como la nuestra; es decir, la culpa y la responsabilidad que uno siente y las preguntas que los adultos apenas comprenden, por no hablar de los niños. El consejero de su escuela localiza a un terapeuta que trabaja con familias y se especializa en adicciones. Karen y yo nos reuniremos con él y, si creemos que puede resultar útil, llevaremos a Jasper y a Daisy a una cita con él.

Cierto día llevo a Jasper y a Daisy a casa después de la escuela. Al llegar a la cima de la colina que domina Olema, dorada y seca en otoño, a la entrada de West Marin, Daisy levanta la vista de la bufanda que teje y exclama:

—Es como si Nic fuera el hermano a quien conozco y otro sujeto a quien no conozco.

Daisy hace a un lado su tejido y dice que ayer hablaron acerca de las drogas en Chicas a la Carrera, un grupo de niñas de cuarto, quinto y sexto grado que corren y hablan acerca de temas personales y sociales, desde imagen corporal hasta nutrición. Las niñas se dividieron en grupos para comentar por qué los jóvenes comienzan a beber alcohol, a fumar o a drogarse.

—¿Cuáles fueron las razones? —le pregunto.

—Están enojados consigo mismos —responde—. Mónica dijo que es por la presión de los compañeros. Janet dijo que eso sucede cuando una persona está muy estresada y yo pensé que es porque quieres salirte de ti mismo. Hablamos acerca de las estrategias para enfrentar el estrés, la tristeza y cosas así, y dijimos que sería más inteligente pensar cómo sentirte bien contigo mismo y hacer cosas que te hagan sentir feliz, como correr en lugar de drogarte.

Jasper ha permanecido en silencio y pensativo.

—Hablé acerca de las drogas en mi campamento —dice. Su grupo escolar apenas acaba de regresar de pasar una noche en la helada y neblinosa Angel Island. Dice que él y un amigo, estremecidos a causa del frío de la oscura noche, conversaron—. Me preguntó cómo estaba Nic —continúa—. Yo le dije que consume drogas otra vez.

Su amigo, quien ya leyó el artículo en el *Times*, dijo: "Pero tu hermano parece ser tan inteligente y tan buena onda".

—Le dije que lo sabía —continúa Jasper. Después me cuenta que le explicó a su amigo su historia acerca de la caricatura del ángel y el diablo sobre los hombros de Nic y también le contó que hablará con alguien al respecto, una persona que ayuda a la gente que tiene adictos en su familia a manejar la situación.

En el pasado, Nic y Jasper se enviaban mensajes entre sí de mi teléfono celular al de Nic; saludos en línea. Ahora Jasper, con su hermano en la mente, me pide permiso para enviarle uno.

Escribe: "Nic, sé inteligente. Con amor, Jasper" y lo envía a pesar de que el teléfono de Nic está apagado.

—Tal vez después lo encienda —dice Jasper.

Gran parte de esta enfermedad es la pena. La pena se interrumpe con la esperanza y la esperanza con la pena. Luego nuestra pena se interrumpe con una nueva crisis. Del libro de Shakespeare que tengo junto a la cama, leo:

> *La pena llena la habitación por mi hijo ausente,*
> *Yace en su cama, camina arriba y abajo conmigo,*
> *Se viste con su bello aspecto, repite sus palabras,*
> *Me recuerda todas sus graciosas partes,*
> *Saca sus vestimentas vacías con sus formas;*
> *Entonces encuentro una razón para amar la pena.*

Me enfurece su lucha y su dolor, además del hecho de que la adicción haya causado tanto sufrimiento en nuestras vidas —la nuestra, la suya—; también estoy lleno de un ilimitado amor por él, el milagro de Nic, todo lo que tiene y todo lo que ha traído a nuestras vidas. Me enfurezco contra ese Dios en quien no creo y a quien, no obstante, rezo y le agradezco por Nic y por la esperanza que siento. Sí, incluso ahora. Tal vez se deba a que mi cerebro es más grande: puede contener más de lo que antes podía. Puedo tolerar las contradicciones con más facilidad, como la idea de que las recaídas pueden ser parte de la recuperación. Como dijo el doctor Rawson, a veces hacen falta muchas recaídas antes de que un adicto permanezca sobrio. Si no muere o se hace demasiado daño, hay posibilidad. Siempre hay posibilidad.

Recuerdo las deprimentes estadísticas que una enfermera me dio relacionadas con el índice de éxito de la rehabilitación en adictos a las metanfetaminas, un índice de éxito de un dígito. Comprendo que es poco realista pensar que muchos adictos permanecerán sobrios después de uno, dos, tres o el número que sea de intentos de sobriedad, pero tal vez la estadística más significativa sea ésta, comentada por uno de los conferencistas en una de estas instituciones: "Más de la mitad de las personas que se someten a un tratamiento de rehabilitación están sobrias después de diez años, lo cual no significa que no hayan fluctuado dentro y fuera de la sobriedad".

Es un momento triste, muy triste, pero me siento agradecido por el hecho de que Nic esté vivo y tenga una oportunidad. Tal vez sea necesario un milagro mayor para salvarlo. Cuando le pusimos su nombre, consultamos a mi padre. Su nombre completo es Nicholas Eliot Sheff. Sus iniciales forman la palabra "milagro" en hebreo. Yo rezo por un milagro mayor y, mientras tanto, agradezco el que ya tenemos. Nic está vivo. Cuando escribió acerca de su hijo, Thomas Lynch describió las inesperadas conclusiones a las que llegamos los padres cuando nos enfrentamos a algo tan abrumador como la adicción de un hijo: "Podría sentirme agradecido incluso por su horrenda enfermedad, frustrante, desconcertante y poderosa, que me ha enseñado a llorar y a reír a carcajadas mejor y de verdad. Y agradecido porque, de todas las enfermedades mortales que mi hijo pudo padecer, tiene una para la cual aún existe el pequeño destello de esperanza de que, si deja de hacerlo, sobrevivirá".

Por la mañana, Jasper, vestido con un suéter color mora, se sienta en mi escritorio donde juega un nuevo juego en computadora. Junto con el sonido de la música generada por el artefacto, los címbalos, un corno francés y un resonante bajo, Jasper habla con la pantalla. "¿Qué? Eh, eh, eh. Te atrapé."

Daisy cierra su libro y se sienta en la mesa redonda donde Karen trabaja en un *collage*. Pronto también ella recorta, pinta y pega papel.

Nic llamó y dejó un mensaje anoche. Dijo que él y su novia "llevaron las cosas demasiado lejos" y ahora planean mantenerse sobrios. Explicó que habló con un médico al respecto y que éste les recetó algunos medicamentos para ayudarlos.

Desde luego que no le creo. Sus palabras sin sentido de estos días son otro triste factor de su adicción y contradicen su honestidad cuando está sobrio.

Espero a que Nic toque alguna especie de fondo. Por fin me he dado cuenta, después de todo lo que hemos vivido, de todo lo que he leído y de todo lo que he escuchado. En última instancia, los adictos se recuperan cuando tocan fondo. Se alteran, pierden la esperanza y se sienten tan aterrorizados que sienten el deseo de hacer cualquier cosa para salvar sus vidas. Pero, ¿cómo es que no fue tocar fondo la sobredosis de Nic en Nueva York, cuando fue llevado a la sala de emergencias inconsciente, casi muerto? ¿Cómo es que no tocó fondo en su pesadillesca recaída subsecuente? No lo sé. Todo lo que sé es que Nic está de regreso en un estado de fantasía de drogas y se aferra a la ilusión que le permite negar la seriedad de su situación. Eso es lo que hacen los adictos. Siento temor de saber que Nic permanecerá en ese estado hasta el siguiente evento dramático. ¿Cuál evento? Debemos esperar a que suceda y, mientras tanto, saber que tal vez nunca llegue. Antes de que muchos adictos toquen fondo, mueren. O algunos sobreviven medio muertos, paralizados o con daños cerebrales después de una embolia o algo similar. Esto sucede con la mayoría de las drogas y, por cierto, con las metanfetaminas, las cuales pueden convertir un cerebro en una pasta inerte.

Los padres sólo deseamos cosas buenas para nuestros hijos. Sin embargo, aquí, en combate mortal contra la adicción, un padre desea que a su hijo le suceda una catástrofe. Deseo una catástrofe pero que pueda ser controlada. Debe ser lo bastante severa para ponerlo de rodillas, para humillarlo, pero lo bastante benigna para que él pueda, con esfuerzo heroico y la bondad que sé que yace en su interior, recuperarse, porque nada menor a eso será suficiente para que se salve.

Un amigo cuya madre era alcohólica me dijo que esperó durante una década a que su madre experimentara un "casi accidente", algo lo bastante dramático como para conducir a su madre a someterse a un tratamiento para su enfermedad pero no tan dramático; es decir, que no la perjudicara de manera permanente. El casi accidente nunca llegó. Su madre murió dos meses atrás. Cuando mi amigo y sus hermanas limpiaron la casa de sus padres, descubrieron botellas de vodka vacías escondidas en la parte trasera de las alacenas, detrás de las vajillas y sepultadas debajo de los suéteres cuidadosamente doblados en los clósets. Al morir, la señora tenía en la sangre treinta veces el límite de alcohol permitido para conducir un auto.

Deseo un casi accidente para Nic.

Rezo por un casi accidente.

24

No hay nada por hacer, debemos hacer todo lo que podamos. Ya hemos hecho todo lo que podíamos, tenemos más por hacer. Vicki y yo agonizamos con esto.

Después de que Nic llama de nuevo, drogado, para pedir dinero, Vicki dice:

—Tenemos que intentarlo.

Reflexiono acerca de intervenir pero pensarlo, después de todo lo que hemos hecho, es ridículo e inútil.

—"No puedes controlarla."

—Pero no puedo soltar a Nic. Todavía no. ¿Pronto? Todavía no.

—No puedo soltar a Nic.

—No soltaré a Nic a menos que me vea obligado a hacerlo. Tal vez así sea.

—Tú no la causaste, no puedes controlarla, no puedes curarla.

—Lo sé.

Hay muchas cosas que no sé, pero ya he aprendido algunas lecciones acerca de la adicción. A pesar de que existen algunos rumbos de acción erróneos, no existe un rumbo predeterminado que sea el correcto. Nadie lo conoce. Dado que la reincidencia es parte de la recuperación, tal vez Nic lo logre. Nic aún puede estar bien.

Recuerdo las interminables historias de las personas a quienes he conocido en los grupos de rehabilitación, en las reuniones de AA y en las de Al-Anón y las historias de amigos de amigos para quienes fueron necesarios varios intentos. Algunos de ellos tocaron fondo —fondos de horror impensable— y literalmente se arrastraron para salir de casas de *crack*, de cañerías, de guaridas de traficantes, de charcos de su propia sangre para acudir a rehabilitación, a desintoxicación, a una reunión de AA o al quicio de la puerta de sus padres. Otros se someten a la rehabilitación porque sus esposas les dan un ultimátum, la corte se los ordena, sus padres los obligan o sus familiares y amigos orquestan una intervención. Una mujer que se entera de nuestras penas nos llama para decirnos:

—Sólo quiero decirles que no se den por vencidos. Mi hijo estaría muerto si yo me hubiera rendido. Decidí hacerlo una vez más, después de siete periodos de rehabilitación, hospitalizaciones, arrestos y dos intentos de suicidio. Ahora mi hijo, quien tiene 25 años de edad, ha permanecido sobrio durante tres años y está mejor que nunca en su vida. La gente me dijo que me diera por vencida con él pero no lo hice. ¿Cómo puede darse por vencida una madre con su hijo? Si lo hubiera hecho, él no estaría aquí ahora. Ésa es una garantía. Mi hijo hubiera muerto. Sólo llamé para contarles esta historia. No abandonen la esperanza y no se den por vencidos con él.

Si fuera legal, yo contrataría a alguien que secuestrara a Nic y lo llevara por la fuerza a un hospital para que se desintoxicara con la esperanza de que, sobrio de nuevo y con al menos una pequeña ventana abierta en su estado mental delirante, desquiciado y drogado, él lo intentara. He escuchado historias de padres que contrataron personas para secuestrar a sus hijos adultos. Yo tomaría en consideración la posibilidad de romper la ley y sufrir las consecuencias si pensara que funcionaría, pero no creo que funcione. Nic escaparía. Si no estuviera listo para ser atendido, escaparía. Sin embargo, me parece demasiado arriesgado esperar a que toque fondo.

Karen y yo decidimos que pagaremos los costos de la rehabilitación si podemos convencerlo. Una vez más. Su madre dice que ella también cooperará. Hemos decidido pagar una vez más. Sí, sabemos que puede ser un total desperdicio de dinero. Estamos de acuerdo en que ésta será la última vez porque la rehabilitación puede convertirse en un estilo de vida para algunos adictos. Después de ésta, si Nic reincide y pide ayuda, tendrá que arreglárselas solo y conformarse con los limitados recursos públicos para adictos. Tal vez resultaría más útil que llegara arrastrándose sobre sus rodillas y manos a un programa público y suplicara ayuda. ¿Haría Nic algo así? Existen programas en muchas ciudades pero están saturados. Hay listas de espera. Es probable que Nic se tardara entre dos y cuatro meses para poder entrar a uno.

Quizá no contemos con tanto tiempo.

A veces me siento muy bien. ¿Esto es a lo que le llaman dejar ir? Yo he dejado ir si este concepto significa que algunas veces me siento muy bien. Dejo atrás las crisis por periodos de cada día. Disfruto del tiempo que paso con Karen, Daisy, Jasper y nuestros amigos. Ayer, Daisy y yo acudimos a nuestro grupo de lectura. Anoche, Jasper y yo hicimos un magnífico paseo en bicicleta; vimos garzas y zarapitos en las pistas que van hacia Corte Madera Marsh. A veces me siento bien, a veces no.

Consulto a más expertos. Después de nuestra experiencia no soy lo bastante ingenuo como para creer que ningún experto tenga la solución para nuestro problema familiar. Tampoco soy lo bastante arrogante como para creer que yo sé cuál es la solución. No seguiré a ciegas el consejo de nadie, pero reúno información; la sopesaré y decidiré lo que haré, si es que decido hacer algo. Sé mucho más de lo que sabía al inicio de todo esto. Sé que nadie conoce la respuesta a qué es lo más conveniente para Nic o para cualquier otro adicto. Nadie sabe qué es lo que funcionará. Nadie sabe cuántas veces. Esto no motiva a un ser amado a actuar ni le impide hacerlo.

Desde hace unos cuantos años atrás he llegado a conocer, a respetar y a confiar en algunos pocos expertos más que en otros. El doctor Richard Rawson de la UCLA conoce más acerca de las metanfetaminas que nadie. Como investigador, su criterio único son los hechos y las realidades y es devoto de su trabajo por una razón: ayudar a los adictos.

Le envío un mensaje por correo electrónico y le pregunto si cree, después de todo lo que hemos vivido, que una intervención es una locura, un ejercicio de la futilidad. En realidad espero recibir como respuesta la sabiduría convencional: que Nic tiene que tocar fondo. Espero que me diga que debo esforzarme por dejarlo ir.

En lugar de eso, él me advierte que la intervención no es un remedio que lo cure todo. Me advierte que es riesgosa. Además, me dice que no conoce información que apoye o niegue la eficacia de la intervención. "Pero", escribe, "mi impresión es que algunas personas que realizan la intervención son excelentes para organizar una respuesta familiar, para crear un proceso y para intervenir en eventos que resultan en que un adicto renuente se someta a un tratamiento con mayor rapidez que si hubieran esperado a que el adicto toque fondo. No se trata de una contribución insignificante dado que 'tocar fondo' es una tautología. Cuando una persona por fin está sobria y permanece así durante un periodo extendido, a las cosas malas que le sucedieron justo antes de ello se les puede llamar 'tocar fondo'. Aquellos periodos similares que fueron igual de horrendos, pero que no dieron paso a la sobriedad no son, por definición, 'tocar fondo'. Algunas personas mueren antes de tocar fondo. No piense que 'tocar fondo' es un constructo útil. Por tanto, creo que las intervenciones pueden ser eficaces para llevar a una persona renuente a tratamiento. Sin embargo, los tratamientos no garantizan resultados de un año y medio o diez años después de la intervención. Y pueden ser costosos".

Después dice lo que me ayuda a decidirme. Olvidemos la teoría, olvidemos las estadísticas, olvidemos los estudios de eficacia. ¿Qué haría él si Nic fuera su hijo?

"Si yo tuviera un hijo adicto a las metanfetaminas, ya hubiera hecho todo lo que se me ocurriera para proporcionarle atención y él siguiera aferrado a ese peligroso y mortal comportamiento de consumir metanfetaminas (o heroína, cocaína o alcohol), consideraría seriamente la posibilidad de utilizar a un interventor. Mi concepción al respecto es la misma que si tuviera un hijo con una enfermedad recurrente y crónica de cualquier tipo: lo sometería a tratamientos tanto como mis recursos me lo permitan. Todos mis esfuerzos estarían encaminados a que él recibiera un tratamiento."

Parece una locura intentarlo de nuevo. ¿Cómo puedes ayudar a alguien que no desea que lo ayudes? Pero no importa. Lo intentaremos de nuevo. Su, madre, su padrastro, Karen y yo lo intentaremos de nuevo.

Hay un dicho de AA que dice que intentar lo mismo y esperar resultados distintos es la cúspide de la locura, pero un mensaje repetitivo en rehabilitación es que pueden necesitarse varios intentos para que una persona esté sobria y permanezca así. Pienso en los hijos de las personas que me escribieron —"mi hermosa y adorable hija de veinte años de edad, el alma más gentil sobre la Tierra, sufrió una sobredosis el año pasado y murió", me escribe un padre— y me pregunto cómo y cuándo debemos intentar una vez más que Nic se someta a un tratamiento. "Si yo tuviera un hijo adicto a las metanfetaminas", escribió el doctor Rawson. Yo lo tengo.

Una mañana, Nic llama y me informa que tiene un nuevo plan. Los adictos siempre tienen planes nuevos. Una y otra vez

ellos reencuadran el mundo para que se ajuste a su delirio de
que aún tienen el control. Nic me dice que él y su novia ya termi-
naron su guardadito de metanfetaminas y que eso es todo, que
se acabó. No sucumbirá a mis manipulaciones para que regrese
a la rehabilitación. Me promete que esta vez es diferente —"ella
no me dejará drogarme, yo no la dejaré drogarse, hicimos un
juramento, llamaremos a la policía si el otro recae, ella me dejará si reincido"—; más de lo mismo que me ha dicho las muchas
ocasiones en que me ha prometido que esta vez será diferente.

Nic cuelga el teléfono.

Llamo a algunos interventores recomendados por el doctor
Rawson y a un consejero en el número telefónico de ayuda de
Hazelden. Después recibo otra llamada, esta vez de un amigo
que ofrece un contraargumento. Él ha estado en recuperación
de drogas y alcohol durante casi 25 años. Dice que es un error
intervenir y que también es un error intentar la rehabilitación.

—La industria de la rehabilitación es como la industria de
reparación de automóviles —me dice—. Ellos quieren que regre-
ses y la gente siempre lo hace. Es una industria en crecimiento
porque nadie se cura. Siempre te dicen: "Regresa" —se ríe con
cierto pesar—. Eso es lo que quieren. Yo tuve que tocar fondo
cuando no tenía nada ni a nadie y había perdido todo y a todos.
Eso es lo que hace falta. Tiene que estar solo, devastado, desolado y desesperado.

Sí, tal vez eso sea lo que haga falta. Sí, las probabilidades
son que ni la intervención ni otro intento en rehabilitación fun-
cionen. Sin embargo, también podrían funcionar.

Nosotros no regresaremos otra vez. No contamos con los recursos emocionales ni económicos para regresar otra vez. Mi
cerebro ya explotó una vez y en ocasiones me parece que podría
volver a suceder.

Pero heme aquí llamando a interventores mientras Nic deja
mensajes apenas coherentes en nuestras máquinas contestado-
ras. Después de todo lo que hemos vivido aún estoy confundido
en un lugar conocido entre los mensajes opuestos de afuera y de

adentro de mí —déjalo solo, que sufra las consecuencias de sus acciones, intenta cualquier cosa para salvar su vida—.

El primer interventor a quien localizo dice contar con un índice de 90 por ciento de éxito y yo, con toda la educación posible, le doy las gracias por su atención. Tal vez diga la verdad pero tengo mis dudas. Otro es más modesto.

—No hay garantías, pero vale la pena intentarlo —me dice y me propone un escenario en el cual la madre de Nic y yo, junto con Karen, sus amigos y su novia, si accede, confrontemos a Nic y le ofrezcamos la oportunidad de ingresar a la rehabilitación. Una cama estaría dispuesta para él. Convenceríamos a Nic de subirse a un automóvil y partir de inmediato.

—No me imagino que quiera ir —le digo.

—Con frecuencia funciona —me explica—. La psicología de la intervención es que un adicto se siente abrumado y vulnerable en presencia de sus amigos y familiares. Podría acceder gracias a la culpa, a la vergüenza o porque sus seres queridos lo invadan de tal manera que pueda percibir la realidad de su circunstancia. Las personas que lo aman no le mentirían y están motivados por una sola causa: salvarlo.

Después de una pausa formula la pregunta usual:

—¿Cuál es su droga favorita?

—Consume casi cualquier droga que haya en las calles, pero siempre gravita de regreso a las metanfetaminas.

La voz en el teléfono deja escapar un profundo suspiro.

—Yo trabajo con todas las drogas, pero odio enterarme de que son metanfetaminas. Son muy destructivas e impredecibles.

Le digo que lo consultaré con la madre de Nic y le llamaré de nuevo.

De *Addict in the Family (Adicto en la familia):* "Nada de esto es fácil. Las familias de los adictos caminan por un sendero infeliz que está lleno de escollos y de falsos inicios. Los errores son inevitables. El dolor es inevitable. Pero también lo son el crecimiento, la sabiduría y la serenidad si las familias enfrentan la adicción con la mente abierta, con el deseo de aprender y con la aceptación de que la recuperación, como la adicción misma, es un proceso largo y complejo. Las familias nunca deben abandonar la esperanza en la recuperación pues ésta puede ocurrir y ocurre todos los días. Tampoco deben dejar de vivir sus vidas mientras esperan a que ocurra el milagro de la recuperación".

¿Cuándo ocurrirá? ¿Ocurrirá?

Mientras tanto, podría parecer milagroso que el sol salga cada día y se ponga cada tarde. El mundo no deja de girar y hay exámenes de ortografía para los cuales hay que estudiar, equipos de natación que llevar y traer por turnos, tareas de matemáticas; hay comidas que preparar y, después, platos que lavar. Hay trabajo: artículos por escribir antes de las inflexibles fechas de entrega.

En una semana, Nic deja otro mensaje.

—Ya son once días con hoy. Estoy sobrio. Once días.

¿Será real? ¿Aguantará doce días?

Cuántas veces me he prometido a mí mismo no hacerlo de nuevo, nunca más vivir en un estado de pánico a la espera de que Nic se aparezca o no se aparezca, que se reporte o que no se reporte. Hacer lo mismo una y otra vez y esperar resultados distintos es la definición de la locura. No lo haré otra vez.

Lo estoy haciendo otra vez.

Arriba y abajo. Devastado y deprimido. Derrotado y luego bien.

Conservo el número telefónico del interventor a la mano.

Un sábado, después de su práctica de natación, Jasper se marcha a la fiesta de cumpleaños de un amigo y se quedará a dormir allá. Karen está en la ciudad y cuelga sus pinturas para una exhibición que abrirá mañana, así que sólo estamos los dos, Daisy y yo, en nuestra casa en Inverness. Brutus exhala con fuerza sobre el sofá junto a la chimenea después de su diario juego de persecución a una parvada de codornices que ha establecido su residencia permanente en el jardín. Tal vez esté decrépito, pero sus vacilantes piernas no le impiden practicar su exhaustivo deporte. Ahora está demasiado agotado para escapar de Daisy; está a su merced. Con barniz de uñas no tóxico en colores púrpura y rosa, ella le pinta las garras. Daisy ha hecho unas figuras de papel doblado que es un juego para adivinar el futuro. Ahora hace una para Brutus. Por lo regular, estas figuras contienen números, colores y predicciones para humanos, pero Brutus hace sus elecciones con un "bostezo", un "espasmo" o un "suspiro".

—Ven aquí, gran bola de pelos cafés —dice ella.

Su futuro:

—Tendrás un gran día para dormir y comer. Te encontrarás a un gran danés y se convertirán en grandes amigos. Te robarás un filete y te meterás en problemas.

La niebla, como vapor y algodón espeso, ha bloqueado al sol, pero el fuego aún arde.

Por la tarde, Daisy y yo leemos juntos. El libro es de una de nuestras autoras favoritas de historias infantiles, Eva Ibbotson. Daisy está recargada en mi hombro. Empuja su freno entre sus labios, lo absorbe de regreso al interior de su boca y lo coloca a presión en su sitio; después lo zafa de nuevo, lo empuja hacia fuera y vuelve a colocarlo a presión.

—Deja de jugar con tu freno.

—Es divertido —lo hace sonar otra vez entre sus dientes.

—El ortodoncista dijo que no es buena idea. Detente.

—Está bien —suena el freno al quedar fijo en su sitio.

Cerramos *La estrella de Kazan* y beso a Daisy en la frente antes de que se vaya a dormir.

Leo en mi cama cuando suena el teléfono.

Nic.

Dice todo marcha bien, pero sé que está drogado y se lo digo.

Él insiste en que es el medicamento para dejar las metanfetaminas, la cocaína y la heroína.

—Sólo tengo que tomar Klonopin, Seboxin, Strattera, Xanax.

—¿Sólo?

Nic asegura que su médico le recetó esos medicamentos. Si eso es verdad, soy incapaz de distinguir la diferencia entre ese médico y los demás traficantes de drogas de Nic.

—Sé que con estos medicamentos no estoy sobrio "al estilo AA" —dice—, pero de todas maneras eso es pura mierda. Estoy sobrio.

—Llámame cuando estés sobrio "al estilo AA" —le digo—. Hablaremos entonces.

Por la mañana reviso mi correo electrónico antes de marcharme a recoger a Jasper en la casa de su amigo.

La novia de Nic me ha enviado un mensaje urgente.

"Esta mañana, él me dejó en el mercado para ir a casa de su mamá y dijo que volvería en quince minutos. Se llevó mi auto y mi bolsa está allí con mi inhalador. Nunca regresó al mercado. Esperé durante cuatro horas hasta que una amiga envió un taxi a recogerme. Por favor, llámeme al teléfono (su número telefónico). Emergencia."

25

Es noviembre pero la mañana es cálida. Una esbelta luna aún cuelga a la luz del día. Cuando la miró, muy temprano, Daisy dijo que era como una sonrisa de lado. Karen se ha llevado a Daisy a la ciudad y yo voy en el auto a recoger a Jasper de su piyamada. El acuerdo es recogerlo en el campo de futbol soccer cercano al molino de viento en el parque Golden Gate.

En la cima de la colina Olema marco el número telefónico de Z. Está sin aliento, frenética, furiosa y preocupada. En este estado, ella revela mucho más de lo que escribió en su mensaje de correo electrónico; me dice que Nic la dejó en el mercado de Palisades a las 5:45 a.m. y se llevó su auto a casa de su madre. Su intención era meterse y robar la computadora de Vicki. Ella me lo cuenta como si se tratara de ir a pedirle una taza de azúcar. Nic le había prometido regresar en quince minutos, pero pasaron cuatro horas y no regresó. Al suponer que Nic había sido arrestado, Z. llamó a la policía, pero no había ningún registro de él.

—¿Qué pudo haberle sucedido en las cinco cuadras que hay entre el mercado y la casa de su madre? —solloza Z.

Le digo todo lo que sé con base en mi experiencia con Nic. Cada vez que desaparecía, yo imaginaba cualquier escenario posible: que había sufrido un accidente fatal o que había sido secuestrado, lo cual es absurdo, pero la realidad era que había reincidido.

—¿Podría dirigirse a San Francisco? —le pregunto.

—No tiene dinero.

—Entonces es probable que vaya con algún traficante en Los Ángeles.

—¿Y me dejó en la calle?

—Para comprar drogas. ¿Qué otra cosa puede ser?

Le digo que llamaré a la madre de Nic y que le llamaré a ella de nuevo.

El timbre del teléfono despierta a Vicki. Cuando le explico lo que sucede, ella me dice que Nic no ha llegado.

—No hay ninguna señal de él —agrega.

Después de media hora me llama.

—Está aquí. Está en la cochera. Se metió a la casa y nos robaba. Guardaba cosas en bolsas de plástico. Se alteró y se las arregló para encerrarse con seguro. Está asustado y enloquecido. Grita cosas absurdas.

—Está en quiebre —le aclaro.

Para cuando le llamo a Z., ella ya ha recibido noticias de Nic quien le llamó desde un teléfono en la cochera de la casa de su madre. Furiosa, la chica empaca la ropa de Nic.

—Ya es suficiente —me dice—. Si habla con él, dígale que su ropa estará afuera de la terraza frontal.

Vicki, después de discutirlo con su esposo, le dice a Nic que tiene dos opciones: llamarán a la policía y él será arrestado o puede regresar a la rehabilitación.

De camino a recoger a Jasper, la cabeza me da vueltas.

Ha entrado por la fuerza a la casa de su madre. Está fuera de control. Otra vez las metanfetaminas. Está quebrado. Desde que reincidió yo sabía que algo así estaba por suceder, pero ahora todo explota y yo estoy inundado de emociones.

Por favor, Dios, sana a Nic.

¿Será demasiado tarde?

La reincidencia es parte de la recuperación.

Por favor, sana a Nic.

Allí está Jasper con sus amigos en la cancha de futbol soccer. Al verme, me saluda con la mano en el aire y corre hacia el auto, arroja su mochila con ropa en el asiento trasero y se sienta.

—Nos quedamos despiertos hasta la medianoche porque hicimos una guerra de almohadas.

—¿Estás agotado?

—Ni siquiera estoy cansado.

El sueño lo vence en cuestión de minutos.

Con Jas dormido a mi lado hago más llamadas telefónicas con el fin de decidir a dónde enviar a Nic si él accede. Llamo a Jace, el director de Herbert House quien conoce a Nic y se preocupa por él. Jace ha ayudado a muchos adictos y conoce las instituciones de rehabilitación. Me dice que, sin importar lo que hagamos, debemos sacar a Nic de Los Ángeles e ingresarlo en un programa de pacientes internos que dure al menos tres o cuatro meses; más de preferencia.

—Hazelden es costoso —me dice—, pero es bastante bueno.

Hazelden tiene un programa de cuatro meses, de manera que llamo al teléfono de asistencias. Un consejero de admisiones me dice que no hay camas disponibles en el edificio de Minnesota, pero que hay una en Oregon y me transfiere con un consejero de allá. Éste me dice que debe hablar con Nic, pero tal parece que sí puede ir allá, si quiere.

La inauguración de Karen es en la ciudad. Jack Hanley, la galería en la misión, está abarrotada de gente. Daisy, con un gorro tejido, y Jasper, con pantalones cortos a pesar del frío viento, juegan afuera con los otros niños hasta que se marchan temprano con mi hermano y su familia.

Me detengo un poco para tomar aire y camino alrededor de la cuadra. Cuando Karen se mudó a vivir con nosotros, Nic y yo vivíamos a unas cuantas cuadras de aquí. Caminamos por esta calle y las adyacentes para comprar tortillas y mangos en los mercados mexicanos. Los fines de semana nos íbamos a Inverness.

Recuerdo un día feriado escolar en octubre de ese año —1989— cuando nos detuvimos en el mercado de la esquina para abastecernos y después nos fuimos a pasar la noche en el campo. Por la tarde nos reunimos con un amigo para dar una caminata en la kilométrica Limantour Beach. Caminamos bajo un cielo color zafiro. De pronto, Nic señaló la nariz de una foca que emergía de la agitada superficie del agua. Después salió otra y luego otra más. Pronto, diez o doce focas nos miraban con sus ojos negros. Sus largos cuellos se mecían en el agua. Después fue como si alguien hubiera sujetado la playa y la hubiera sacudido como a un viejo tapete. La arena rodó, tan líquida como el océano, hacia arriba, hacia abajo y luego de nuevo hacia arriba antes de caer.

Nosotros conservamos el equilibrio e intentamos comprender lo que había sucedido: un terremoto.

Regresamos a la cabaña y utilizamos un teléfono celular (las líneas terrestres estaban inservibles) para llamar a nuestros amigos y familiares con el fin asegurarnos de que todos estuvieran bien y asegurarles que nosotros también estábamos bien. La cabaña contaba con un generador que logró mantener encendidos algunos focos y un viejo televisor en blanco y negro en el cual vimos imágenes de la devastación en San Francisco, incluso edificios de departamentos derrumbados en el distrito de Marina y automóviles aplastados por una rampa que conecta con Bay Bridge.

Se suspendieron las clases, de manera que nos quedamos en Inverness durante varios días. Por fin, cuando volvió la calma, regresamos a casa. Los maestros hablaron con los niños acerca del terremoto y de otros fenómenos que asustan a la gente. Los niños escribieron sus experiencias.

"Yo estaba en la playa", escribió Nic. "Yo me asomaba a un hoyo de arena. Escuché que una persona fue expulsada de una alberca. El terremoto me hizo sentir mareado." En el recreo, un niño se paró en el patio de juegos y comenzó a mecerse y a balancearse hacia los lados. Cuando el director le preguntó si se sentía bien, el chico asintió y le respondió: "Me muevo como la Tierra para que, si hay otro terremoto, yo no lo sienta".

Mientras camino alrededor de la cuadra atestada de gente que sale a divertirse por ser noche de sábado, recuerdo a ese pequeño y siento lo que él sintió: navego a través de cada día como él, en guardia, alerta al siguiente peligro. Me protejo de la mejor manera posible. Me muevo con la Tierra en caso de que se presente un nuevo terremoto. Como ahora que, después de reunir fuerzas y abrir el teléfono celular para llamar a Z., me preparo para lo que venga.

Ella le pasa el teléfono a Nic.

—Tal parece que hay una cama disponible en Hazelden, en Oregon. Tendrás que llamar allá para hablar con el consejero por la mañana.

—He pensado al respecto. No tengo que ir. Puedo hacerlo solo.

—Lo intentaste y no funcionó.

—Pero ahora lo sé.

—Nic... —suspiro.

—Nic, tienes que ir —escucho decir a Z. en el fondo.

—Lo sé, lo sé. De acuerdo. Sí, tengo que ir. Lo sé.

Después de la bravata inicial, Nic parece resignado. También parece confundido.

—Pensé que podía mantenerme sobrio porque así lo deseaba— dice—. Pensé que el hecho de estar enamorado me mantendría sobrio, pero no fue así. Esto me asusta. —Después de una pausa, agrega—: Creo que esto significa ser adicto.

Me muevo con la Tierra para no sentir este nuevo terremoto, esta última recaída. Camino bajo las farolas de la calle con un cielo austero sobre mi cabeza. Los autos pasan a mi lado y yo voy de regreso hacia la galería.

El lunes, Nic habla con un consejero de Hazelden y después me informa que partirá a Oregon.

Yo reservo un boleto de avión consciente de que tal vez Nic no se presente.

Más tarde, Nic me avisa que ha preparado su equipaje y que está listo para el viaje.

Z. lo lleva al aeropuerto. Yo llamo a Hazelden para asegurarme de que alguien lo recoja al llegar, pero el hombre que contesta el teléfono me dice que no hay registro alguno de que Nic está por llegar. Cuando protesto, el hombre transfiere mi llamada con una consejera supervisora, quien me explica que la admisión de Nic no fue aprobada.

—¿Qué quiere decir con eso de que su admisión no fue aprobada? Él ya va para allá.

—¿Por qué viene para acá? No fue aprobado.

—Nadie nos avisó eso.

—Desconozco el motivo, pero ésa fue la decisión.

—Pero ustedes no pueden... Él va de camino al aeropuerto. Debemos meterlo a un programa mientras está dispuesto a hacerlo.

—Lo lamento, pero...

—¿Puede llegar por la noche y comenzar con la desintoxicación mientras decidimos a dónde irá después?

—Lo siento mucho.

—¿Qué voy a hacer ahora?

—Si llega al aeropuerto, nadie acudirá a recibirlo.

—¿Qué debo hacer ahora?

—Tenemos algunas recomendaciones de otros programas —la supervisora me proporciona algunos nombres.

Cuelgo y llamo a Jace, quien me dice que deberá realizar algunas llamadas. Después vuelve a llamarme para darme el nombre de un hospital en San Fernando Valley donde Nic puede desintoxicarse.

Llamo al médico que dirige dicho hospital, hago los arreglos pertinentes para que Nic sea admitido y después llamo a Z. a su teléfono celular para explicarle lo sucedido. En lugar de llevarlo al aeropuerto, le digo que Nic debe ir al hospital y le proporciono la dirección. Al menos estará a salvo en un hospital, si es que va.

John Lennon cantaba: "Nadie me dijo que habrían días como éstos". Nadie me dijo que habrían días como éstos. ¿Cómo sobrevive la gente a ellos?

Después de medianoche, Z. deja a Nic en el hospital donde le administran medicamentos para que comience a desintoxicarse. Según explica la enfermera, Nic pasará la mayor parte de los primeros días dormido. Como alternativa para los medicamentos está el bien documentado infierno del síndrome de abstinencia que muchos adictos no pueden soportar. Con ganas de arrancarse la piel, deprimidos, devastados, desesperados y hundidos en un dolor agudo, ellos harían cualquier cosa por sentirse mejor y buscarían las drogas.

Con regularidad hablo con las enfermeras de guardia, quienes me aseguran que Nic va bien.

—Dada la cantidad y variedad de drogas en su sistema, es un milagro que haya llegado aquí. No creo que su cuerpo hubiera podido resistir un mes más —me comenta una de ellas.

Su madre y yo exploramos opciones de a donde enviarlo después. Una vez más le pido su consejo al doctor Rawson y él consulta a algunos de sus colegas y amigos. Reviso los programas recomendados por la consultora de Hazelden. Le pedimos sus sugerencias al médico encargado de la desintoxicación de Nic. Con el paso de los días, Vicki y yo realizamos docenas de llamadas telefónicas. Hablamos con representantes de admisiones y visitamos páginas *web*. Aún recibimos consejos contradictorios. Algunos programas cuestan 40 mil dólares al mes, pero los expertos están de acuerdo en que Nic necesitará muchos meses de tratamiento esta vez. No podemos pagar 40 mil dólares al mes. Algunas personas con quienes hablamos son tan insistentes como vendedores de automóviles de segunda mano. Uno de los lugares recomendados por Hazelden parece apropiado y su precio es más accesible que muchos otros. Entonces alguien me dice que es un programa muy rígido en el cual los castigos por romper las reglas pueden incluir cortar el césped con tijeras de podar. Ésta podría ser una terapia útil para algunas personas, pero Nic se volvería loco. Tal vez estoy equivocado. Me he equivocado muchas veces.

Al menos Nic está a salvo durante el fin de semana.

Hablo con otra enfermera encargada de atender a Nic. Su presión arterial ha estado muy baja pero hoy está mejor. No ha comido mucho desde que llegó.

Ella le pregunta a Nic si puede caminar hacia el teléfono. Él camina hasta la estación de enfermeras y levanta el auricular.

—Hola, papá.

Su voz es casi inaudible. Suena deprimido al extremo.

—¿Cómo te va?

—Es un infierno.

—Lo sé.

—Pero me alegro de estar aquí. Gracias. Supongo que esto es lo que significa amor incondicional.

—Sólo supéralo. Ésta es la peor parte pero mejorará.

—¿Qué debo hacer después?

—Hablaremos al respecto cuando te sientas un poco mejor. Tu mamá y yo nos encargaremos de eso.

De hecho, Vicki y yo estamos abrumados en nuestros intentos por encontrar un lugar que le proporcione la mejor oportunidad a nuestro hijo. El doctor Rawson continúa haciendo llamadas y enviando mensajes por correo electrónico a sus colegas alrededor del país en nuestro nombre.

—Esta experiencia de aconsejarte me ha convencido más de que hacer una selección de programas en el sistema de servicios de salud mental y abuso de sustancias es como leer hojas de té —me dice.

Nic me llama la tercera mañana de su desintoxicación y me pide que le llame al teléfono de monedas que está en la sala.

—Estoy peor —me dice. Su voz es débil y miserable. Me lo imagino de pie en el vestíbulo del hospital —bien iluminado, todo blanco— aferrado a un teléfono de monedas por el cable del auricular, jorobado, apoyado en la pared.

—Estoy cansado. Ha regresado todo el miedo. Estoy confuso. ¿Qué sucede? ¿Por qué? ¿Por qué vuelve a sucederme a mí? —Nic llora—. ¿Qué es lo que está mal en mí? Siento como si me hubieran robado la vida —llora más—. No puedo hacer esto.

—Sí puedes —le digo.

Más llamadas. Vicki y yo hacemos conferencias telefónicas con la gente de admisiones a rehabilitación alrededor del país, en Florida, Mississippi, Arizona, Nuevo México, Oregon y Massachussetts.

Por fin elegimos un lugar en Santa Fe. Estoy indeciso. Después de analizar lo que el doctor Rawson llama "un no-sistema compuesto de rumores, mierda mercadotécnica, mejores supuestos y oportunismo fiscal", tomamos la mejor decisión que nos fue posible, pero no estoy seguro. ¿Será la correcta? ¿Cómo puede saberlo cualquier persona?

Nic llama de nuevo. Dice que debe permanecer en Los Ángeles y que, cuando mucho, ingresará a un programa de pacientes externos.

—Sé, y creo que una parte de ti sabe, que necesitas ir a algún lugar y permanecer allí hasta que hayas realizado el arduo trabajo de descubrir lo que está mal y lo que puedes hacer al respecto —le explico.

—¿Por qué te importa todavía?

—Todavía me importa.

—¿Por qué no puedo hacerlo yo solo? ¿Por qué tengo que someterme a otro programa?

—Para que puedas tener un futuro. La semana pasada, cuando supe que podías morir en cualquier momento, no pude soportarlo. Vivo con la conciencia de que podrías perder el sentido, sufrir una sobredosis, volverte psicótico, causar un daño irrevocable o morir. Podría suceder en cualquier instante.

—Yo también vivo con eso —responde.

Lloramos juntos. Es un momento extraordinario para mí. En las trincheras de los meses anteriores he contenido mis lágrimas, pero ahora fluyen con libertad. Nic está en el vestíbulo de un hospital en alguna parte, recargado contra una pared, y yo estoy en el suelo de la cocina. Ambos lloramos.

—No puedo creer que ésta sea mi vida —me dice Nic antes de colgar. Después toma aire y concluye—: Haré lo que sea necesario.

La mañana del martes, su madre lo recoge en el hospital en el valle y lo lleva en auto hacia el aeropuerto, donde convence a un agente de seguridad de que le permita pasar por la zona de revisión para poder escoltar a Nic hasta la puerta de abordaje y tome el vuelo a Nuevo México.

Ella me llama desde la sala. Nic ha abordado el avión y éste ya se aleja hacia la pista de despegue. La veo parada allí con el teléfono celular al oído mientras mira por el ventanal. Veo a Nic en el avión. Lo veo como es: frágil, opaco, enfermo, mi hijo amado, mi chico hermoso.

"Todo", le digo.

"Todo."

Por fortuna existe un chico hermoso.

Por desgracia tiene una enfermedad terrible.

Por fortuna existe el amor y el gozo.

Por desgracia existe el dolor y la miseria.

Por fortuna la historia no ha terminado.

El avión se aleja de la puerta.

Cuelgo el teléfono.

༚་ ༚་

Veo una pequeña caja color lila con tulipanes pintados en la parte superior y a los lados. Es una caja de música de Daisy. La abro y una bailarina se levanta accionada por un resorte. Baila. Inspecciono el interior de la caja. Tiene pequeños compartimientos, todos vacíos.

Como un separador gigantesco de una caja de dulces, la caja tiene capas ocultas. Con cuidado retiro la charola superior; debajo de ella, sobre un fondo negro como una pieza de museo, hay una jeringa de plástico. Saco la jeringa y la hago girar en mi mano, la examino y después la coloco a un lado. Retiro la siguiente charola y veo, en uno de los pequeños compartimientos, diminutos paquetes del tamaño de piedritas, cada uno envuelto con toallitas faciales. Tomo uno, lo examino y lo desenvuelvo despacio. Es un diente de Nic. Aún hay sangre en la raíz. Tomo el siguiente paquetito y lo abro. Otro diente.

Despierto.

Voy a la cocina donde Brutus está desparramado sobre el piso con las patas posteriores estiradas. No puede moverse. Karen coloca una toalla debajo de su barriga y, a modo de columpio, lo levanta despacio y así lo ayuda a ponerse en pie. Las patas traseras de Brutus tiemblan, pero aún es capaz de caminar.

El veterinario receta un nuevo medicamento. Todavía no podemos considerar la opción de dormirlo. No a Brutus. No creo que Daisy, quien todas las noches antes de irse a dormir se acurruca con él, pueda soportarlo. No creo que Karen lo soporte tampoco. O Jasper, quien durante varias horas al día se sienta en una silla en el jardín y arroja una pelota de tenis para que Brutus vaya tras ella, la recoja, se la lleve a Jas y la escupa en su regazo. Nadie de nosotros podría soportarlo pero, si es forzoso, lo haremos. Esto también.

Después de la escuela, Karen, Jasper, Daisy y yo entramos al consultorio del terapeuta familiar. Sentimos gran inquietud. Los chicos toman asiento, encogidos, en un sofá tapizado de cuero.

Están inquietos en su asiento y casi pareciera que quisieran meterse a sus chamarras como si fueran tortugas que se refugian en su caparazón.

El terapeuta es un hombre joven de barbas recortadas y ojos oscuros que habla con voz suave y tranquilizadora.

—Su mamá, su papá y yo nos reunimos —les dice a los niños—. Ellos me contaron un poco acerca de lo que sucede en su familia. Me contaron sobre su hermano, Nic, y sobre su adicción. Tal parece que han pasado una mala temporada.

Jasper y Daisy lo miran fijo y lo escuchan con atención.

—Es muy atemorizante tener un hermano que consume drogas —continúa el terapeuta— por muchas razones. Una de ellas es que ustedes no saben qué sucederá. Sé que están preocupados por él. ¿Comprenden dónde está él ahora?

—Está en rehabilitación —responde Jasper.

—¿Saben lo que eso significa?

El terapeuta se los explica y después les cuenta acerca de otros chicos como ellos que viven una situación similar y lo difícil que es.

—Es normal sentirse confundidos si tienen un hermano a quien aman y a quien también pueden temerle.

Los chicos lo miran con intensidad.

El médico se inclina hacia el frente, apoya los codos en sus rodillas y mira de cerca a Jasper y a Daisy.

—Voy a decirles una palabra que tal vez nunca antes hayan escuchado —les dice—. La palabra es *ambivalencia*. Significa que es posible sentir dos cosas a la vez. Significa... significa que pueden amar a una persona y odiarla al mismo tiempo, o tal vez odiar lo que hace a su familia y a sí misma. Significa que sienten muchos deseos de verla y, al mismo tiempo, sentir temor ante ella.

Los chicos parecen incómodos aunque un poco menos. Después habla Jasper.

—Todo el mundo está preocupado por Nic —al decir esto, levanta la vista hacia mí.

—Miras a tu padre —dice el terapeuta—. ¿Se preocupa él por Nic?

Jasper asiente con la cabeza.

—¿Te preocupas tú por tu papá? ¿En especial después del hospital? Ellos me contaron eso también.

Jasper baja la mirada y ofrece un gesto de asentimiento apenas perceptible.

En su consultorio, en esta tarde de viento, la duda inicial de los chicos se ve reemplazada por lo que para Karen y para mí es una cauta sensación de alivio. Mientras más hablamos, más erguidos se sientan sobre el sofá. Hablamos acerca de temas que son innegables, pero que nunca han sido reconocidos de manera adecuada.

El terapeuta dice que, a pesar de que Nic está a salvo en rehabilitación por el momento, tal vez inspire temor el hecho de pensar en el futuro. Además, sólo porque él esté a salvo no significa que todo lo demás esté bien.

—Después de los robos de Nic, cada vez que algo desaparece entro en un estado de pánico al pensar que Nic se ha metido a la casa otra vez —dice Karen.

—Pánico es la palabra exacta —responde el terapeuta—. Tú regresas al estado de cuando te sentiste atacada.

Describimos el suceso de la pila de periódicos de nuestro amigo junto a la chimenea. Karen y yo pensamos que Nic los había llevado a la casa. Antes de discutir la situación, ambos entramos en un estado de alerta máxima. Yo no quería preocuparla y ella no quería molestarme pero ambos pensamos: Nic estuvo aquí. ¿Se meterá otra vez? Al final todo resultó bien pero tuvo su precio.

El doctor nos explica cómo los disparadores, como los periódicos, pueden hacernos volver a un estado de pánico. Después nos pregunta cuáles son otros disparadores para nosotros y es cuando caigo en cuenta. Desde luego.

—Creo que ocurre cuando suena el teléfono —digo.

—¿El teléfono?

Los niños me contemplan.

—El teléfono, cuando suena, me provoca el mismo estado de pánico. Siempre me preocupa que sean noticias sobre otra crisis. O que sea Nic y yo no sepa si está sobrio o drogado. O que no sea él y yo me decepcione. Mi cuerpo se tensa. Con frecuencia durante las cenas o cuando estamos reunidos en la noche, dejo que el teléfono suene hasta que la máquina contestadora responda la llamada porque no quiero enfrentar lo que sea que se presente. Creo que todos sentimos tensión. Jasper siempre pregunta por qué no contesto el teléfono. Creo que eso lo pone nervioso.

Jasper asiente.

—Y entonces no sólo es un suceso raro y azaroso que ocurre en su casa, como la pila de periódicos. El teléfono debe sonar todo el tiempo y ustedes deben estar en un constante y justo estado de preocupación y tensión. Eso no debe ser muy agradable —dice el doctor y se dirige hacia los niños—. ¿Es así?

Ambos asienten de manera vigorosa.

Ésta parece ser una revelación profunda. De nuevo hacia mí, el doctor sugiere:

—Tal vez podría apagar el timbre del teléfono durante ciertos momentos. Siempre puede devolver las llamadas después. —Enseguida, agrega—: Y ahora que Nic está en rehabilitación, quizá resulte útil que él y usted establezcan un horario —cuando sea, una vez por semana o más— para hablar por teléfono. Así, usted sabrá. Establecer límites como éste puede ayudarlos a ambos. Él y usted se sentirán liberados de un estado continuo de ansiedad de que él debería llamar, ha llamado o no ha llamado. Puede ayudarlos a todos ustedes. Su familia sabrá cuándo es hora de que Nic y usted hablen por teléfono y así pueden asegurarse de que él está bien, pero no lo sentirán como una amenaza constante.

—Es una buena idea —respondo pero después admito—: Mi corazón se acelera. La idea de interrumpir la comunicación me aterroriza.

—No la interrumpirá, la hará más segura para todos.

Termina la sesión y los cuatro descendemos por la escalera de concreto del anodino edificio. Los niños parecen liberados. Hay rubor en sus mejillas y brillo en sus ojos.

—¿Qué les pareció? —les pregunta Karen.

—Fue... —comienza Daisy.

—Increíble —termina Jasper.

—Así es —confirma Daisy.

Comienzo a supervisar mi uso del teléfono y apago el timbre por las noches y durante los fines de semana. Hago un plan para hablar con Nic una vez por semana. Pequeñas cosas que parecen enormes.

Ya han pasado tres semanas desde que Nic ha regresado a la rehabilitación. No suena muy bien. Según me explica, las semanas iniciales de su tratamiento están dedicadas a estabilizarlo. La desintoxicación de una semana en el valle no fue suficiente para limpiar su cuerpo de todas las drogas. Incluso ahora, después de tres semanas, aún sufre de agudo dolor físico y mental. Ha tenido convulsiones intermitentes. En una ocasión lo llevaron de emergencia a un hospital de la localidad. Su cuerpo se estremece, él está desolado y no puede dormir. El dolor continúa, lo cual es prueba, como si yo necesitara más, de la garra letal de las drogas que apresa su cuerpo.

Nic me llama el domingo. Su voz es fría e iracunda, me culpa por estar donde está y me pide un boleto de avión para regresar a casa.

—Esto fue un error —dice—. Es un desastre. Es un caos.

—Tienes que darle tiempo.

—¿Me enviarás o no un boleto de avión?

—No.

Cuelga el teléfono.

Al día siguiente llama para decirme que se siente un poco mejor. Durmió profundo la noche anterior y por primera vez desde que llegó de Los Ángeles. Lamenta lo de ayer.

—Aún no puedo creer que haya reincidido —me dice—. No puedo creer que hice lo que hice.

Me confiesa que se siente más culpable de lo que es capaz de expresar.

—Tengo miedo de decir cualquier cosa porque no sé qué es lo que sucederá. No quiero darles esperanzas a Karen, a los niños y a ti, y después decepcionarlos otra vez.

Me cuenta un poco acerca del enfoque del programa de tratamiento, que es distinto de los demás programas de rehabilitación.

—En mi primer grupo, un consejero me preguntó por qué estoy aquí. Me dijo: "¿Cuál es tu problema?". Respondí que soy drogadicto y alcohólico. Él negó con la cabeza. "No", me dijo, "así es como has enfrentado tu problema. ¿Cuál es tu *problema*? ¿Por qué estás aquí?

Muy bien, pienso, pero ya estoy más allá de la esperanza. No sé si Nic ya ha llegado demasiado lejos y la ayuda es inútil o si las drogas le han causado demasiado daño. Incluso si no es así soy incapaz de permitirme sentir esperanza.

Otra semana y otra. Navidad. Año Nuevo.

Otra semana. Un mes. Nic está a salvo en rehabilitación, pero yo aún estoy escéptico.

Es jueves. Voy a recoger a Jasper de la práctica de la banda musical y tomo asiento en la esquina superior del teatro donde los chicos practican. Jasper toca las congas en "Oye cómo va". Un niño de octavo grado toca la guitarra como Carlos Santana.

Después lo llevo a casa y me despido de él, de Karen y de Daisy porque se van a la fiesta del cumpleaños número décimo primero de su primo. Yo arrojo mi equipaje en el auto y conduzco durante las peores horas de tránsito hacia el aeropuerto de Oakland, donde me registro y hago una comida rápida.

Abordo un saturado vuelo hacia el sur. Cuando llego a Albuquerque, camino a través de las puertas del aeropuerto. Tengo la vívida imagen de Nic al llegar aquí alrededor de ocho semanas atrás, después de que su madre mirara despegar el avión en Los Ángeles. Contemplo la terminal aérea a través de sus ojos: arte del suroeste, tapetes indios, el letrero de Entrada al país O'Keefe. En mi mente, Nic echa un vistazo al Thunderbird Curio y a Hacienda, cocina de Nuevo México. Pienso que Nic hubiera desdeñado el hecho de estar en esta terminal temática si hubiera estado en condiciones de desdeñar cualquier cosa.

En el exterior imagino al conductor de Life Healing Center a la espera de Nic con un letrero que decía Nic Sheff, pero tal vez no resultó difícil dilucidar quién era Nic, el joven proveniente de Los Ángeles de rostro pálido, ojos inertes y cuerpo lánguido después de su atasque de sustancias de varios meses de duración y una semana de tortuosa desintoxicación de una docena de drogas.

Rento un auto. Debía ser un vehículo para no fumadores, pero el interior apesta a cigarro. De camino por una amplia autopista enciendo el radio y lo primero que escucho son los acordes iniciales de "Gimme Shelter".

Conduzco durante una hora, encuentro mi motel y me registro. Intento dormir. Estaría más tranquilo si estuviera en una convención de estudiantes de odontología que practicaran sus primeras endodoncias conmigo.

Nadar tal vez me tranquilice. Salgo de la habitación y paseo en el auto hasta encontrar un centro comercial para comprarme un traje de baño. Después regreso al motel y encuentro la alberca rodeada por cintas amarillas como si se tratara de la escena de un crimen.

En mi habitación tomo *The New Yorker* y leo las secciones de ficción, de Hertzberg y de Anthony Lane. Me pregunto si hay ejemplares de *The New Yorker* en la institución de rehabilitación donde está Nic. Por fin me quedo dormido durante un rato, me despierto a las ocho y me preparo.

No he visto a Nic desde junio, justo después de mi estancia en la unidad de terapia intensiva. Apenas recuerdo su visita; sólo recuerdo el bombardeo posterior. La voz pastosa, las llamadas telefónicas, el terror, la visita de su madre a su departamento, el mensaje de correo electrónico que presumía ser de Joshua Tree y que, según me enteré después, era de Oakland.

¿Por qué estoy aquí? Un fin de semana no puede deshacer todos estos años de infierno. Un fin de semana no puede cambiar la vida de Nic. Nada de lo que he hecho ha significado una diferencia. ¿Por qué estoy aquí?

Los terapeutas de su programa le aconsejaron pedirnos a su madre y a mí que viniéramos. Si hemos decidido hacer esto por última vez, si intentamos una vez más darle otra oportunidad, yo haré lo que ellos me digan. Sé que nada servirá, que es probable que nada sirva, pero yo haré lo que me corresponda. Con total franqueza y honestidad —no le digas a nadie, no le digas a él— también estoy aquí para verlo. He sentido temor pero una parte de mi interior, muy cauta y muy bien resguardada, lo extraña como loca; extraño a mi hijo.

La pureza del cielo azul de la mañana sólo se ve interrumpida por la línea de humo de un jet.

Conduzco a través de la ciudad de acuerdo con las instrucciones que me envió el centro de tratamientos a mi correo electrónico y giro por un camino sucio flanqueado por arbustos y esbeltos pinos. Es como una escena en una película de vaqueros. El lugar parece sugerir que alguna vez hubo ahí un rancho. Hay barracas, establos y una casa principal casi derruida, además de viviendas laterales construidas con troncos. Veo una fila de cabañas sobre las colinas que miran hacia el alto desierto. El lugar es rústico y modesto, muy diferente a la vieja mansión victoriana del Conde Ohlhoff, el hospital moderno y austero en el país de los vinos, el imponente edificio de granito de Stuyvesant Square en Manhattan o el Melrose Place de Jace en Los Ángeles.

Lleno algunos formatos en una pequeña oficina y después espero a Nic afuera. Hace frío pero traigo puesto un grueso abrigo.

Allá. Nic.

Respiro profundo.

De pie bajo el techo inclinado de una terraza baja en una cabaña en ruinas, Nic.

Nic con una chamarra del ejército y una bufanda estampada en tonos púrpura.

Nic con una camiseta deslavada, pantalones de hilo con pequeños parches de cuero y tenis negros de piel.

Su cabello dorado y marrón está rizado y largo. Él se lo aparta de los ojos.

Nic asciende por los débiles escalones hacia mí. Su rostro, delgado y anguloso. Sus ojos me miran con...

—Hola, papá.

Si admitiera el gusto que siento al verlo tal vez se me acusaría de olvidar la furia y el terror, pero siento *gusto* al verlo. Estoy asustado hasta los huesos.

Él se acerca a mí y extiende los brazos. Yo percibo su olor a cigarro y lo abrazo.

Mientras esperamos a Vicki charlamos sobre asuntos sin importancia. Después Nic levanta la vista hacia mí con timidez y dice:

—Gracias por venir. No estaba seguro de que vendrías.

Camino con él hasta un área superior para fumar debajo de un techo de madera; hay varias sillas maltratadas por la intemperie y una fogata.

Tengo miedo; no quiero desear verlo ni quiero sentirme feliz por verlo.

Nos encontramos a algunos de sus amigos. Hay una chica con perforaciones en las orejas y el cabello de tres centímetros de largo, un muchacho calvo y otro chico de cabello negro y rizado. Un hombre con el aspecto de quien ha pasado su vida entera bajo el sol se acerca y me saluda con un apretón de manos. Su piel es de cuero marrón, arrugado y rugoso. Sacude mi mano y me dice que tengo un hijo maravilloso.

Nic fuma y, al sentarnos junto a la fogata, me dice que las cosas han cambiado.

—Sé que ya has escuchado esto antes, pero ahora es distinto.

—El problema es que también he escuchado *eso* antes.

—Lo sé.

Entramos para reunirnos con su terapeuta principal y allí esperamos a su madre, quien pronto se reúne con nosotros. Vicki viste una chamarra larga y su cabello es largo y liso. Yo la miro de reojo. Resulta difícil mirarla a los ojos incluso después de todos estos años. Me siento culpable. Yo era un niño; tenía justo 22 años de edad cuando la conocí, un año menos que Nic ahora. Puedo intentar perdonarme a mí mismo, tanto si ella me perdona como si no, por el hecho de que yo era un niño, pero hay cosas con las que simplemente vives porque no puedes retroceder. Me he sentido nervioso por ver a Nic, pero también estaba nervioso por ver a Vicki. Tal vez nos hemos acercado mucho con el paso de los años recientes, es verdad; pero, a pesar de que hemos hablado por teléfono y nos hemos consolado y apoyado uno al otro y a pesar de que hemos discutido las diferentes opciones de intervención y nos hemos preocupado por la falta de un buen plan de seguros (ella se esfuerza ahora por integrarlo de nuevo a su póliza), no hemos estado en el mismo lugar durante más de unos cuantos minutos desde nuestro divorcio, veinte años atrás. Al pensar en esto recuerdo que la semana pasada fue nuestro aniversario de bodas, o lo hubiera sido. La última vez que estuvimos juntos durante más de cinco minutos fue en la graduación escolar de Nic, cuando Vicki y yo nos sentamos juntos y Jasper se sentó a mi otro costado. Más tarde, Jasper susurró a mi oído: "Vicki parece buena persona".

La terapeuta comenta que, desde su punto de vista, Nic va muy bien, está donde debe estar, si consideramos el panorama general, y nos pide hacer comparaciones y contrastes con sus estancias previas en tratamientos de rehabilitación. Después nos pide reflexionar acerca de lo que nos gustaría obtener de este fin de semana y nos desea buena suerte.

Nic, Vicki y yo almorzamos. Hay varias opciones de comida: tamales, ensalada, fruta. Nic come un plato de cereal.

Después del almuerzo, Nic nos conduce a otro edificio y al interior de una sala con dos paredes de madera y dos paredes blancas cubiertas por las obras de arte de los pacientes. Los mosaicos del suelo son blancuzcos y algunos están sueltos. Huele a café que ha estado toda la mañana sobre la hornilla.

Un círculo de sillas nos espera.

Miro a Vicki de reojo. Ella ha sido periodista desde hace más de veinte años, pero cuando nos conocimos trabajaba en el consultorio de un dentista en San Francisco. El consultorio estaba en un piso inferior a las oficinas centrales del norte de California del recién fundado *New West*, donde yo era editor asistente; fue mi primer empleo después de salir de la universidad. Era un consultorio dedicado a la odontología de la Nueva Era diseñado para el placer, no para el dolor. Era un lugar bien ventilado con techos en arco soportado por vigas de madera de estilo rústico. Luces italianas colgaban de cables dispuestos a manera de redes y había una selva de helechos plantados en macetas también colgantes. La música —Vivaldi, Windham Hill— llegaba a oídos de los pacientes a través de audífonos y a través de sus mascarillas recibían óxido de nitrógeno. Vicki vestía una bata blanca sobre un vestido con estampado al estilo de Laura Ashley. Tenía ojos azules como la aurora y su cabello era como el de las modelos del champú Breck. Poco tiempo atrás había llegado de Memphis, donde tenía un tío que era dentista. Éste de alguna manera la había entrenado para desempeñar su trabajo como asistente de dentista. Fueron necesarios tres intentos para que pudiera tomar bien mis placas de rayos X, pero yo estaba tan fascinado por el óxido de nitrógeno y con ella levitando frente a mis ojos que ese detalle resultó insignificante. Nos casamos al año siguiente. Yo tenía 23 años de edad, justo la edad que Nic tiene ahora. El cheque que le pagamos al pastor del bonito y blanco templo fue rechazado. Sólo dos de nuestros amigos estuvieron en Half Moon Bay. No hemos vuelto a ver a esos dos amigos desde entonces. Yo tenía 23 años de edad y hace tres semanas cumplí cincuenta. Mi cabello ya no es gris, es blanco. Se parece al cabello blanco algodón de mi padre.

Las sillas están ocupadas. Miro alrededor del círculo: los pacientes, sus padres y el hermano de uno. Vamos de nuevo.

Dos terapeutas nos guían. Uno de ellos tiene el cabello oscuro y el otro es rubio. Ambos usan bufanda y ambos tienen mirada amable e intensa. Hablan por turnos para establecer reglas y expectativas.

Yo pienso: "Esto es pura mierda". Ya he estado aquí, ya he hecho esto y no ha servido para nada.

Primero, cada uno de nosotros debe responder un cuestionario. Me avoco a la tarea. Después de algo así como media hora, todos leemos nuestras respuestas por turnos. Una madre, como respuesta a la pregunta de: "¿Cuáles son sus problemas familiares?", lee: "Yo no pensaba que tuviéramos problemas, pero supongo que, de no ser así, no estaríamos aquí. Pensé que teníamos una buena familia". La mujer comienza a llorar y su hija coloca una mano en la rodilla de su mamá. "Sí tenemos una buena familia." Una vez más estoy en una habitación con personas como yo, gente herida por la adicción, confundida, frustrada, culpable, enojada, abrumada y aterrorizada.

A continuación, terapia de arte.

¡Terapia de arte!

He vivido demasiadas cosas como para ahora sentarme en el suelo a pintar con los dedos con Nic y mi exesposa. La furia me crece por dentro. ¿Para qué vine? ¿Por qué estoy aquí?

Nos entregan un pedazo de papel dividido en tres partes. Nic, Vicki y yo nos sentamos en triángulo el suelo alrededor del papel. Un triángulo.

En el momento señalado comienzo a dibujar. Elijo un gis y comienzo a oprimirlo alrededor del papel.

El calentador está demasiado alto y no hay suficiente aire.

Vicki, con pinturas de agua, pinta una hermosa escena como de una playa o de lo que quiera que sea. Yo aún estoy furioso. Ella dibuja una puesta de sol. Azul brillante y suave en espirales. Ella pinta una bella imagen como si estuviéramos juntos en un día de arte familiar en el preescolar de Nic con un cielo azul y un campo de pastos verdes. Pero entonces miro el tercio de papel de Nic. Con tinta, él dibuja un corazón; no un corazón de San Valentín ni un corazón de Cupido: un corazón con músculos, tejidos y ventrículos conectados a una aorta. Un corazón que late dentro de un cuerpo. Su cuerpo. Pegado a la aorta, un rostro y después más rostros en diferentes ángulos con expresiones de furia, desolación, horror y dolor. Yo dibujo con mi gis. He trazado una especie de línea gruesa que asciende desde la parte inferior del papel, un río que sube, pero que después se divide y fluye hacia las dos esquinas superiores de la página. Oprimo con tanta fuerza que el gis se desintegra en polvo.

Cuál es el caso de estar aquí, es una pérdida de tiempo. Ahora Vicki —aquí viene— tiene negro disuelto con agua en su pincel y el hermoso cielo azul desaparece cubierto por trazos acuosos de negro en pinceladas dominantes y expresivas. Nic comienza a escribir con fuerza una palabra, *Lo*, dos palabras, *Lamento*, tres palabras, *Mucho*. Las escribe otra vez, las escribe otra vez, las escribe otra vez, las escribe otra vez. Tal parece que no puede dejar de escribirlas. Es una mierda, un intento barato de... no es mierda; él intenta, con profunda desesperación, y yo puedo sentirla en él, decir algo, salir de algo de lo que no puede salir.

Resulta fácil olvidar que, sin importar lo difícil que esto sea para nosotros, es más difícil para él.

Mi dibujo. Ahora hay gotas, lágrimas de las dos ramas de la corriente tributaria y seis círculos encima de ella. Entonces sé que he dibujado la apertura en mi cerebro y todo lo que está allí: lágrimas, dolor, sangre, furia, terror. La maleta rota con los círculos y su contenido —yo, el yo que fui— se derrama hacia afuera.

Su madre ha dibujado una pequeña mancha roja en el centro que también gotea. Ahí también hay sangre.

Nic escribe *Lo lamento mucho* y yo siento deseos de llorar. No, pienso, no le permitas entrar de nuevo. No le permitas entrar de nuevo. No le permitas entrar de nuevo.

Por turnos, cada familia describe lo que está pintado en los papeles y lo que cada miembro sintió al trabajar uno junto al otro. El rojo de Vicki no es sangre: es un globo rojo al cual quiere sujetarse para que la aleje de la tormenta negra. Nic levanta la mirada hacia ella y le dice lo relevante que es el hecho de que esté aquí. Yo la contemplo y aquí está ella. Miro a Nic. Aquí está Nic con sus padres. Siento tristeza, una tristeza sobrecogedora de que ella haya tenido que vivir tantas cosas y, en especial, tristeza porque Nic haya tenido que vivir tantas cosas, y después yo, nosotros, y me mortifica sentir tristeza; estoy mortificado por sentir... Oh, Nic, yo también lo lamento. Lo lamento muchísimo.

Nic dice que el trabajo que realiza aquí no se refiere a encontrar excusas por su disipación o su locura y que tampoco se refiere a culpar a nadie. Se refiere a sanar. Sus terapeutas le han dicho que él tiene que esforzarse por superar lo que sea que lo obliga a hacerse daño a sí mismo, a exponerse al peligro, a dar la espalda a aquellos amigos que lo aman, a atacar a sus padres y a otras personas que lo aman, en especial a sí mismo, a intentar destruirse a sí mismo. Él es adicto, pero ¿por qué? Además de la fortuna de tener determinada predisposición genética, ¿qué es? Ellos quieren que Nic lo enfrente todo con el fin de que pueda sanar y dejarlo atrás.

La gente de los demás grupos familiares habla acerca de sus pinturas, lo que éstas evocan y cómo fue la experiencia de trabajar en ellas. Después las comentamos entre nosotros. Una chica, amiga de Nic, señala lo distintas que son las imágenes de nuestras pinturas y lo intensa que es cada una de ellas; también agrega que el corazón de Nic conduce a los ventrículos y mi corriente de gis parece una arteria rota.

De alguna manera me doy cuenta de que lloro. La mano de Nic reposa en mi hombro.

Al salir, poco antes de la puesta de sol, una imperiosa luna flota sobre la montaña. Al mirarla comprendo que no guardo esperanza alguna respecto de este programa, no porque no tenga esperanza en que funcione y no porque no pueda funcionar, sino porque me aterra hasta la médula sentir esperanza otra vez.

Voy a una librería y compro la novela de Zadie Smith, *Dientes blancos*. Quiero escapar esta noche y quiero esconderme en la historia de alguien más. De regreso en mi habitación de hotel, lo primero que leo al abrir el libro es el epígrafe de *Donde los ángeles no se aventuran*, de E.M. Forster. Lo leo y vuelvo a leerlo. "Cada pequeño detalle, por alguna razón, parece tener una importancia incalculable y cuando tú dices que 'no tendrá consecuencias' suena como una blasfemia. No hay manera alguna de saber —cómo decirlo— cuál de nuestras acciones, cuál de nuestras indolencias no tendrá consecuencias permanentes." Casi tiemblo. Pienso cuán inocentes somos de nuestros errores y, a la vez, cuán responsables somos de ellos.

Se trata de sanar, no de culpar. ¿Será posible ir más allá de la culpa? En determinado momento Vicki asegura estar tan acostumbrada a guardar tanta rabia hacia mí que es como si siempre cargara una mochila llena de ladrillos a la espalda.

—Es un alivio ya no tener que cargarlos más —dice.

Después de algunos de sus comentarios en nuestra siguiente sesión de grupo, le digo:

—Tal vez aún tengas algunos ladrillos allí.

—Sí, tal vez los haya —reconoce ella.

Pero ahora estamos unidos en una de las conductas más primitivas de la especie humana: intentar salvar a nuestro hijo. El terapeuta dice que el objetivo de ese fin de semana no es culpar sino superar el resentimiento crónico. Un padre de los presentes dice:

—El resentimiento es como beber un veneno y esperar que la otra persona muera.

Por la mañana me dirijo de nuevo al centro de tratamiento. Allí está Nic con una camiseta de la Academia de Arte de Nueva York, pantalones de mezclilla acampanados con las valencianas deshilachadas y un abrigo multicolor. Un gorro tejido cubre su cabeza hasta los ojos. Bebemos café.

Las familias tenemos una sesión de terapia colectiva. Es una posición de suma vulnerabilidad: terapia de grupo con audiencia, pero debo admitir que es un alivio decir lo que pienso. Cuando Nic habla yo siento una marea de emociones: ansiedad, temor, exasperación, enojo, pena, remordimiento; hay reminiscencias de orgullo y peligrosos destellos de recuerdos de lo que tuvimos, además de amor. Quiero abrirme para escuchar a Nic y creer en él, pero no deseo que se derrumbe la frágil presa que he construido para protegerme. Temo ahogarme.

Los padres somos unos imbéciles. Yo soy un imbécil por considerar la posibilidad de abrirme a la idea de la sanación. Sin embargo... De pronto recuerdo cuando rezaba por Nic. Nunca planeé rezar. Sólo miré hacia atrás y me di cuenta de que recé. ¿Para qué rezaba? Nunca dije "Deja de consumir drogas". Nunca dije "Aléjate de las metanfetaminas". Dije "Por favor, Dios, sana a Nic". Recé "Por favor, Dios, sana a Nic". Por favor, Dios, sana a cada persona devastada de esta sala, la querida gente devastada de este planeta, esta entrañable gente herida. Yo miro a todos los presentes. Son valientes. Están aquí. Sin importar cómo llegaron, están aquí. Están aquí y, por tanto, existe una posibilidad.

En la sesión final del último día se nos instruye pensar acerca del futuro. El futuro está lleno de peligros. Lo ilustramos, en términos literales. Nuestros guías nos dan a cada familia grandes hojas de papel con una figura dibujada en la esquina inferior izquierda que representa un trozo de tierra —donde estamos— y una figura en la esquina superior derecha que representa nuestro destino. Entre ellas hay pequeños círculos, piedras para pisar sobre ellas.

Las instrucciones: Indiquen dónde se encuentran ahora y a dónde quieren llegar. Indiquen los pasos —pasos concretos— que pueden dar para llegar allí. Piensen en los próximos meses, no en el resto de su vida. A dónde quieren ir y los pasos que deberán dar para llegar allí.

—Y, oh —dice el terapeuta—, el resto del área del papel es un pantano. Para cruzarlo desde donde se encuentran ahora hasta el sitio a donde quieren llegar, con el uso de las piedras, deberán evitar los peligros del pantano. Indiquen los riesgos que se ocultan aquí y que les esperan.

Nic, con un grueso marcador rojo, no tiene problema alguno para identificar los riesgos. Hay muchos: los viejos errores y hábitos, la tentación de las drogas. Nic dibuja una aguja hipodérmica. Hay tanto rojo que es casi imposible encontrar espacio para escribir en los pequeños círculos, las piedras de paso. Las piedras parecen muy pequeñas e inestables en comparación, pero Nic escribe nuestro plan familiar y su plan. Cómo avanzaremos despacio y daremos pequeños pasos hacia adelante. Cómo nos apoyaremos y no nos obstaculizaremos unos a otros. Las piedras de paso de Nic incluyen a AA y otro trabajo concienzudo que, espera, reparará sus relaciones afectivas. Menciona a Karen y levanta la vista hacia mí.

—En verdad amo a Karen —me dice—. Somos amigos y la extraño. —En cuanto a Jasper y Daisy, comenta—: Sé que me tomará mucho tiempo.

Hay mucho por escribir. Cuando el mapa está terminado queda claro que las tareas de su madre y las mías no son triviales: mantenernos al margen, apoyar a Nic, pero permitirle que su recuperación sea su recuperación mientras nos esforzamos por crear relaciones saludables, amorosas y de apoyo, según las describe Nic, aunque independientes. No obstante, la mayor parte del trabajo recae en los hombros de Nic porque los riesgos esperan por él y lo inducen a fallar. Los riesgos, señalados con marcas rojas, son perniciosos, omnipresentes y siniestros. Es un pantano y hará falta un milagro para que Nic pueda navegar sobre él. Al pensarlo miro a la madre de Nic y a mi hijo. Estamos juntos los tres aquí y pienso: "Éste es un milagro. ¿Será demasiado sentir esperanza hacia los demás?".

Vuelo de regreso a casa. Siento como si alguien hubiera cortado
mi pecho con un serrucho y hubiera realizado una serie de cortes desde mi clavícula hasta cada omóplato y luego de regreso
al centro; que hubiera cortado a través de la mitad de mi pecho
y estómago, justo por encima de mis intestinos, y después más
cortes horizontales desde un extremo de mi hueso pélvico hasta
el otro. Enseguida, como si ese alguien, con manos enfundadas
en guantes quirúrgicos, hubiera apartado hacia a un lado y
hacia el otro las diferentes capas de tejido y hubiera desgarrado
los tendones, músculos y piel de manera que ahora estoy aquí
con las vísceras al descubierto.

Esa sensación no desaparece. Estoy en casa de nuevo y Karen salió con Daisy al ortodoncista, razón por la cual estoy a solas con Jasper quien toca la guitarra, lo que él llama "el rasgueo"
de una canción que graba con Garage Band. Después agrega
tambores, otras percusiones y un sintetizador. A continuación
graba su voz e improvisa divertidas letras. Para el coro, Jasper
repite la palabra *donas* como si se tratara del desenlace de un
libreto de ópera. Cuando la aberrante grabación queda lista,
Jasper la quema en un disco compacto.

Es hora de llevarlo en el *ferry* a su práctica de *lacrosse*. En el
auto escuchamos su música y luego a White Stripes. Al llegar al
campo, Jasper baja del auto con un salto, se pone su uniforme
y corre hacia donde se encuentran sus amigos.

Estoy de pie en la orilla de la cancha. Los chicos, vestidos
como gladiadores, exhalan vapor como dragones debido al frío y
corren detrás de la pequeña pelota blanca para atraparla en las
redes de los extremos de sus palos y arrojársela unos a otros a
lo largo de la cancha.

Mi teléfono celular está en mi bolsillo pero está apagado, un
estado impensable en el pasado. Según señaló nuestro terapeuta
familiar, el teléfono me conectaba con Nic y cada agudo timbrazo
causaba un sobresalto a mi corazón como si se tratara de un
desfibrilador. Tal parece que causaba sobresaltos en el corazón
de cada uno de nosotros. Cada llamada alimentaba mi creciente

obsesión con la promesa de tranquilidad de que Nic estaba bien o la confirmación de que no era así. Mi adicción a la adicción de Nic no nos ha servido a Nic ni a mí ni a nadie a mi alrededor. Su adicción se convirtió en una motivación mucho más importante que el resto de mi vida. ¿Cómo podría no serlo la lucha entre la vida y la muerte de un hijo? Ahora estoy en mi programa personal de recuperación de mi adicción a la suya. El trabajo profundo ocurre en terapia, pero también doy pasos prácticos, como apagar mi teléfono celular.

Después de la práctica, Jasper y yo vamos a una tienda de artículos deportivos. Sus tacos ya le quedan chicos y necesita unos nuevos. Para contribuir al pago de sus zapatos deportivos nuevos, Jasper utiliza un certificado de regalo que recibió en Navidad. Junto a la caja, al sacar el certificado de su cartera, un pedazo de papel cae al suelo.

—¿Qué es eso? —le pregunto mientras él se inclina a recogerlo.

—La carta que Nic me escribió.

Rápido la dobla de nuevo y la guarda en su cartera.

Ahora los niños están dormidos. Karen y yo estamos en la cama y leemos. Brutus corre en sueños. Después de colocar mi libro a un lado, me quedo acostado e intento comprender qué es lo que siento. Los padres de los adictos aprendemos a moderar nuestra esperanza, a pesar de que nunca la perdemos por completo. Sin embargo, nos aterra el optimismo y tememos que se nos castigue por ello. Es más seguro apagarlo; no obstante, de nuevo estoy abierto y, como consecuencia, siento el dolor y el gozo del pasado y la preocupación y la esperanza por el futuro. Ya sé qué es lo que siento. Todo.

Epílogo

Ha Jin escribe: "Algunos grandes hombres y mujeres se fortalecen y redimen a través de su sufrimiento e incluso buscan la tristeza en lugar de la felicidad, como aseguró Van Gogh: 'La pena es mejor que el placer' y como declaró Balzac: 'El sufrimiento es el maestro de uno'. Pero estos principios sólo son adecuados para las almas extraordinarias, para las personas selectas. A la gente ordinaria como nosotros, demasiado sufrimiento sólo puede hacernos más malos, más locos, más cerrados y más miserables".

Yo no soy un gran hombre, pero no me siento más malo, loco, cerrado o miserable. Hubieron periodos en los cuales sí me sentí así pero ahora me siento bien, al menos la mayor parte del tiempo.

Nic estuvo tres meses en Santa Fé y sus consejeros recomendaron que lo siguiente era ingresarlo a un programa en el norte de Arizona donde pudiera continuar su trabajo de recuperación, además de conseguir un empleo y realizar labores voluntarias. Él dijo que no.

—Sé que esto te preocupará, pero debo continuar con mi vida —me dijo e intentó tranquilizarme—. Estaré bien.

—No, no puedes —dije al principio, pero después recordé: Es tu vida.

Nic abordó un autobús hacia el este para ir a visitar a un amigo a quien conoció en el programa. No hablamos durante un tiempo, pero después comenzamos a hablar de nuevo.

Ahora nos reportamos uno con el otro con regularidad. Nic ya conoció a una nueva chica, es estudiante de arte y ya viven juntos. Nic trabaja en una cafetería, sirve café descafeinado (eso dice) cuando un cliente se lo pide y ha vuelto a escribir. Ha retomado la escritura de su libro. Ahora tiene mucho más qué decir acerca de lo difícil que resulta permanecer sobrio.

Hablamos sobre nuestros textos. Hablamos acerca de nuestras vidas, las noticias y los libros que leemos, música y películas *¡Little Miss Sunshine!*

Calculo que hará algo así como un año desde que partió de Los Ángeles. Hasta donde sé, ha cumplido un año de sobriedad otra vez. Después de todo, ¿confío en que ha permanecido sobrio? ¿Niego todo lo que hemos vivido? ¿Ignoro lo difícil que es y será? Nunca, pero tengo esperanza. Todavía confío en él.

Durante el periodo inmediato a mi hemorragia cerebral me quejé de haberme perdido lo que imaginaba que sería un beneficio por haber sobrevivido a una experiencia cercana a la muerte; es decir, más allá del beneficio por excelencia: seguir vivo. Como ya dije, con frecuencia he leído y escuchado testimonios de sobrevivientes que describen epifanías derivadas de una tragedia. Sus vidas se transformaron, se hicieron más simples y con prioridades más claras además de haber adquirido un nuevo aprecio por la vida. Pero también dije que yo siempre he apreciado la vida. En mi caso, la hemorragia cerebral me hizo percibir la vida con más temor. Aprendí que la tragedia puede golpear a cualquiera de nosotros o a nuestros hijos en cualquier momento y sin previo aviso.

Juzgué demasiado pronto. Las cosas han cambiado desde entonces. Así como hay etapas de luto o muerte, deben existir otras etapas después de un suceso traumático porque con el tiempo pude aprender la lección de la unidad de terapia intensiva de neurología.

Cumplí cincuenta años de edad en diciembre. En esa temporada yo conversaba con un terapeuta acerca de los años pasados. Cuando le dije que todos los neurólogos habían desechado la idea de que mi hemorragia cerebral se relacionaba con el estrés presente en mi vida, el terapeuta me miró con indulgencia y me dijo: "Bueno, es seguro que no ayudó". Él me recordó que, antes de que mi cabeza explotara (literalmente), yo con frecuencia sentía como si fuera a explotar. Durante años había vivido con una intensa y permanente preocupación por Nic. Ya lo había racionalizado: ningún padre consciente de un drogadicto podría esperar ser feliz durante mucho tiempo. Me sentía agradecido por los momentos de alivio cuando Nic parecía mejorar o, al menos, cuando estaba bien. Mientras tanto, hacía mi mejor esfuerzo por disfrutar de mi vida con Karen, Jasper, Daisy, mis amigos y el resto de mis familiares durante las treguas, aunque éstas fueran insuficientes y de corto plazo.

El médico señaló que yo podía tomar una decisión distinta. Sin invocar a AA o a Al-Anón, básicamente pronunció la Oración de la Serenidad. Podía decidir ahora y para siempre aceptar las cosas que no podía cambiar, tener el valor de cambiar las cosas que sí podía cambiar y tener la sabiduría para reconocer la diferencia. La clave está en la segunda parte: ¿Tenía yo el valor de cambiar las cosas que sí podía cambiar?

—Lo he intentado —le dije—. Lo he intentado por años.

—Tal parece que no lo has intentado lo suficiente.

El doctor me preguntó por qué acudía a terapia sólo una vez por semana. Le dije que no tenía tiempo ni dinero para más sesiones. En cuanto a la excusa financiera, respondió:

—Si, durante estos años, alguien te hubiera dicho que Nic necesitaba más terapia con el fin de estar bien, ¿hubieras encontrado la manera de pagar por ello?

—Sí —respondí con honestidad.

—¿Su salud mental es más importante que la tuya?

Entendí el mensaje.

En cuanto a la cuestión del tiempo para acudir a terapia, él preguntó:

—¿Cuánto tiempo vale la pena invertir para acabar con el sufrimiento de una persona? ¿Cuánto tiempo desperdicias ahora en sufrir? —Después—: Casi mueres. Tienes cincuenta años de edad. ¿Cómo quieres vivir el resto de tu vida? Depende de ti.

En última instancia, mi hemorragia cerebral me ha hecho apreciar, en lugar de temer, la profunda verdad de este cliché: nuestro tiempo aquí es finito. Esta concepción me motivó a escuchar al doctor y a hacer lo que fuera necesario para poder superar mi preocupación obsesiva por Nic. Yo no puedo cambiar a Nic, sólo a mí mismo. Por tanto, en lugar de concentrarme en la recuperación de Nic, desde entonces me he concentrado en la mía.

Acudí a las reuniones de Al-Anón. También tuve sesiones terapéuticas dos veces por semana y, por primera vez en la vida, me recosté en el diván del médico. La diferencia ha sido profunda, como desarmar una construcción de Lego de varios niveles con habitaciones y áticos ocultos; desmantelarlo ladrillo por ladrillo y examinar cada uno de ellos. Es un proceso meticuloso y, con frecuencia, atemorizante. Aprendí que, en un momento dado, el hecho de concentrarme en la perpetua crisis de Nic se convirtió en un territorio más seguro que concentrarme en mí mismo. Incluso era más seguro que sufrir una hemorragia cerebral casi fatal.

Como sabe cualquier persona en terapia intensiva, puede haber un beneficio de profunda transformación en el proceso a pesar de que no es fácil. He descubierto capas de culpa y vergüenza que ayudan a explicar por qué estaba tan deseoso de hacerme responsable por la adicción de Nic y, de hecho, por su vida. Como resultado, ya no siento que todos esos otros clichés de Al-Anón y de los programas de recuperación sean tales. Aún no acepto por completo la primera C pero, en cambio, reconozco que nunca sabré en qué medida causé la adicción o contribuí a ella. Hace poco, en la *New York Times Magazine*, William C. Moyers, hijo del periodista Bill Moyers y adicto en recuperación, dijo: "La recuperación se refiere a... lidiar con ese agujero en el alma". ¿Cómo se hizo ese agujero? Nadie lo sabe. Cuán inocentes somos de nuestros errores y cuán responsables a la vez. Acepto que cometí tremendos errores en la crianza de Nic. No me absuelvo; ni siquiera ahora. Como sabes, Nic, lo lamento muchísimo.

He aceptado las otras C. No puedo controlarla ni puedo curarla. "A pesar de todas las lágrimas y penas y todas las desesperadas buenas intenciones, la mayoría de las familias de adictos es vencida al final", escribe Beverly Conyers. "Los adictos persisten en su comportamiento autodestructivo y adictivo hasta que algo *en su interior*, algo muy ajeno a los esfuerzos de cualquier otra persona, cambia de manera tan radical que el deseo por la excitación de la droga es anulado y, por fin, apagado por el deseo de una vida mejor." Una cosa es leer esto y otra muy distinta es evolucionar a una genuina aceptación de ello. Confío en haber hecho todo lo posible por ayudar a Nic. Ahora depende de él. Acepto que lo he dejado ir y que él resolverá las cosas o no. Imagino que Nic también debe sentirse liberado por el hecho de que yo he dejado de hacerme cargo de su recuperación. Lo anterior establece las bases para una clase distinta de relación entre nosotros, como la que él vislumbró en Santa Fé. En lugar de ser codependiente y permisiva, conmigo en el intento por controlarlo aunque sea para salvarlo, nuestra relación puede evolucionar hacia la independencia, la aceptación y la compasión con límites saludables. El amor es garantía.

La hemorragia cerebral me ayudó a distinguir la diferencia. Era algo que yo sabía intelectualmente y que ya asimilé emocionalmente. Mis hijos vivirán conmigo o sin mí. Es una revelación abrumadora para un padre, pero también nos libera para permitirles crecer a nuestros hijos.

Desearía haber llegado a este punto más pronto, pero no pude. Si tan sólo la paternidad fuera más sencilla. Nunca lo será. Si sólo la vida fuera más sencilla. No lo es pero ésa ya no es mi meta. Alguna vez deseé con desesperación que las cosas fueran más sencillas, pero mi percepción del mundo se rompió en el curso de la adicción de Nic y durante mi estancia en la unidad de terapia intensiva. A partir de esas experiencias aprendí otra lección: que puedo aceptar y, de hecho, me siento aliviado por hacerlo, un mundo de contradicciones en donde todo es una gama de grises y casi nada es blanco o negro. Hay mucha bondad pero, con el fin de disfrutar de la belleza y del amor, uno debe soportar lo doloroso.

También han habido lecciones prácticas. Dado que se ha difundido el hecho de que mi familia ha vivido este proceso, amigos, amigos de amigos, amigos de amigos de amigos, así como extraños, acuden a nosotros. Tal parece que la gente aún lee mi artículo porque he recibido más cartas. Cada persona parece encontrarse en medio de alguna versión del infierno de la adicción, la propia o la de sus hijos, pareja, hermanos, padres o amigos. Con frecuencia piden mi consejo. Incluso ahora, mis consejos son tentativos.

Estoy por completo de acuerdo con la principal recomendación de todas las campañas antidrogas racionales: habla con tus hijos pronto y con frecuencia acerca de las drogas. De lo contrario, permitirás que alguien más los instruya al respecto. ¿Debes ser abierto y honesto acerca de tu propia experiencia con las drogas? Es una decisión individual porque cada padre y cada hijo son únicos. Yo sería cauto en glorificar el consumo de drogas y alcohol y tomaría en consideración las edades de los hijos para nunca proporcionarles más información de la que puedan comprender en un momento determinado. No obstante, a fin de cuentas, no sé si es importante o cuánto lo sea el hecho de hablarles acerca de tu experiencia. Otras cosas son mucho más importantes. ¿Cómo aplico esta conclusión con mi familia? Creo que los niños no necesitan (ni deben) conocer cada detalle de nuestras vidas, pero nunca les mentiré a mis hijos y responderé con honestidad a cada una de sus preguntas. Tarde o temprano, Jasper y Daisy leerán esta historia. No les sorprenderá porque la han vivido. Tenemos una conversación continua no sólo sobre Nic sino sobre las drogas, la presión de los amigos y los demás temas de sus vidas. Ellos conocerán la historia de su padre con las drogas y el costo que tuvo. Ya conocen la de su hermano.

Más que cualquier otra cosa, los padres desean saber en qué momento un hijo ya no experimenta, deja de ser un adolescente típico, ya no vive una etapa o algún rito de iniciación. Dado que no existe una manera adecuada de responder a esta pregunta, he concluido que preferiría equivocarme del lado de la precaución e intervenir más pronto que más tarde sin esperar a que un hijo se exponga al peligro o exponga a otras personas de manera irresponsable. En retrospectiva, desearía haber obligado a Nic a someterse a un programa de rehabilitación de largo plazo cuando él aún era lo bastante joven como para que yo tuviera poder legal sobre él para hacerlo. Enviar a un hijo —o a un adulto, para el caso— a rehabilitación antes de que esté listo y sea capaz de comprender los principios de la recuperación tal vez no impida la reincidencia pero, desde mi experiencia, no hará daño y podría ser útil. Además, un periodo de abstinencia forzada durante los años formativos de la adolescencia es mejor que el mismo tiempo invertido en consumir drogas. El tratamiento obligatorio en un buen programa cumple al menos con una meta inmediata: mantener al chico alejado de las drogas durante el tiempo que dura el tratamiento. Dado que mientras menos drogas se consuman más fácil será dejar de hacerlo, entonces mientras más largo sea el tratamiento, mejor.

¿A dónde enviar a un hijo? ¿Qué tipo de programa? A pesar de que pueden ayudar a algunos chicos, yo dudaría acerca de los programas que emplean una disciplina severa. No es que no comprenda el impulso de enviar a un hijo a un campamento militar. Los padres se dan por vencidos y dicen: "Ustedes arreglen a mi hijo". Sin embargo, no existe evidencia convincente de que los campamentos militares o algunos programas similares ayuden a los chicos y podrían causarles daño. El Instituto Nacional de Justicia alguna vez realizó una evaluación de campamentos militares cuya conclusión fue la siguiente: "Los componentes comunes de los campamentos militares, como la disciplina al estilo militar, el entrenamiento físico y la labor ardua no reducen la reincidencia". Un reporte del Instituto Koch del Crimen en Kansas descubrió que: "el temor a ser encarcelado en un campamento militar no ha impedido el crimen" y tres de cada cuatro chicos regresan a alguna forma de detención en el transcurso de un año después del campamento. En su página *web*, la Asociación Nacional de Salud Mental reporta que "el empleo de tácticas intimidatorias y humillantes es contraproducente para la mayoría de los jóvenes", "los asistentes a campamentos militares son más proclives a ser arrestados de nuevo o más pronto que otros criminales" y, al detallar el problema más serio de los campamentos militares, existen muchos "incidentes molestos" de abuso.

En 1998, en Georgia, una investigación del Departamento de Justicia en Estados Unidos concluyó que "el modelo paramilitar de los campamentos militares no sólo es ineficiente sino dañino". Más allá de algunos casos de muerte y abuso, "se crea una situación de peligro que con frecuencia puede ser dañina psicológicamente" dijo Mike Riera, un renombrado autor y psicólogo por su trabajo con adolescentes y con quien Karen y yo nos reunimos para comentar el caso de Nic. "Si la ira y la confusión que conforman la base de los problemas de un muchacho se empujan más hacia el fondo, existe una fuerte probabilidad de que se hagan patológicas y se manifiesten como una incapacidad para mantener relaciones interpersonales o como violencia, depresión o suicidio. Además, el abuso genera más abuso."

¿Entonces, qué? He escuchado algunas historias de éxito de personas que enviaron a sus hijos a varios tipos de programas: paciente interno, paciente externo, programas de un mes de duración como en Ohlhoff, St. Helena, Sierra Tucson, Hazelden y cientos más; programas de tres meses en bosques, selvas o desiertos; programas de seis meses como los que ofrecen instituciones como Ohlhoff, Hazelden y otros centros de tratamiento alrededor del país; programas de un año de duración o posteriores al bachillerato. Para muchos adictos, las estancias largas en comunidades de vida sobria, como Herbert House, transformaron sus vidas; es decir, las salvaron. No existe una respuesta única o sencilla porque nadie sabe qué es lo que ayudará a un individuo en particular. Es difícil conseguir recomendaciones profesionales confiables pero yo las buscaría. Yo insistiría en conocer una segunda o tercera opinión, discutiría con médicos, terapeutas y consejeros dentro y fuera de las escuelas y me aseguraría de que estas personas tuvieran experiencia en adicciones al alcohol y a las drogas. Después sopesaría sus recomendaciones y recordaría que ésta no es una ciencia exacta y que cada chico y cada familia son únicos.

Casi en todos los casos, enviar a un hijo a rehabilitación en contra de su voluntad es la decisión más difícil que un padre debe tomar. La madre de uno de los amigos de Nic de la escuela de graduados me contó que contrató a un hombre para que secuestrara a su hijo de 17 años de edad, quien consumía y vendía metanfetaminas. Especialistas entrenados lo sujetaron y lo escoltaron, con las manos esposadas, a un programa de tres meses de duración en el bosque. Ella lloró durante tres días enteros. Desde que terminó el programa, el chico ha reincidido una vez, pero ahora asegura que la intervención de su madre le salvó la vida.

Escuché historias similares en las reuniones de AA a las cuales acudí con Nic. Los adictos en recuperación recordaron cuando sus padres orquestaron intervenciones para obligarlos a someterse a un tratamiento. "Los odié en ese momento. Ellos salvaron mi vida." También escuché intentos fallidos. "Lo intenté pero mi hijo murió." En cuanto a las adicciones, ningún resultado está garantizado. Las estadísticas son casi insignificantes. Nunca sabes si tu hijo pertenece al 9, 17, 40, 50 por ciento o cualquier otro porcentaje del número real de los que sí se salvan. Al mismo tiempo, las estadísticas son útiles de una manera más reflexiva: nos informan que nuestro adversario es formidable y nos impiden albergar un optimismo irracional.

En ocasiones, cuando Nic recaía, yo culpaba a sus consejeros, terapeutas, instituciones de rehabilitación y, desde luego, a mí mismo. En retrospectiva he llegado a comprender que la recuperación es un proceso continuo. Tal vez Nic reincidió, pero los diferentes programas de rehabilitación interrumpieron sus ciclos de consumo de drogas. Sin ellos, Nic hubiera podido morir. Ahora tiene una oportunidad.

Lo anterior nos lleva a otra pregunta. Sí, yo ayudaría a un hijo mío a regresar a la rehabilitación después de una recaída pero no sé cuántas veces. ¿Una? ¿Dos? ¿Diez veces? No lo sé. Algunos expertos estarían en desacuerdo conmigo y te recomendarían no ayudarle. Ellos creen que un adicto debe acudir a un centro de recuperación por sí mismo. Tal vez tengan razón en lo que se refiere a algunos chicos. Por desgracia nadie lo sabe a ciencia cierta.

He aprendido algunas otras cosas más. La rehabilitación no es perfecta, pero es lo mejor con lo que contamos. Los medicamentos pueden ayudar a algunos adictos, pero no puede esperarse que sustituyan a un programa de rehabilitación y al trabajo continuo de recuperación. De ninguna manera ayudaría yo a una persona que consume drogas a hacer cualquier otra cosa que no sea regresar a la rehabilitación. No pagaría su renta ni sus multas para sacarla de la cárcel a menos que fuera directo a la rehabilitación; incluso entonces, no pagaría sus multas para sacarla de la cárcel varias veces, no pagaría sus deudas y nunca le daría dinero.

En 1986, Nancy Reagan, quien dio inicio a la campaña antidrogas "Sólo di que no", pronunció la famosa frase: "No hay un territorio intermedio en términos de moral. La indiferencia no es una opción... Por el bien de nuestros hijos, imploro a cada uno de ustedes que sean firmes e inflexibles en su oposición a las drogas".

No conozco a ninguna persona madura que esté a favor de las drogas como las metanfetaminas. En cambio, debemos comprender el complejo mundo en el cual crecen nuestros hijos y ayudarles lo mejor que podamos.

La gente le decía a Nic: "Bueno, sólo deja las drogas".

He aprendido que no es tan fácil.

La gente me decía que me liberara de mi preocupación porque no había nada que yo pudiera hacer. "Sácalo de tu mente."

Nunca pude hacerlo. Al final aprendí a hacer el duro trabajo que implicó poner esta experiencia en perspectiva porque no ayuda a nadie, ni al adicto ni al resto de la familia ni a ti cuando se convierte en lo único en tu vida. De ahí se deriva mi consejo: Haz lo que tengas que hacer (terapia, Al-Anón, mucho Al-Anón) para que puedas contenerlo. Y sé paciente contigo mismo. Permítete cometer errores. Sé amable contigo mismo y muy amoroso con tu pareja. No guardes secretos. Como repiten con frecuencia en AA: tú estás tan enfermo como tus secretos. A pesar de que no es una solución, la apertura es un alivio. Nuestras historias compartidas nos ayudan a recordar a qué nos enfrentamos. Los adictos necesitan recordatorios y apoyo constantes y sus familias también. Es útil leer historias de otras personas y también es útil escribir, al menos lo fue para mí. Como ya comenté, yo escribía con frenesí. Escribía a medianoche y hasta la mañana siguiente. Si yo fuera pintor como Karen, hubiera pintado lo que vivía en ese momento. Ella lo hizo con frecuencia. Yo escribía.

Ya no estoy preocupado por Nic. Esta situación puede cambiar, pero en este momento acepto e incluso aprecio el hecho de que él viva su vida a su manera. Desde luego que siempre tengo la esperanza de que permanezca sobrio. Espero que nuestra relación continúe en su proceso de sanación y sé que esto sólo puede suceder siempre y cuando él se mantenga sobrio.

¿A dónde se fue mi preocupación? Tengo una imagen mental de ella. El artista Chuck Close dijo en una ocasión: "Me abruma el todo". Él aprendió a separar las imágenes en una red de cuadrados pequeños y manejables. Al pintar un cuadrado a la vez, él crea retratos hipnóticos del tamaño de una pared. Yo también me sentí abrumado por el todo con frecuencia, pero aprendí a contener mi preocupación por Nic en un cuadrado o dos de la red que Close pintaría si su obra se basara en mi vida. Reviso mis cuadrados de vez en cuando. Cuando lo hago, siento un rango completo de emociones pero no me abruman.

A veces me aterra el futuro pero mucho menos de lo que solía aterrarme antes. Me he vuelto mucho mejor en la tarea de tomar cada día a la vez. Tal vez suene simplista, pero es tan profundo como muchos conceptos que conozco. Aún puedo preocuparme por lo que le sucederá a Nic en cinco años o en diez, y a Jasper y a Daisy, para el caso, pero entonces regreso a hoy.

Hoy.

෨ ෯

Es junio. Cumpleaños de Daisy. Hoy cumple diez años de edad. ¡Diez! Hoy también es día de ceremonia de ascenso. Daisy pasa a quinto grado y Jasper a séptimo.

Su canción de graduación de este año es "I Believe in Love", con versos escritos por los alumnos con la ayuda de sus profesores. La banda toca. "El cuarto grado fue la puerta", cantan Daisy y sus amigos, "y el conocimiento fue la llave. La fiesta fue fantástica. Cantamos en armonía. El país del oro y los días en Olhone nos mantuvieron en la onda. Se acabó el tiempo del cuarto grado; somos alumnos de quinto grado en movimiento. Yo creo en la música. Yo creo en el amor..."

El grupo de Jasper se pone de pie y los chicos cantan sus versos: "Sexto grado fue lo máximo, el viaje a Angel Island me asustó. En antiguo Egipto, China y las filosofías griegas. Y nada rima con Mesopotamia. Yo creo en la música. Yo creo en el amor..."

Por la noche, nuestra cena semanal en casa de Nancy y Don está dedicada a celebrar la graduación de los chicos, los cumpleaños de Nancy y Daisy y mi aniversario. Mi hemorragia cerebral ocurrió hace justo un año.

Los niños están alrededor de la mesa de la cocina y juegan damas chinas con Nancy, quien pierde y no le parece nada bien.

—No es justo —gruñe cuando Jasper gana.

Jasper, Daisy y sus primos arrastran la base con ruedas de un piano atada a una larga cuerda. Por turnos se jalan unos a otros sobre ella como si esquiaran sobre agua. El tripulante se inclina hacia ambos lados alrededor de la sala. En la cocina, Nancy arroja un puñado de chalotas picadas a una sartén con mantequilla derretida. Cuando están crujientes y doradas, agrega vinagre de vino tinto. Después de revolverlas, deja que la salsa se sazone sobre la hornilla y sale a la terraza. Con la mirada hacia el cielo, Nancy emite un curioso sonido para llamar a las aves. Cuervos y urracas acuden a comer galletas.

Don asciende por el camino que sube desde el jardín, donde ha regado las plantas. Porta un radio de bolsillo con audífonos. Los chicos corren por la cocina seguidos por la manada de perros que ladran; incluso Brutus avanza despacio detrás de los demás. Nancy preparó una pierna de cordero con la salsa de chalotas en vinagre, además de alubias con col verde, tomillo fresco y ajo. El hermano de Karen corta la pierna en rebanadas. De postre, su hermana preparó pastel de limón con merengue color rosa y azul pálido y pequeños monos, elefantes y osos con velas sobre ellos. Cantamos *Happy Birthday* para Daisy y Nancy y ambas apagan las velas. Después, Jasper, sentado junto a mí en la mesa, exclama:

—No puedo creer que ya sea verano.

Verano. Surfeo en Santa Cruz. Estamos aquí con nuestros queridos amigos en un tranquilo día en la zona curva de Pleasure Point. Las olas están bajas de manera que los locatarios más tradicionales se han quedado en casa, pero los grupos de olas gentiles y sedosas son perfectas para los niños. El agua está clara y tibia. Sentado sobre mi tabla a la espera del siguiente grupo de olas me tomo un momento para analizar la red en el interior de mi cabeza hasta encontrar los cuadrados en los cuales reside Nic. Él y yo pasamos juntos mucho tiempo aquí.

De camino a casa por la costa, Jasper elige un disco compacto. Como su hermano mayor cuando era más joven, el músico favorito del momento de Jasper es Beck, así que me entrega

Midnite Vultures para que lo deslice en el reproductor. El auto está lleno de arena y nosotros estamos llenos de arena y sal; el aire del mar se introduce por las ventanillas abiertas mientras Beck canta junto con Jasper y conmigo. Daisy se queja y nos pide que bajemos el volumen. Miro el océano azul y siento a Nic con mucha intensidad.

En casa, Jasper está sentado en la terraza con Daisy y la consuela. Ella está alterada porque miró un video acerca del calentamiento global.

—Siento como si estuviera de pie contra un muro y un gigante se aproximara despacio hacia mí. Yo quisiera detenerlo pero no puedo —dice mi hija entre lágrimas—. Quiero volar y coserle un parche a la capa de ozono.

Como si eso no fuera suficiente, también escuchó que Plutón ya no es considerado un planeta.

—Ese pobre tontito —exclama al secarse una lágrima.

Sin embargo, muy pronto aleja de sí su tristeza por la Tierra y por Plutón, y Jasper la dirige a ella y a sí mismo en una obra de teatro que ambos escribieron titulada *Reina Malévola*.

Escribo en mi oficina cuando llega un mensaje de correo electrónico de la novia de Nic. La chica agregó algunas fotografías de su reciente viaje por tierra. Nic, con el cabello más largo, lleva anteojos para el sol, una gorra de periodiquero, una camiseta blanca y pantalones acampanados. Está parado junto a un río y frente a un géiser en el Parque Nacional Yellowstone. Nic sonríe. Su sonrisa es gozosa.

Por la mañana el jardín está cubierto por una neblina perezosa. Karen se levantó temprano para llevar a Daisy a su práctica del equipo de natación. Jasper está arriba y rasguea la guitarra. Llamo a Nic para saludarlo y conversamos durante un rato. Él suena... suena como Nic, mi hijo, de regreso. ¿Qué sigue? Ya veremos. Antes de colgar, Nic me pide:

—Dales mi amor a Karen, Jasper y Daisy.

Después me dice que debe marcharse.

Reconocimientos

Con todo respeto quisiera agradecer a Steve Shoptaw, Edythe London, Walter Ling y en especial a Richard Rawson, todos de los Programas Integrados de Abuso de Sustancias en la Universidad de California, en Los Ángeles, por ayudarme a comprender la adicción. También quisiera agradecer a las personas que vetaron algunas secciones del libro y me ofrecieron sus correcciones y sugerencias. Junto con los doctores Rawson, Shoptaw y London, entre éstas se incluyen la doctora Judith Wallerstein y al doctor Gayathri J. Dowling, vicepresidente de la Oficina de la Rama de Políticas de la Ciencia de Políticas de la Ciencia y Comunicaciones del Instituto Nacional de Abuso de Drogas.

Este libro nació a partir de un artículo que se publicó en *The New York Times Magazine*. No puedo expresar de manera adecuada mi agradecimiento y mi profundo respeto a mis editores de ese artículo. Ellos son Katherine Bouton, Gerry Marzorati y, en particular, Vera Titunik.

Es incluso más difícil expresar mi gratitud a Eamon Dolan, el editor de este libro. Me resulta imposible dar crédito a su contribución. En cada momento me inspiró y aprendí de su sabiduría, de su inteligencia y de su elegante edición. También agradezco a Janet Silver por su sensibilidad, gentileza y dedicación a *Beautiful Boy (Chico hermoso)*. Reem AbuLibdeh y Larry Cooper contribuyeron con sus talentos y arte para la edición. Michaela Sullivan y Melissa Lofty crearon, respectivamente, la portada y el diseño del libro. También quisiera agradecer a Bridget Marmion, Lori Glazer, Megan Wilson, Carla Gray, Lois Wasoff, David Falk, Sasheem Silkiss-Hero, Chester Chomka, Sanj Kharbanda, Elizabeth Lee y Debbie Engel en Estados Unidos y a Suzanne Baboneau, Ian Champan, Rory Scarfe, Emma Harrow y Jeremy Butcher en el Reino Unido. Binky Urban, mi agente, vivió gran parte de esta historia y me proporcionó su firme apoyo además de ayudarme a navegar a través de territorios minados. También en ICM gracias a Ron Bernstein, Jacqueline Shock, Liz Farrell, Karolina Sutton, Molly Atlas y Alison Schwartz. Mi agradecimiento especial a Jasper Sheff por sus sugerencias y correcciones.

A lo largo de los últimos años he sentido reverencia por las valientes y devotas personas que trabajan para ayudar a los adictos y a sus familiares. Mi familia fue asesorada, guiada y apoyada por David Frankel, Rick Rawson, Paul Ehrlich y Jace Horowitz de Herbert House Ambiente de Vida Sobria, además de los humildes santos que prefieren ser mencionados sólo por sus primeros nombres: Randy y Ted. Reservo un agradecimiento especial e ilimitado por Mary Margaret McClure, Don Alexander y los notables maestros de nuestros hijos.

Finalmente quisiera agradecer a las maravillosas comunidades de Point Reyes Station e Inverness y, desde luego, a mis queridos familiares y amigos. Si se hartaron de nuestra interminable crisis, y cómo podrían no hartarse —yo me harté—, nunca lo demostraron. Gracias Sarah, Mike, Ginny, Annie, Peggy, las vaqueras Sue y Nan, Armistead, Christopher, Lee, Steve R., Heidi, Bo, Jenny, Jim, Mike M., Marshall, Jennifer, Suning, Ginee, Fred, Jessica, Peter, Ilie, Jeremiah, Taylor, Vicki, Susan, Buddy, Debra, Mark, Jenny, Becca, Bear, Susan, Lucy, Steve, Mark, Nancy, Don, Sumner y Joan, y Jamie, Kyle, Dylan y Lena. En uno de mis peores días, revisé mi correo de voz y Jamie me había llamado desde Nueva York: "Quiero volar a casa y construir un muro de contención alrededor de ti", dijo. Tú y Kyle lo hicieron (y aún lo hacen). Y con mi amor ilimitado, gracias (otra vez) Daisy, Jasper, Nic y Karen.

Recursos sugeridos

Para mayor lectura y ayuda. Ésta no es, en sentido alguno, una lista exhaustiva, pero los siguientes libros, artículos y páginas *web* pueden resultar de utilidad.

Addiction. HBO Series. Producida por John Hoffman y Susan Froemke. DVD disponible. www.hbo.com. Home Box Office, 2007.

Black, Claudia, Ph. D., *Straight Talk from Claudia Black: What Recovering Parents Should Tell Their Kids About Drugs and Alcohol,* City Center, MN. Hazelden Publishing, 2003.

Brown, Stephanie, Ph. D., Virginia Lewis, Ph. D., con Andrew Liotta, *The Family Recovery Guide: A Map for Health Growth,* Oakland, CA, New Harbinger Publications, 2000.

Cheever, Susan, *My name is Bill: Bill Wilson — His Life and the Creation of Alcoholics Anonymous,* Nueva York, Washington Square Press, 2005.

Cheever, Susan, *Note Found in a Bottle,* Nueva York, Washington Square Press, 2006.

Conyers, Beverly, *Addict in the Family: Stories of Loss, Hope, and Recovery,* Center City, MN, Hazelden Publishing and Educational Services, 2003.

Didion, Joan, *The Year of Magical Thinking,* Nueva York, Knopf, 2005.

Hoffman, John y Susan Froemke, editores, HBO *Addiction: Why Can't They Just Stop?* Nueva York, Rodale Press, 2007.

Johnson, Vernon, *Intervention: How to Help Someone Who Doesn't Want to be Helped,* Center City, MN, Hazelden Publishing, 1986.

Kellermann, Joseph L., *A Guide for the Family of the Alcoholic,* Center City, MN, Hazelden Publishing and Educational Services, 1996.

Ketcham, Katherine y William F. Asbury, con Mel Schulstad y Arthur P. Ciaramicoli, *Beyond the Influence: Understanding and Defeating Alcoholism*, Nueva York, Bantam Books, 2000.

Lamott, Anne, *Bird by Bird: Some Thoughts on Writing and Life*, Nueva York, Anchor, 1995.

Lamott, Anne, *Plan B: Further Thoughts on Faith*, Nueva York, Riverhead Trade, 2006.

Lamott, Anne, *Traveling Mercies: Some Thoughts on Faith*, Nueva York, Anchor, 2000.

Lynch, Thomas, "The Way We Are", de *Bodies in Motion and at Rest: On Metaphor and Mortality*, Nueva York, W.W. Norton and Co., 2001.

Milan, James Robert y Katharine Ketcham, *Under the Influence: A Guide to the Myths and Realities of Alcoholism*, Nueva York, Bantam Books, 1983.

Mnookin, Seth, "Harvard and Heroin", Salon.com, 27 de agosto de 1999.

Mnookin, Seth, "The End of My World as I Knew It", Slate.com, 31 de diciembre, 2004.

Mnookin, Wendy, "My Son the Heroin Addict", Salon.com, 27 de agosto de 1999.

Moyers on Addiction: Close to Home. Dirigida por Bill Moyers. VHS. Curriculum Media Group, 1998.

Moyers, William C., y Katherine Ketcham, *Broken: My Story of Addiction and Redemption*, Nueva York, Viking, 2006.

Oficinas centrales de Al-Anón y Grupo Familiar Al-Anón, *The Al-Anon Family Groups —Classic Edition*, Virginia Beach, VA, Al-Anon Family Group Headquarters, Inc., 2000.

Oficinas centrales de Al-Anón y Grupo Familiar Al-Anón, *Alateen — Hope for Children of Alcoholics*, Virginia Beach, VA, Al-Anon Family Group Headquarters, Inc., 1973.

Oficinas centrales de Al-Anón y Grupo Familiar Al-Anón, *Courage to Change: One Day at a Time in Al-Anon II*, Virginia Beach, VA, Al-Anon Family Group Headquarters, Inc., 1968, 1972, 1973.

Oficinas centrales de Al-Anón y Grupo Familiar Al-Anón, *One Day at a Time in Al-Anon*, Virginia Beach, VA, Al-Anon Family Group Headquarters, Inc., 1968, 1972, 1973.

Oficinas centrales de Al-Anón y Grupo Familiar Al-Anón, *Paths to Recovery — Al-Anon Steps, Traditions, and Concepts*, Virginia Beach, VA, Al-Anon Family Group Headquarters, Inc., 1997.

Orenstein, Peggy, "Staying Clean", *New York Times Magazine*, 10 de febrero del 2002.

Recovery of Chemical Dependent Families (folleto), Center City, MN, Hazelden/Johnson Institute, 1987.

Schwebel, Robert, *Saying No Is Not Enough: Helping Your Kids Make Wise Decisions About Alcohol, Tobacco, and Other Drugs*, Nueva York, Newmarket Press, 1989.

Shannonhouse, Rebecca, *Under the Influence: The Literature of Addiction*, Nueva York, Modern Library, 2003.

Sheff, Nic, *Tweak*, Nueva York, Ginee Seo Books/Atheneum, 2007.

Singer, Mark, "The Misfit: How David Milch Got from *NYPD Blue* to *Deadwood* by Way of an Epistle of St. Paul, *The New Yorker*, 14 y 25 de febrero de 2005.

"The Meth Epidemic". *Frontline*, DVD, PBS, 2005

Wallerstein, Judith S. y Sandra Blakeslee, *What About the Kids: Raising Your Children Before, During, and After Divorce*, Nueva York, Hyperior, 2003.

Wallerstein, Judith S., Julia M. Lewis y Sandra Blakeslee, *The Unexpected Legacy of Divorce: The 25-Year Landmark Study*, Nueva York, Hyperiom, 2000.

Sitios *web* para más información y referencias; incluso reuniones de doce pasos en tu área.

Al-Anón / Alateen
   http://www.al-anon.org
   http://www.al-anon.alateen.org/english.html
Nar-Anón
   http://nar-anon.org/index.html
Alcohólicos Anónimos
   http://www.alcoholics-anonymous.org
Narcóticos Anónimos
   http://na.org
Sociedad para una América Libre de Drogas
   http://www.drugfree.org

Drugfree.org; centro de información y recursos sobre las metanfetaminas

    http://www.drugfree.org/Portal/DrugIssue/MethResources/de-
fault.html

KCI, el sitio anti-metanfetaminas

    http://www.kci.org

Programas Integrados de Abuso de Sustancias de la UCLA

    http://uclaisap.org

Hazelden

    http://www.hazelden.org

Asociación Nacional de Hijos de Alcohólicos (NACOA)

    http://www.nacoa.net

Sociedad Estadounidense de Medicina para Adicción

    http://www.asam.org

    Instituto Nacional de Abuso de Drogas

    http://www.nida.nih.gov

Instituto Nacional de Abuso de Drogas; información y recursos relacionados con las metanfetaminas

    http://www.nida.nih.gov/DrugPages/Metamphetamine.html

Instituto Nacional de Abuso de Drogas para Adolescentes

    http://www.teens.drogabuse.gov

Mi hijo precioso, de David Sheff
se terminó de imprimir en agosto de 2008 en
Quebecor World, S.A. de C.V.
Fracc. Agro Industrial La Cruz
El Marqués, Querétaro
México